S0-AIJ-017

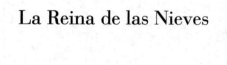

La Reina de las Nieves

Carmen Martín Gaite

La Reina
de las Nieves

EDITORIAL ANAGRAMA
BARCELONA

Ilustración: Conrad Roset

Primera edición en «Argumentos»: mayo 1994
Primera edición en «Compactos»: mayo 1997
Segunda edición en «Compactos»: noviembre 1999
Tercera edición en «Compactos»: septiembre 2000
Cuarta edición en «Compactos»: mayo 2017

Diseño de la colección: Julio Vivas y Estudio A

© Herederos de Carmen Martín Gaite, 2008

© EDITORIAL ANAGRAMA, S. A., 1994
    Pedró de la Creu, 58
    08034 Barcelona

ISBN: 978-84-339-7822-6
Depósito Legal: B. 8891-2017

Printed in Spain

Liberdúplex, S. L. U., ctra. BV 2249, km 7,4 - Polígono Torrentfondo
08791 Sant Llorenç d'Hortons

Para Hans Christian Andersen, sin cuya colaboración este libro nunca se habría escrito. Y en memoria de mi hija, por el entusiasmo con que alentaba semejante colaboración.

Suéltate del infierno, y tu caída quedará
interceptada por el tejado del cielo.

Djuna Barnes,
El bosque de la noche

NOTA PRELIMINAR

Esta novela, para la que vengo tomando notas desde 1975, ha tenido un proceso de elaboración lleno de peripecias. La empecé a escribir «en serio» en 1979, por primavera, y trabajé en ella con asiduidad hasta finales de 1984, sobre todo en otoño de ese año, durante una estancia larga en Chicago. Había ido a aquella universidad como profesora visitante y me albergaba en el piso diecisiete de un antiguo hotel, el Blackstone, que tenía puerta giratoria. Desde mi habitación se dominaba el lago Michigan, yo había corrido la mesa junto a la ventana, y me pasaba tardes enteras trabajando allí. *La Reina de las Nieves* la asocio siempre con la fría y desolada visión de aquel lago inmenso. Creo que en alguna entrevista que me hicieron por entonces, hablé ya de este proyecto literario, que consideraba suficientemente maduro y pensaba rematar a mi regreso a Madrid.

Sin embargo, a partir de enero de 1985, y por razones que atañen a mi biografía personal, solamente de pensar en la Reina de las Nieves se me helaba el corazón, y enterré aquellos cuadernos bajo siete estadios de tierra, creyendo que jamás tendría ganas de resucitarlos.

Pero no fue así. Al cabo de ocho años, recién publicada *Nubosidad variable,* y víctima del vacío que me habían dejado Sofía Montalvo y Mariana León, me volví a acordar de Leonardo Villalba con punzante nostalgia, como cuando se busca amparo en un amigo cuya pista hemos perdido. Y la pesquisa se inicia, aun arrostrando las emociones imprevisibles que puede acarrear todo reencuentro, que viene a ser casi siempre como hurgar en una herida.

Me puse, pues, a buscar aquellos cuadernos, cuya fisonomía externa recordaba perfectamente, y no aparecían por ninguna parte. A lo largo de tres días revolviendo cajones, estantes y maleteros, la búsqueda se iba volviendo cada vez más ansiosa y apasionada. Cuando por fin los encontré, el desasosiego padecido me había servido para enterarme de la importancia que aún tenía para mí aquella historia, certeza que se intensificó cuando me puse a leerlos una tarde de julio de 1992 en Santander y decidí no abandonarlos ya nunca de nuevo. No me acordaba de que tuviera tanto escrito ni tantos apuntes tomados para su continuación. Sin embargo, quedaba aún mucha tela cortada y bastantes enigmas por resolver. Casi sin darme cuenta, me fui metiendo otra vez en la tarea, y el argumento revivía. Simplemente porque no estaba muerto.

Si he querido dejar constancia de este proceso, aunque sea muy por encima, es por salir al paso de la extrañeza que puede provocar en quienes siempre me preguntan «¿Y en qué está usted trabajando ahora?» la idea de que una novela tan complicada y «especial» como esta me la pueda haber sacado de la manga en menos de dos años. Y también por otra cosa: la historia se desarrolla a finales de los setenta, que es cuando se me ocurrió, y eso no tiene vuelta de hoja. Me parece importante recordárselo al lector, porque ni los locales nocturnos de Madrid, ni la vida en una aldea perdida, ni la estancia en una celda de Carabanchel son ahora igual a como eran hace quince años. Quince años es mucho tiempo. Tienen que pasar para que uno se dé cuenta.

CARMEN MARTÍN GAITE

Primera parte

I. MUERTE DE ROSA FIGUEROA

Casi todas las tardes, a la caída del sol, la señora de la Quinta Blanca salía a dar un paseo hasta el faro. Nunca la acompañaba nadie. Caminaba erguida, con paso lento y armonioso, como abstraída en sus cavilaciones, y solamente al cruzar por la pequeña aldea que queda a mitad de camino entre la Quinta y el faro, apartaba de vez en cuando los ojos de aquel punto remoto de las nubes donde parecían tener su norte, para dirigirlos brevemente hacia alguna de las personas que clavaban en ella la mirada y para responder a su saludo con una sonrisa fugaz y distante.

Aquellas apariciones, aun sin llegar a perder nunca cierto cariz ritual y extraordinario, también vinieron a inscribirse poco a poco en el ámbito de esos fenómenos meteorológicos, faenas o ceremonias que van pautando el fluir de la vida en cualquier comunidad rural, desde el alba al ocaso, y suministran el hilo con que se van tejiendo las pláticas cotidianas. Así, cuando no pasaba la señora, los vecinos de la aldea se quedaban un poco en blanco, igual que si por ejemplo don Ambrosio no hubiera venido a decir misa el domingo, sin dignarse después dar más explicaciones. Su ausencia siempre había sido detectada por alguien y proyectaba como una sombra inquietante sobre el final de las tareas agrícolas, las cenas frugales, el regreso de las bestias al establo y la animación de la taberna emplazada junto al primer repecho de la cuesta que lleva al faro abandonado.

Esta taberna era al mismo tiempo tienda de embutidos, herramientas, loza, velas y tabaco, así que detrás del mostrador de madera de pino donde se despachaban estos artículos también se preparaba el café, se partía el queso y se servían las bebidas que consumían los clientes habituales, mucho más numerosos al anochecer. Algunos preferían quedarse de pie bebiendo junto al mostrador, a ratos silenciosos y a ratos conversando entre sí, con la tabernera o con las mujeres que entraban a comprar o simplemente a arrimarse al calor de la tertulia bajo el pretexto de buscar al marido para que volviera a casa.

Si alguna de estas mujeres que llegaba preguntando por el marido no lo encontraba en el recinto del mostrador, se asomaba a otro que había a la derecha separado de aquel por un tabique del que colgaban varios calendarios, una red de pescador y un reloj viejo con marco octogonal de madera renegrida. Era una habitación con bancos estrechos y dos mesas grandes de pino muy fregado, alrededor de las cuales se agrupaban los bebedores más irreductibles, lentos y solemnes, los viciosos del mus y el dominó. Allí, entre el humo del tabaco y a la luz de un tubo largo de neón que dividía en dos el techo, era casi siempre donde alguien, más tarde o más temprano, aprovechando una pausa del juego, se quedaba mirando hacia la ventana que daba al camino y decía: «Hoy no pasó la señora.» Y tal vez otro, tras el silencio que indefectiblemente seguía a la enunciación de la noticia, podía añadir alguna apostilla alusiva al clima, como cuando se habla de las cosechas; podía decir, por ejemplo: «Y eso que hoy no llovió.» Pero los comentarios no solían ir mucho más allá, porque todo lo que se relacionaba con ella producía una especie de respeto.

Desde que, algunos años atrás, compró y reformó la Quinta Blanca, cerrada a cal y canto a raíz de la muerte de su anterior propietaria, eran muy pocos los que se atrevían, so pena de ser tildados de fantasiosos, a ampliar con fundamento las escasas noticias que se tenían sobre su vida privada: que venía del Brasil, donde quedó viuda de un rico hacendado sin vínculos conocidos con esta aldea, que no tenía hijos y que su marido o ella o ambos habían mantenido (¿por razón de negocios?) una relación de amistad bastante estrecha con el hijo único de doña Inés Guitián, que estaba enterrada aquí en el cementerio de la aldea, «la señora de antes», como empezaron a llamarla algunos poco después de llegar esta otra a tomar posesión de la vieja quinta cerrada, cuyas gruesas murallas cubiertas de musgo escalaban a veces los niños más atrevidos, no tanto para robar fruta de la huerta como para deambular con una mezcla de encogimiento y fascinación por entre las estatuas, glorietas y laberintos de boj del inmenso jardín abandonado, donde los pájaros cantaban de otra manera y producía un raro sobresalto ver brincar a una rana, serpentear a una culebra o corretear a una lagartija.

El hijo de doña Inés Guitián vivía en Madrid, aunque también se decía que viajaba mucho; pero desde aquella tarde ya lejana de otoño en que vino para asistir al entierro de su madre y dejar la Quinta Blanca cerrada a piedra y lodo, no había vuelto a poner los pies en ella hasta algún tiempo después de que la actual dueña la reformara y tomara por vivienda, al parecer definitiva.

Fue precisamente a partir de esta primera visita cuando empezaron a desatarse en el pueblo, aunque siempre en sordina, diversas conjeturas espoleadas por la fantasía de unas gentes proclives al relato sensual, macabro o prodigioso. Bien es verdad que la actitud tomada por el viajero al regresar a la tierra de sus mayores daba pie más que sobrado a tales conjeturas, teniendo en cuenta sobre todo que aquella visita inicial no fue ni mucho menos la única que había de hacer a la señora de la Quinta Blanca, y que en esos viajes –ni tan frecuentes como para que dejaran de sorprender, ni tan esporádicos como para constituir una excepción aislada– pocas veces se le vio por la aldea, y solamente una de ellas había hablado con alguien que le reconociera.

Fue una mañana de abril, cuando casi al rayar el día salía de la Quinta a paso ligero para dirigirse al cementerio con un ramo de dalias recién cortadas. Una aldeana vieja, que había prestado servicios de recadera y hortelana en vida de la difunta señora, contaba luego cómo, al verle trasponer tan de mañana la alta verja flanqueada por pilares de piedra con floreros de bronce en el remate, lo había reconocido y había hecho ademán de echarse en sus brazos llorando.

–Pero no me dejó, mujer, no me dejó. De eso que notas que el abrazo se te hiela, ¿no sabes?, que no viene a cuento. Y él allí serio, sin moverse, como si viera a un fantasma, aunque fantasma también me pareció él a mí. Está más flaco y ha perdido pelo.

–Pero ¿le dijiste que eras la Rosa?

–Si no hizo falta, mujer, si él me dijo «hola, Rosa» nada más verme, y me preguntó por el Ramón, y yo le dije que muriera hace dos inviernos. Y él: «Vaya, mujer, lo siento», y que qué tal la Tola.

–¿Pues entonces?

–Pero serio, mirando para el suelo, una cosa incómoda, ¿no sabes?, como si le diera apuro, y allí los dos de pie, uno enfrente del otro, yo tan trastornada que a poco se me cae el haz de leña de la cabeza, acordándome de la santa de su madre y preguntándole que qué tal el chico, que cómo era tan ingrato que no había vuelto nunca, con tanto como lo tuve en el regazo y tantos cuentos como le conté, Virgen mía, que nunca se cansaba la criatura aquella de oír cuentos, y luego siempre quería saber si lo que acababa de oír había pasado de verdad y en qué país y cuándo.

–¿Y él del chico qué te dijo?

–Poca cosa. Si casi no me hablaba, ya te digo. Hizo un gesto raro cuando lo oyó nombrar, que ya no vivía en la casa con ellos, que estaba muy bien, nada entre dos platos.

–Bueno, mujer, bueno. Eso de que está muy bien habría que verlo. Yo tengo oído que anda en malos pasos desde que heredó a la abuela, que no hay cosa peor para la juventud que verse con dinero y tanto mimo, y más hoy en día.

–Yo también lo tengo oído, pero serán mentiras, invenciones de la gente. Era un alma de Dios el niño aquel. Y mimo no sería el que le dio su madre, que nunca lo quiso, ni quiso a su suegra, ni nos quiso a ninguno de aquí. Un pedazo de hielo era esa señora. Y siempre con la manía de la limpieza y de los microbios y de hervirlo todo, y que si en su país se hacía así o asá, que parecía como si nos estuviera viendo a todos como a salvajes. Vamos, que cuando me dijo aquel verano que no besara al niño porque me había notado que olía mal, no me olvidaré por muchos años que viva. Por eso te digo, ¿entiendes?, que el niño ese es un ángel, porque él fue el único que me defendió y se vino junto a mí al ver que me había echado a llorar: «tú no llores, Rosa, anda, no hagas caso», agarrado a mis faldas, y la otra con una cara que daba susto: «¡Te he dicho que vengas aquí ahora mismo!», y él pataleando cuando lo quiso arrancar de mí a viva fuerza; hasta que empezó a gritos que a él le gustaba mi olor y el olor del estiércol y de la tierra y de la basura cuando se quema y de las vacas, y que no quería más agua de colonia. ¡Virgen del Carmen, nunca se lo hubiera dicho!, no sabes qué paliza le pegó, allí mismo delante del marido y de la suegra. Es cuando yo me fui.

–¿Y ellos?

–Ellos la tenían miedo, mujer, siempre le tuvieron miedo. Bueno, doña Inés sería por no meterse, que a ella no la dominaba nadie, pero al marido lo tenía en un puño. Menos mal que aquel fue el último verano que vino. Y fíjate, seguro que tuvo que ver por lo que hablaron cuando yo me marché, que algo tuvieron que hablar, ¿cómo no iban a hablar si se quedaron helados?, pero sin rechistar, oye, como estatuas. Y ella hasta dejó de pegar al niño. No se lo esperaba, claro, ni yo, es igual que cuando se desborda un río. Por lo menos, ya ves, sirvió para algo.

–¿Pero qué le dijiste?

–Pues que no la quería volver a ver en mi vida, pero mirándola a la cara, ¿no sabes?, sin miedo. Le dije: «Aquí sobra alguien, o usted o Rosa Figueroa, así que Rosa Figueroa, eso ya se sabe», y me quité el mandil y me largué, quedaba claro que no era broma, porque doña Inés me conoce. Bueno, me conocía, he querido decir, pobre, Dios la tenga en su gloria, pero es que cuando la nombro me parece que la vuelvo a ver. Así que, a lo que te iba, que sabiendo como soy, cuando me mandó llamar otra vez a los pocos días era porque ya se habían ido ellos. Además yo estaba al tanto, los había visto pasar por la mañana en el coche, si no, no vuelvo ni muerta, al Ramón se lo había dicho: «Antes me muero de hambre»; pero se fueron solos, al niño lo dejaron. Y ella ya no volvió nunca más, así que algo tuvo que pasar entre la suegra y la nuera. Nunca lo supe, buena era doña Inés para soltar prenda. Pero tampoco me riñó. Solamente me dijo: «¡Vaya genio que sacas algunas veces, Rosa!», y yo le dije: «Es el orgullo de los pobres», y me puse a pelar patatas: eso fue todo.

–Pero él sí volvió, ¿no?

–Poco. Se iban por ahí a otros sitios de veraneo y al niño lo dejaban con la abuela tiempo y tiempo, que andaba delicado de salud y habían dicho los médicos que esto era lo que mejor le probaba. A veces venía a buscarlo el padre y otras el chófer, pero ya entrado el otoño. Ella nada, como si se hubiera muerto.

–¿Y se habrá muerto ahora?

–¡Qué va, mujer!, hace poco la vi yo retratada en una revista de esas que tiene la Antonia, donde sacan las fiestas que da la gente rica, con un traje de mucho escote; no pasa año por ella. Gertrudis se llama, aunque ellos la llamaban de otra manera, no me acuerdo bien, porque poco volvió a sonar su nombre aquí. A doña Inés no le gustaba sacarla a relucir ni para bien ni para mal, y el niño lo veía raro, porque es que lo era. A la abuela la mareaba a preguntas, pero como si no. Luego, cuando creció, tampoco él hablaba de la madre, se le perdió aquel ansia de preguntar y se volvió más serio, pero de pequeño no sabes lo que era. A mí me sacaba un libro de mapas muy grande que tenían en el salón del piano y me enseñaba el sitio de donde era su madre, muy arriba, un sitio muy frío decía él que era, aunque nunca había estado, y preguntaba que por qué no había estado él allí. Le pedía a la abuela que le contara cuentos de ese sitio, y otros los inventaba él. Era muy listo, con aquellos ojos siempre de par en par, y sobre todo un ángel, ya te digo. ¡Lo que él quería a mi Tola!

La vieja Rosa remataba su relato, cuando le daba tiempo a rematarlo sin que el oyente se le fuera, puntualizando que el hijo de doña Inés, cuando se lo encontró esa mañana con el ramo de dalias, no había estado propiamente antipático con ella, que era más bien como si le atormentara acordarse de historias pasadas, como si estuviera triste y le diera vergüenza que se le notase. Contaba que al final, como ella seguía llorando, sacó del bolsillo alto de la chaqueta un pañuelo muy fino y bien planchado y que se lo alargó, y a ella le daba reparo desdoblarlo y sonarse con él por lo bien que olía, en contraste con su propio mal olor. Y al llegar a este punto era cuando intercalaba por primera vez la escena ya lejana, pero siempre candente, de aquella extranjera maniática de la limpieza y de los malos olores azotando a su hijo por haberse atrevido a mantener una declaración de principios tan opuesta a la suya; aunque otras veces lo que hacía era volver a repetir la historia sin acordarse de que ya la había contado, porque los viejos suelen perder el hilo de lo que llevan dicho antes, confundiéndolo con el de las cosas que no han sacado a relucir todavía. Y así, avanzando a base de pequeños retrocesos, acababa confesando que fue precisamente el recuerdo de aquella escena antigua lo que la decidió a sonarse sin rebozo y casi con fruición con el pañuelo limpio y a mancharlo de lágrimas y mocos, más vale tarde que nunca, ¡pues menuda venganza! Y que cuando el padre de aquel niño a quien gustaba el olor de los establos se despidió sin consentir que ella le acompañara al cementerio, le había querido devolver el pañuelo, pero él dijo que no, que se lo guardara como recuerdo. Y al rechazárselo, ya tenía la voz más dulce.

– «Como recuerdo de las cosas que no vuelven, Rosa», me dijo. Y me miraba con cara de pena, como que me pareció que iba a darme un beso. Pero luego de repente casi se escapó sin decirme adiós, como alma que lleva al diablo. ¡Ay, Señor, qué vida!

Siempre que volvía a hacer la narración de aquel encuentro, enriquecida cada vez con nuevos detalles, y ramificada por las múltiples divagaciones que el tema iba concitando en su memoria, volvía a sacar Rosa de la faltriquera aquel pañuelo grande de batista con las iniciales E.V.G. bordadas en una esquina para secarse con él las lágrimas que van a engrosar los ríos cuyas aguas nunca vuelven. Y cuando bajaba al lavadero de la aldea a hacer la colada, lo frotaba contra la piedra ondulada y oblicua con un esmero especial, poniéndolo aparte de las otras prendas de ropa; aunque algunas veces no hacía al caso semejante precaución porque era solamente el pañuelo lo que llevaba para lavar, y por eso lo sacaba siempre tan limpio y bien doblado, que era fama en el pueblo el pañuelo de la Rosa. Y dejó dicho que al morir le taparan la cara con él, última voluntad que, cuando algunos meses más tarde abandonó este mundo para siempre, fue cumplida con todo respeto y solemnidad por sus convecinos, sin que nadie esbozara jamás ni una sonrisa después al comentarlo. Al contrario, muy serios lo referían, pues era aquel un pueblo que tenía a gala rendir culto ancestral a todo lo enigmático, inmaterial y misterioso.

Por razones de la misma índole, a nadie extrañó tampoco que algunos días después de darle tierra a Rosa Figueroa, el cura de la aldea recibiera un importante giro de dinero, el nombre de cuyo remitente se comprometía a no desvelar, para atender a los gastos que pudiera suponer internar en un asilo de subnormales a la única nieta de la difunta, una chica que había nacido con falta y que sus padres, cuando marcharon para América, habían dejado al cuidado de los abuelos, hasta que poco a poco llegaron a desentenderse de ella por completo.

Todos reconocieron detrás de aquel envío la misma mano que le había alargado a Rosa el pañuelo con que se la amortajó. Y aquel reconocimiento, que no pasaba de ser una sospecha, se convirtió en certeza la mañana en que apareció por el camino una ambulancia, procedente de la ciudad cercana, de la que se bajaron dos hombres con el encargo de llevarse a la Tola, que al principio se acurrucaba con los ojos espantados abrazándose al cuello de la vaca, pero que luego, estimulada por la persuasión y dulces maneras de aquellos enfermeros, cambió completamente de talante, salió entre risas y palmoteos del cuchitril donde se habían consumido sus veintisiete años, y una vez introducida en el coche, agarrada con una mano a su mísero hatillo, saludaba gozosa con la otra a la gente congregada para verla marchar.

–¡De viaje! –chillaba–. ¡De viaje!

A más de una mujer se le saltaron las lágrimas cuando la ambulancia se perdió de vista en la primera revuelta del camino, y las personas de más edad comentaron en los días siguientes que la Tola, cuando era niña, solía ir a jugar por los veranos con el nieto de doña Inés Guitián, aquel del que se rumoreaba sin mucho fundamento que andaba en malos pasos y que, según los cálculos de los expertos, estaría ya también más cerca de los treinta que de los veinte.

También se especuló, como era natural, con la única posibilidad verosímil: la de que fuera por conducto de la señora de la Quinta Blanca por donde le hubiera llegado noticia de la muerte de Rosa Figueroa a su generoso benefactor. El cual, por cierto, tardó bastante tiempo en volver por la aldea. O, al menos, si es que vino, no se supo.

II. CELDA CON LUZ DE LUNA

Julián Expósito se quedó como sin sombra cuando se llevaron al Hospital Penitenciario a su compañero de celda, y enseguida empezó a sentirse culpable. Había sido él mismo quien estuvo comentando la tarde anterior con el celador de turno, de mote «el Chungo», su preocupación ante los síntomas de amnesia y total desvinculación de la realidad que, de manera cada día más alarmante, manifestaba aquel recluso, y ante las cosas tan raras que contaba. Dijo que le había llegado a dar miedo convivir con él, aunque no especificó las raíces verdaderas de ese miedo.

Ya por la noche, al rememorar en la oscuridad la lucecilla de regodeo maligno que se había encendido en los ojos saltones del Chungo al recoger su información, las preguntas retorcidas que le había hecho y el aire de compincheo con que al final le había alargado una cajetilla de tabaco mientras murmuraba: «Pues nada hombre, tranquilo, si está loco habrá que encerrarlo», no era capaz de conciliar el sueño y sentía pinchazos en el estómago y una náusea violenta. Pero no quería rebullir mucho para no despertar al compañero, cuya mirada trataba de evitar desde hacía días. Se mantenía quieto, con el oído tenso hacia los ruidos que le llegaban del otro camastro, no tan tenues como para asegurar que procedieran de un cuerpo dormido, tratando de controlar a duras penas la marea creciente de su angustia. Hasta que le acometió un sudor frío y tuvo que levantarse a vomitar.

Inmediatamente el otro encendió una linterna, saltó de la cama y le acompañó al pequeño retrete, sin obedecer a las señas perentorias que él le hacía para que le dejara en paz. «La verdad es que fueron unos gestos demasiado bruscos», había de recordar Julián más tarde, «como los que se hacen a un moscardón para espantarlo, disparados desde el mismo infierno de mala leche que me hacía vomitar.» Pero el otro no se inmutó. Le estuvo sujetando la frente sudorosa mientras le duraron las arcadas y luego, cuando volvió a acostarse con aquel sabor agrio en la boca y la cabeza estallándole a punzadas, le puso bien apretado contra las sienes un pañuelo empapado en agua fría y se sentó a los pies de la cama, como esperando.

–¿Prefieres luz o te encuentras mejor a oscuras? –le preguntó al cabo de un rato.

–Me da igual. Pero tú acuestate, anda. Déjame en paz.

–Es que no tengo sueño. Si quieres no te hablo.

Hubo un silencio. ¡Cómo va a tener sueño con la siesta tan larga que se ha echado!, pensó Julián. Pero no dijo nada. Al llegar del patio, lo había encontrado dormido todavía. Fue cuando empezó a remorderle la conciencia, porque venía de hablar con el guardián, y el recuerdo de aquella sonrisa de dientes ennegrecidos en contraste con la expresión angelical del durmiente, le hizo sentirse un miserable. ¿Qué estaría soñando para sonreír así? Tenía unos sueños muy absurdos este chico. Unas veces los escribía y otras se los contaba. Y era él mismo quien solía pedirle que se los contara, aun a sabiendas de que los adornaba con mentiras y fantasías alimentadas en la vigilia. Tuvo que confesarse que cuando llevaba, como ahora, varios días sin oírle, la celda parecía vaciarse de aire y el tiempo, sofocante como una nube de plomo, se balanceaba sobre ese vacío. Y echaba de menos aquellas peroratas que tantas veces interrumpía iracundo porque le impedían conciliar el sueño, cuajadas de palabras desconocidas, de imágenes disparatadas, bifurcadas por extraños vericuetos; era imposible que hubiera soñado aquello, seguramente lo inventaba o lo habría leído en algún libro, ¡pero qué más daba, se distraía tanto!

–¿Estás mejor?

–Un poco.

–¿Habías bebido?

–Ya sabes que no. Hemos estado todo el tiempo juntos. Menos por la tarde cuando salí al patio.

–A lo mejor quieres un trago ahora. Puede que no te viniera mal.

–Bueno –accedió Julián, que empezaba a sentir una debilidad placentera, casi de abandono infantil, acunado por la voz imperturbable de su amigo.

«Porque es mi amigo, nunca he tenido un amigo como él», pensó con una fulminante clarividencia, surgida ante el presagio de perderlo.

Le vio levantarse, encender una vela y dejar la linterna sobre la repisa de ladrillos y tablones que él mismo había construido para poner sus libros. Tenía unos movimientos ágiles y elásticos, como de felino; los hombros angulosos, las caderas escurridas, las piernas largas y rectas, la piel tostada. Estaba desnudo. Siempre dormía desnudo. Pero apenas sudaba y nunca olía mal. Recogió de una silla los pantalones vaqueros y se los puso. La camisa no. Era una noche templada de principios de septiembre. Lanzó una mirada a la luna a través del ventanuco enrejado y suspiró. Luego se agachó para coger de debajo de su camastro la petaca de whisky que solía guardar allí entre otros libros en un cajón de fruta que había robado del economato, y la trajo con dos vasos de cartón metidos uno dentro de otro. Separó los vasos. Miró a ver si estaban limpios.

–No sabía que te encontraras mal, creí que estabas dormido –dijo mientras volvía a sentarse y servía el whisky–. Por eso no te hablaba. Como algunas veces dices que te mareo. ¿Lo quieres con un poco de agua?

–No, deja, mejor puro.

Los primeros tragos los dieron en silencio. En la celda de al lado estaban jugando al mus y a través del tabique llegaban monosílabos y se percibía, intermitente, el entrechocar de los guijarros que hacían las veces de fichas. Julián con los ojos fijos en las manchas ya secas de humedad que las recientes lluvias habían dejado en la pared de enfrente y que empezaban a descascarillar el mugriento lucido; el otro, ligeramente encorvado hacia adelante, con los brazos apoyados en las rodillas y observándose con reconcentrada atención los pies desnudos, una de sus actitudes predilectas antes de lanzarse a perorar o a apuntar cosas en un cuaderno. La luz de la vela, oscilando a sus espaldas junto a un despertador que marcaba la una, arrancaba destellos de su pelo rubio oscuro. Un mechón le caía sobre la frente.

De pronto Julián le vio enderezarse, como si se le hubiera disparado algún resorte, y quedarse mirando con aire de extravío hacia las ropas revueltas de su camastro. No decía nada.

—Oye..., ¿yo hoy he salido al patio? —preguntó luego. Julián no pudo resistir aquella mirada intempestiva y voraz que había cogido de improviso a la suya y bajó los ojos, limitándose a negar con la cabeza. Pero con un gesto tan tenue e indeciso que el otro no lo recogió.

¿Por qué se lo preguntaría? No podía decirle que al salir del patio había estado hablando con el guardián, imposible mencionarlo. Ni siquiera deformando el relato, poniendo de aquí y quitando de allá, como sin duda hacía él con sus sueños. Para ponerse a eso hay que saber, no lo hace cualquiera mentir bien y con gracia. Aparte de que no le dejaría seguir. «¿Qué has estado hablando con el Chungo?», le diría. «Pero si a ese tío no se le puede dirigir la palabra, si es más malo que pegarle a un padre... Que no, venga, Julián, que no. A ese, un escupitajo cuando te cruzas con él, y fuera.»

Julián bajó la cabeza como si de verdad estuviera escuchando aquella reprimenda, y también por miedo a que el otro le conociera en los ojos la conmoción que sufría. De este chico se podía esperar todo, incluso que llegara a ver las imágenes que provocaban esa conmoción tal como desfilaban ahora por detrás de sus párpados. Con el rostro inclinado hacia el suelo volvía a ver Julián el sol de la tarde reflejado en una mata de adelfas que había en el patio, a Adolfo y al Tupamaro que se pasaban un canuto apoyados contra la pared, a dos que jugaban al frontón, y a los demás como una mancha movediza paseando, charlando, risas, pasos perdidos, ojos perdidos en la tapia alta rematada por cristales cabrilleantes, nubes que se deshilachan, que cambian perezosamente de forma como las volutas de humo de los pitillos, sin ir a ninguna parte, un sordo retumbar de coches circulando por un camino que no se ve y que tal vez tampoco lleve a ninguna parte, el ladrido lejano de un perro. Y le parecía un cuadro idílico, porque entonces aún no había pasado nada. Luego se oyeron palmadas y todos los reclusos fueron confluyendo, entre remoloneos, hacia la salida. Y allí estaba el Chungo esperando con su sonrisa aviesa. «Fue él quien se emparejó conmigo camino del pasillo, quien me ofreció tabaco y empezó a sonsacarme cosas, él ha sido quien ha tenido la culpa. Es muy malo, sí, más malo que pegarle a un padre.» Se lo repetía con obstinación, como para descargarse en parte del peso que le impedía levantar los ojos. Porque el significado de aquella escena, cuya evocación había desencadenado su vómito reciente, se descifraba ahora sin paliativos.

No era la primera vez que alguien, y siempre con la misma curiosidad, le preguntaba por «el Filo», como llamaban algunos –por apócope de «filósofo»– a su compañero de celda. Les intrigaba que no se quejara nunca ni entrara en cotilleos, que se mantuviera al margen del morbo de los grupos; irritaban sus frases enigmáticas y aquel aire desligado y superior que solía interpretar como soberbia. Julián se encogía de hombros y rehuía esas conversaciones, como había empezado a rehuir también poco a poco a sus amigotes de antes. No sabía bien por qué, sabía solo que le aburrían. Hasta que un día se enteró casualmente de que su amistad con el Filo y las charlas que mantenía con él, interrumpidas siempre con signos evidentes de molestia cuando llegaba un tercero, daban pasto a una serie de chismes y bromas basados en sospechas de homosexualidad. Se lo dijo a la hora de cenar Artigas, un antiguo compañero de la quinta galería, a quien antes frecuentaba muy a menudo. Julián se había quedado de piedra.

–¿Pero qué me estás diciendo, Daniel? ¿Yo maricón?

Y, sin embargo, no era capaz de reírse a carcajadas, con brutalidad y desgarro, despectivamente, como hubiera podido esperarse de él ante una suspicacia de tal índole.

–Tú me conoces bien –repetía muy serio y sintiendo cómo, a su pesar, se le alborotaba el corazón en latidos desordenados–. Me conoces de ahora y de antes, de la calle. Conoces a Teresa, conoces a los niños. ¿Cómo puedes decir eso tú?

–¡Pero si yo no lo digo, joder!, lo dicen. Te informo por eso precisamente, porque somos amigos. Y punto.

–¿Y cómo no me lo has dicho antes?

–¿Qué querías?, ¿que te lo dijera delante de él? ¡Si no le pierdes pie! ¿Cuándo te lo iba a decir?

–¡Pero es absurdo! ¡Tú no lo habrás creído!

–Chico, a mí me extraña, como les dije, Julián es muy tío; pero en el fondo comprenderás que me da igual, no va uno a escandalizarse a estas alturas de algo que es más antiguo que la roña, cada cual que viva su vida, como también les dije, yo no me meto.

A Julián le pasaba una cosa rarísima. Notaba que todo el malestar se desharía si miraba a Artigas a la cara y soltaba entre risas cuatro chulerías groseras, capaces de restablecer la relación banal que siempre había mantenido con él. Pero notaba también que no podía hacerlo y notaba que el otro lo notaba.

–Pero si es absurdo –se limitaba a repetir en voz baja, con aire consternado–. Es completamente absurdo.

Artigas se metió en la boca una cucharada de fideos.

–Bueno, sí, absurdo todo lo que quieras, tú. Pero también sería una triste gracia que ahora que te han acortado la condena por buena conducta y que estás a punto de salir a la calle...

La mención de su próxima libertad ensombreció el rostro de Julián. Su mujer llevaba varios meses sin venir casi a visitarlo. Se lo contó a Artigas. Había encontrado trabajo en una fábrica de curtidos. Los niños estaban con la abuela. Y últimamente la había notado bastante harta.

–Rara, como impaciente, ¿entiendes? Más a su aire. Y me echa en cara lo que ha sufrido por mí. Pero sin llorar. Ya no llora como antes, lo dice en plan fiera. Y está más guapa. Dice que cansada del trabajo, que por eso no puede venir, pero más guapa. No me deja quejarme, dice que más ha tenido que tragar ella, que está harta de que me queje.

–Sí, las tías se hartan, aunque crea uno que no. Las hartamos nosotros –concedió, sentencioso, Artigas–. Decimos que qué pesadas, que cuándo dejarán de preocuparse por nuestra vida. Pero lo decimos con la boca chica. Lo que nos gusta es verlas llorar. Si lo mira uno bien, una cabronada. Anda, hombre, que se te enfríe la sopa.

A Julián se le había quitado el apetito. Se acordó de que tenía cuarenta años, del incremento del paro, de las dificultades de un preso para reinsertarse en la sociedad. Todos los periódicos hablaban de lo mismo y publicaban encuestas sobre ese tema vidrioso al que nadie ponía solución. Si al salir a la calle le fallaba el apoyo incondicional de Teresa, volvería a delinquir sin remedio. Y al pensarlo, se abatió sobre él, igual que un hachazo, el ala negra y paralizante del miedo, que se mudaba por dentro en una garra atenazando sus vísceras. Era una sensación de sobra conocida. Pero, coincidiendo con su reconocimiento, le creció un rencor sordo contra quien se la resucitaba. Porque reconocía al mismo tiempo, con una especie de estupor culpable, lo adormecida que tenía esa sensación, como bajo el efecto de una extraña anestesia. Desde hacía tres meses más o menos, desde que lo cambiaron a una celda mejor por buena conducta. ¿Y esa conducta iba a empañarse ahora en nombre de rumores totalmente infundados? ¿O no lo eran tanto? Si la noticia de esos rumores no conseguía dejarle indiferente, ¿era solo por el miedo a sus consecuencias o porque le ponía ante los ojos, aunque distorsionada en un espejo burdo y deformante, su vinculación con aquel muchacho de aire ausente cuyo trato era el único antídoto eficaz que conociera nunca contra el miedo, el repaso de las propias culpas y el tedio de los días fluyendo hacia una cloaca sin esperanza? En aquel momento mismo, mientras escuchaba distraído los comentarios de Artigas, ¿no se sobreponía por encima de todo el deseo de volver a la celda, como a un refugio? Revolvía la sopa sin comerla, sumido en un mutismo sombrío y obstinado.

–Pero bueno, ¿y ese chico, qué pasa? –le preguntó Artigas, tratando de recoger el hilo con que se había iniciado la conversación.

Julián dejó caer la cuchara dentro del plato, salpicando a propósito el mantel. Hacer aquello le desahogaba.

–¿Que qué pasa de qué? –saltó con una violencia que a sus propios oídos sonó desmesurada.

Los miraron. Artigas bajó la voz para responder:

–De qué va a ser, coño, no te hagas el longuis. Que si le notas en algo que es marica. Conviviendo con otro se notan esas cosas. Vamos, digo yo. Y no me chilles, ¿sabes?

–¡Qué va a ser marica! Lo que pasa es que está loco, completamente loco. Vamos, que lo tendrán que encerrar un día de estos. Eso es lo que pasa y nada más.

Desde aquel día, la traición que culminó poco más tarde con el soplo al guardián de los ojos saltones se había ido incubando en la mente de Julián, junto con un urgente plan de lucha contra la fascinación que aquel chico ejercía sobre él y la decisión de contrarrestarla con cualquier arma, aun a riesgo de que la puñalada trapera se volviera contra él mismo.

Que eso, y no otra cosa, era lo que estaba pasando ya, más pronto aún de lo que había calculado. Sí, ya estaba aquí como pago a su deslealtad, la puñalada esa que se clava en las tripas, igual que cuando antaño volvía a casa después de haber andado por ahí de farra y ninguna argucia le valía para echarle la culpa de su malestar a Teresa, cuya mirada limpia le resultaba lo más insoportable. Pues ahora lo mismo. Por mucho que se empeñara, no era capaz de ver como a un loco peligroso al muchacho de torso desnudo que le contemplaba expectante desde los pies del camastro, ni podía considerar de buena fe que mereciera ir a la enfermería.

Se cubrió la cara con el antebrazo mientras le oía formular otra vez su pregunta en términos más disgregados y en un tono íntimo, como de sonámbulo.

–Yo estaba contigo en el patio, ¿verdad? ¿Te acuerdas que me llamaron porque tenía visita? Digo en el patio ese de las adelfas...

–Pues claro, ¿cuál va a ser? No seas gilipollas. No estabas ni conmigo ni con nadie. ¿De qué visita hablas? Lo habrás soñado. ¡Hoy no has salido al patio! ¡Y déjame en paz!

Acentuó la presión del antebrazo sobre su cara y le pareció percibir que el otro se había levantado, pero sus movimientos eran siempre tan furtivos que no estaba seguro. No se le sentía rebullir por la celda. No se oía más que alguna palabra confusa de los jugadores de mus a través del tabique, y el tictac del despertador. Al cabo de un rato ya no podía soportar a ciegas aquel silencio. Desplazó suavemente el brazo, dejándolo resbalar poco a poco, y cuando los ojos ya le quedaban debajo de la mano, entreabrió los dedos de forma apenas perceptible y se puso a mirar por aquella ranura.

Lo vio de espaldas delante del ventanuco enrejado, nimbado por la luna, inmóvil como una figura de cera. Esperó, debatiéndose entre el deseo de decir algo y una especie de parálisis que se lo impedía. Pasaba el tiempo. Nada necesitaba tanto como que el otro arrancara a hablar, le daba miedo verlo tan quieto. Por fin creyó percibir un murmullo muy leve, algo así como un rezo entre dientes. Aguzó el oído: «Tú rozas con tu luz la otra ladera...»

–¿Se puede saber con quién coño estás hablando? –estalló.

–Con nadie –dijo su amigo sin volverse–. Estaba mirando la luna. ¡Hace una noche tan bonita!

Julián se vio arrastrado intempestivamente a un baile bajo la luna, entre luces, hierros de colores y olor a churros. Él tendría la edad de este chico y Teresa menos, parecía una niña. Acababa de conocerla en una verbena de Alcobendas. Tocaban aquello de: «Está cansado el sol / de tanto y tanto caminar / se va, se va...», y ella lo tarareaba con los ojos entornados. Luego echaron a andar hacia unos desmontes, cogidos de la cintura, bajo la luna llena. Ella dijo: «¡Qué noche tan bonita!», y se pararon a besarse. Qué lejos estaba aquello. Necesitaba contarlo, le sentaría bien; pero no podía.

–A mí no me gusta la luna –se limitó a decir–. Me pone nervioso.

El otro seguía sin volverse. Tal vez estuviera recordando una escena parecida. Al principio venía a verle los jueves una chica pelirroja. Luego no volvió a recibir visitas de nadie.

Ahora volvía a hablar, pero no de la chica esa ni de nada real. Recitaba lentamente como si estuviera en el teatro.

–Pues a mí al contrario. La luna me calma. De puro lejos que está. Lo que se toca, se toca, y ya te lo dejas de creer. Además, fíjate, se puede ver de distintas maneras.

De pronto se había vuelto y le miraba. Le pilló con los ojos destapados.

–¿Cómo que de distintas maneras?

–Sí. O pensando que es plana, o que es un globo o que es un hueco por el que se entra. Ahora la estaba viendo como un hueco, y es cuando más me gusta, porque tira de mí, como si fuera a sorberme. ¿Sabes el cuento del leñador al que se tragó la luna?

–No estoy para cuentos esta noche. Tengo otras cosas en que pensar.

Fue la última frase que dijo Julián tratando de mantenerse a la defensiva. Pero en el acento de poca convicción con que sonó a sus propios oídos supo que perdía pie. Además, el otro venía lentamente hacia acá, sonriendo de aquella manera rara.

–¿Qué cosas, hombre? –preguntó–. ¿Por qué crees que no son cuentos también esas cosas? Ponte a contarlas y verás. Todo es cuento.

Hablaba sin mirarle, como si estuviera solo. Ahora se había detenido junto a la repisa y acariciaba los libros con gesto abstraído.

«¿Qué significo yo para él?», se dijo Julián. «Posiblemente nada.» Y le miró con súbito rencor.

–No todos sabemos contar cuentos –dijo entre dientes.

En la celda de al lado se oyeron risotadas, el ruido de una mesa que se corre y luego silencio. Eran cuatro. Se debían estar acostando. Julián vio que el Filo había sacado un libro y se ponía a hojearlo, sentado a horcajadas en una silla, desentendiéndose de él. O tal vez buscara algún pasaje para leérselo, como otras veces. Veía de frente, en primer término, sus piernas largas, enfundadas en los vaqueros y rematadas por los pies desnudos, uno de los cuales rozaba el borde del camastro. Ahora la luz de la luna desasosegaba más. Julián tenía un nudo en la garganta. Alargó el brazo y apuró el whisky que le quedaba.

–Oye..., ¿por qué has dicho que tuviste una visita? Por las tardes no hay visitas.

El Filo levantó los ojos del libro y le miró extrañado.

–Creí que no tenías ganas de hablar –dijo.

–Me ha espabilado la luna.

–Ya.

Hubo una pausa. Tal vez estaba un poco enfadado y quería vengarse, haciéndole desear el cuento. ¿O estaría haciendo tiempo para inventarlo?

–Pues verás –empezó–, a mí también me pareció chocante tener una visita, y te lo dije, pero al fin y al cabo chocante es todo, y más en nuestra situación. ¡Somos tan desmesuradamente distintos de lo que nos rodea...!

–No te vayas por las ramas, anda. Cuenta lo de la visita.

En aquella voz ya no latía la irritación del adulto que busca polémica o la rechaza, sino una impaciencia directa, infantil. El Filo cerró el libro, dejando un dedo entre sus hojas como señal.

–Estaba contigo en el patio cuando me vinieron a llamar para que saliera al locutorio porque alguien preguntaba por mí. Me extrañó, pero a ti más todavía, y además te pusiste muy nervioso. Empezaste a decir que no saliera, que aquello me iba a traer disgustos, y me agarrabas para detenerme. Dijiste: «El locutorio es una trampa.»

Julián estaba seguro de no haber dicho nunca tal cosa, pero se estiró en la cama con deleite y se dio cuenta de que podía respirar hondo, sin angustia, como al despertar de una pesadilla. La escena real de por la tarde en el patio desaparecía, se anulaba. Le gustaba mucho más el papel inesperado y redentor que desempeñaba en esta. Y al fin el escenario era el mismo. Bastaba con entrar.

–¿Y no me hiciste caso? –preguntó.

–No. La verdad es que me pareció que tenías razón, pero quería ir. Luego te reíste de mí porque corté una adelfa.

–¡Vaya, hombre, qué romántico! ¿Y quién había venido a verte? ¿Tu novia? ¿La chica esa que venía antes los jueves?

El Filo había dejado caer el libro al suelo y apoyaba el mentón en los brazos cruzados sobre el respaldo de la silla. Miraba al vacío con los ojos verdes oscurecidos, agrandados, como intentando hacer memoria.

–No, no, qué va. Era otra mujer. Nunca la había visto.

–¿Y qué te dijo?

–Ahí está..., que no me acuerdo de nada... Espera..., sí..., me habló de mi padre, creo.

–¿Qué edad tenía?

–Ni idea. Venía vestida de gris, con una especie de velo. La cara no se la vi mucho... ¡Pero, claro, ya está! ¡Era la del cuadro!... A veces se confunde uno tanto que no se entienden las cosas más sencillas... ¡Es la del cuadro, sí, me acabo de dar cuenta ahora mismo!

Había entornado los ojos y sonreía abstraído. Julián cambió levemente de postura y se apoyó en un codo procurando no hacer ruido. Tenía miedo de que cualquier estridencia pudiera quebrar la pompa de jabón de aquella pesquisa.

–¿Qué cuadro? –preguntó casi en un susurro.

–Aquel grabado grande de casa de la abuela, el que estaba encima del piano. Se ve un barco que naufraga a lo lejos y la mujer lo despide agitando un pañuelo. Una mujer maravillosa. Está de medio perfil, apoyada en el acantilado y por la cara lleva un velo que le baja del sombrero grande. Una vez me levanté por la noche, encendí la luz y me subí al piano para verla mejor y saber si estaba llorando. Se tapaba la boca con la mano izquierda, como si no quisiera gritar, y lágrimas no tenía, pero era mucho más terrible que si llorara. Nunca he visto pintada tanta desolación y tanta tragedia en el rostro de nadie. Yo a veces entraba en el salón cuando empezaba a oscurecer y me quedaba acurrucado en un rincón para hacerle compañía porque no podía sufrir que se hubiera quedado tan sola, y le hablaba bajito como a una novia; me parecía que lo tenía que notar, lo notaba, sí...

–¿Pero esa del cuadro es la que ha venido? ¿La conocías tú?

–En persona no. ¿Qué te estaba contando?

–Que te habló de tu padre.

–Ah, sí... De mi padre... ¿Qué me pudo decir?... Se me ha ido..., calla... Le dije a ella: «Lo voy a apuntar»... o no sé bien si se lo llegué a decir, pero desde luego sé que lo quise apuntar..., siempre pasa igual, las cosas hay que apuntarlas enseguida, si no te entra pereza y dices: «No hace falta, ¿cómo se me va a olvidar algo tan importante?» Porque lo que me dijo era importante..., pero no lo cazo... Espera.

Julián estaba dispuesto a esperar lo que hiciera falta. No tenía prisa, no tenía sueño, no se acordaba de nada desagradable y terminara como terminara la historia de su amigo, no le iba a implicar en decisiones molestas. Era igual que estar en el descanso del cine. Le propuso liar un canuto, porque otras veces, en situaciones parecidas, el *hash* le había ayudado a contener el desmoronamiento de sus extravagantes fantasías. Se lo sugirió en un tono afectuoso, por el gusto de echarle un cable, como cuando en sueños quería convencerle de que no saliera a ver a la señora vestida de gris. Pero esta vez el otro se plegó de buen grado a su sugerencia. Únicamente le preguntó que si ya se le había pasado el mareo, que si no le haría daño fumar. Julián dijo que no, que le apetecía mucho, y le dio las gracias por su interés. Habían hecho las paces.

Quedaba poco *hash*. Lo guardaban en un hueco de la pared del retrete, camuflado detrás de un baldosín que se movía. Julián esperó con los ojos cerrados, regodeándose en ir captando al oído las diferentes fases de aquel ritual minucioso, registrándolas en la cámara oscura de su imaginación. Y se iba sintiendo progresivamente contagiado del relajo y la demora con que se sucedían.

«Ahora está despegando el baldosín con cuidado. Lo vuelve a colocar. ¡Qué bien lo hace todo, con qué pausa! Ahora ha salido otra vez. Está recogiendo el libro que se le cayó antes y lo pone en la mesa. Lo pone igual que si lo fuera a leer, con ese gusto suyo por los preparativos. Pero no lo va a leer, porque ahora está en otra faena que le he encargado yo. Desmenuza encima de la portada un pitillo que acaba de deshacer. Saca el *hash* del envoltorio de celofán, enciende una cerilla y se la acerca para ablandarlo, pasea el pedacito marrón sobre la llama. Lo está preparando para mí, para contarme cosas a mí. No se sabe si volverá a salir en su cuento la señora de gris, con él nunca se sabe. Ahora pulveriza el *hash* entre las yemas de los dedos y lo deja caer sobre las hebras de tabaco, agrupa las dos sustancias, las acaricia juntas como un niño jugando con la arena. Luego coge el papel de fumar, lo abarquilla y le echa la mezcla, sin consentir que se le pierda ni una brizna. Ya ha empezado a liar. Eso es lo que mejor hace. Le salen como a nadie los canutos, lisitos, sin un bulto. ¡Qué habilidad tiene en los dedos el hijoputa, y qué manos tan largas y finas! Manos de rico, de artista, de no pegar clavo. Unos

nacen con estrella y otros nacen estrellados, pues anda que no llevaba yo años rompiéndome los cuernos contra la vida, mientras él
tocaba el piano con el balcón abierto a un jardín grande, debajo del
cuadro de la señora esa del velo; ya de niño tenía que ser un rato
raro, sin amigos, viviendo entre algodones en una casa como de novela, que a saber si se la inventará, y con la abuelita contándole cuentos..., ¡vamos, que ya algo de ramalazo debía de tener!, igual no anda
tan descaminado Artigas. Pero no, por favor, que no se cuele aquí
Artigas, que todo se desbarajusta y me vuelve el zarpazo, eso es de
otro cuento, un cuento muy feo. Y no digamos nada si asoma la
oreja el Chungo, ¡no, por favor!, con lo a gusto que estoy ahora, ¡el
Chungo sí que no! Pero, además, tú eres tonto, Julián, si esta tarde
al Chungo ni siquiera lo has visto, ¿no te acuerdas?, la que vino fue
la señora de gris. En realidad salió de un cuadro, pero a ti qué te
importa de dónde saliera, la cuestión es que vino. Ya le está pasando la lengua por el borde engomado del papel. También me gusta
mucho cuando hace eso, casi lo que más, ¡lo chupa con tanta delicadeza! Debe haber acabado, un poco de paciencia. Lo estará encendiendo y dándole las primeras caladas. Ahora se acerca. ¡Qué
paz! Será un señorito de mierda, pero no sé cómo podía aguantar
metido aquí antes de conocerlo.»

Cuando sintió el tacto de aquellos dedos largos que le pasaban
el canuto encendido, abrió los ojos para cogerlo y sonrió al techo,
mientras aspiraba el humo voluptuosamente. Luego se volvió y se
inclinó un poco buscando el bulto del compañero. Había traído
su almohada y se había tendido en el suelo junto a él. Descubrió
con cierto sobresalto que la mano que le había alargado el pitillo
descansaba sobre el camastro y que ahora, al cambiar él de postura, rozaba la chaqueta desabrochada de su pijama. Se le aceleró la
respiración pero no se movió. La mano tampoco se movía. Simplemente estaba allí, confiada, pasiva, inquietante, como un animal tal vez dormido o tal vez al acecho, cuyas intenciones se
desconocen. Desde luego, caso de ser homosexual, no se parecía
ni por el forro a ninguno de los que Julián había conocido en su
vida, gesticulantes, descarados, provocativos. Una vez, por puro

aburrimiento y desesperación, medio borracho, había llegado a ceder un poco a las proposiciones de uno de los de la quinta galería, pero le daba grima acordarse. Esto era una cosa completamente distinta. Distinta a todas. Por eso le gustaba. Dio otra calada profunda al canuto y se lo pasó en el aire, sin decir una palabra, sin rozarle los dedos. La mano se alejó de su pijama y desapareció, llevándose la brasita roja. Por el suelo del recinto, la luz de la luna se extendía en franjas paralelas, alternando con la sombra de los barrotes.

–¡Qué bien se está!, ¿verdad? –dijo Julián–. De lujo. Parece mentira, chico, que estemos en la cárcel.

–Es que es mentira –contestó el otro inmediatamente–. Si fuera verdad no se podría soportar.

–Yo a veces no lo puedo soportar.

–Será porque te pones a pensar en salir, a hacer proyectos, a recordar culpas, entonces claro, entonces es un infierno, porque se confunde lo de dentro con lo de fuera. Pero si te limitas a estar aquí, sin preguntarte qué es esto ni por qué has venido, entonces es todo mentira, absurdo, y empiezas a estar bien, no se te clava. Fuera no, fuera siempre parece todo verdad, por desgracia. Y luego cuando llegas aquí comprendes que también es mentira.

–¿Mentira qué?

–Lo de la calle..., la libertad esa.

–¿Pero por qué es mentira?

–Porque crees que puedes abarcarlo todo, ir a donde te dé la gana, decidir miles de cosas desde dentro de ti, y luego no puedes, no descansas, solo vives atento a no pegarte contra las esquinas de los demás, del tiempo, de los muebles, de las máquinas, a que no te peguen el trastazo, como cuando va uno montado en los autos de choque de la verbena. Y te parece que has ido donde has querido y que has hecho lo que te ha dado la gana, pero no, todo se reduce a andar zarandeado de tumbo en tumbo, a evitar esquinas y leyes y llamadas, a elegir entre las mil alternativas con que te tienta el mundo movedizo..., ¿como podrá estar tan asentado y ser tan movedizo al mismo tiempo?... Lo sientes ineludible encima de ti, forzándote a experimentar placeres, emociones y odios que son como agua contaminada; te aturde con preguntas, te acorrala con consejos, ¿qué piensas?, ¿adónde vamos?, ¿a qué hora terminas?, date prisa, defínete; y entonces te marginas y sueñas con vivir una aventura a contrapelo y te declaras fuera de la ley, por eso, por huir de las definiciones, pero caes en la delincuencia y ya estás definido otra vez, quieras o no, eres un delincuente y te están buscando, conque a huir de esa búsqueda, y ya estamos en las mismas, no hay manera de volar, no hay manera. Hasta que caes aquí, en este hondón, y es el descanso, porque han dejado de perseguirte. Esto es la nada pura, el puro absurdo, sí, el vacío, pero desde el vacío se puede abarcar todo, viajar a cualquier sitio. Porque este lugar contiene a los demás. Y además los ha destilado, los recuperas ya sin esquinas.

Julián sentía un poco de vértigo, no era capaz de seguir el discurso a aquel ritmo de catarata que llevaba. Necesitaba fijarlo en algún punto, sacar alguna consecuencia. Y sacar, sobre todo, la cabeza de él, porque se ahogaba.

—¿Entonces tú no tienes ganas de salir de aquí? —preguntó extrañado.

—Te crees que sales, pero entras —fue la contestación—. Te metes otra vez en el laberinto de las esquinas.

Julián cerró los ojos. Veía un pasillo embaldosado muy largo, interminable. Dio una calada profunda al pitillo, que había vuelto a pasar a sus manos y se lo tendió a su amigo. Trató de concentrarse en aquella imagen del pasillo. El tiempo estancado, la pasividad absoluta.

—Pasillo —dijo—, kilómetros y kilómetros de pasillo a lo largo de la galería, ciento noventa y seis baldosas tiene de largo, las he contado muchas veces, y luego dos medias en los remates de las cancelas, tres-dos-tres-dos-tres... Y llega un momento en que por mucho que quieras pensar en algo concreto, la cabeza solo retiene el ritmo del dos-tres, que se te monta encima de cualquier idea, te paras junto al radiador, enciendes un pitillo, ¿qué estaba yo pensando?, y nada, no pensabas nada, y vuelta a los pasos. El frontón tiene treinta y dos pasos, el campo de baloncesto veinticuatro de largo y doce de ancho, el patio, de portería a portería, setenta, la celda cuatro por tres y medio. Y también hay esquinas, también te pegas contra las esquinas.

—Esquinas de tiempo no, de proyectos no, la cárcel no alberga más tiempo que el de tus sueños, por eso tiene forma y es tan blanca, ¡qué blanca la veo! ¿No la ves blanca tú?, porque no existe. Es el blanco de la nieve, de la luna, el blanco de la nada, nos hemos muerto ya y estamos recordando lo que pasaba antes, contemplándolo a través de un cristal sin sentir nada, como desde la ventana del castillo de hielo adonde arrastró a Kay la Reina de las Nieves, ¡Dios mío, qué cuento aquel!, ¡qué lástima que no te gusten los cuentos...! Toma, se está acabando esto.

Julián sintió como un aviso doloroso. No era solo el pitillo lo que se estaba acabando, era algo más. Hizo un gesto de rechazo con la mano.

—Deja, acábalo tú —dijo—. A mí me da vueltas la cabeza. Me ha pegado fuerte. Por el estómago vacío será.

Cerró los ojos. Hubo un silencio largo. Ahora sobre el pasillo embaldosado veía cuerdas de colores que se enredaban aumentando de tamaño hasta tener la plasticidad viscosa de los reptiles, les nacían en la punta lenguas brillantes que a su vez se enlazaban entre sí embarrullando la maraña; tomaban la forma de mujeres revolviéndose hacinadas con los pechos al aire, de soldados gritando fusil en ristre hacia un horizonte de fuego, de animales colgados y abiertos en canal, formas que se diluían entre contorsiones sobre manchas de fango y de sangre. Le había entrado taquicardia y se mantenía inmóvil, a la espera. Notaba que con el canuto aquel y sus últimas salpicaduras de verborrea, algo importante se estaba consumiendo, no sabía qué, pólvora en salvas de una guerra perdida, inabarcable, los estertores de la esperanza. Le estaba entrando sueño. Pero creía que iba a tener pesadillas.

—Calla —dijo el Filo de pronto.

Julián se enderezó, con el corazón en la boca.

—¿Qué pasa? ¿Viene alguien?

—No, no. Es que estoy viendo un sitio maravilloso, y lo veo tan claro, ¡qué divinidad, tú!, es como volver al paraíso. ¡Hacía tanto que no lo pisaba!

Se había sentado en el suelo y se abrazaba las rodillas. Ahora sí que tenía de verdad pinta de perturbado. Daba un poco de miedo verlo.

–¿Qué sitio? ¿Cómo es?

–¿Quieres venir de verdad? ¿Quieres venir conmigo?

–Sí –dijo Julián con un hilo de voz.

–Pues relájate. Y olvida el pasillo ese largo, deja de contar baldosas. Verás, es primavera y hace aire, pero no va a llover. Se llega por un camino en cuesta, con zarzas y flores a los lados: el camino acaba aquí. Párate. Hay dos colinas llenas de brezo, ya se oye el mar y se huele, pero todavía no se ve. Empezamos a subir por la colina de la derecha, que es la más empinada, con el aire en la cara, hasta llegar al faro. Mira, ¿no ves el mar?, no tengas miedo, solamente los cobardes se detienen en el faro, sígueme. Si traspones este límite, ya hay que seguir saltando de roca en roca, porque no te puedes parar más que a tomar aliento, y todo lo cubre el vaivén del mar, a veces como un balanceo suave, «pumba-plas», y otras enfadado, feroz, rompiendo en surtidor de espuma allá abajo, contra el islote de las gaviotas. Son cientos, miles, ¿no las oyes chillar?, ua-ua-ua, unas pegadas a la roca como moscas, otras sobrevolándola, dueñas y señoras del espacio infinito que se abre enfrente para ellas solas, altivas, seguras, dueñas del tiempo. Y se va haciendo de noche, el faro se enciende, y el aire bravo te entra por la ropa y te revuelve el pelo; todavía se puede bajar un poco más, aunque empieza a ser peligroso. Párate ya. Y mira, mira, mira. El tiempo se ha parado. Echa a volar los ojos sin miedo. El mar te llama para llevarte lejos, pero resiste aquí, en el límite, sin dejar de mirar. ¡Quieto! ¡Has vencido! Es el origen del mundo. El fin del mundo. No hay tiempo ya. Ni esquinas. Y si en este momento, ya casi de noche, miras muy fijo al islote de las gaviotas y piensas en alguien, aunque esté lejos, aunque no sepas siquiera si existe, el mensaje le ha llegado a esa persona y la sobresalta, ¿de dónde me viene esta llamada?, dice, ¿quién me está llamando?, lo recoge seguro... Si existe, lo recoge... y si no existe, también.

Julián no llegó a oír las últimas palabras. Se quedó en lo de «el-tiempo-se-ha-parado», una frase blanca y ondulada que veía revoloteando por encima de su cabeza como una bandera hecha de gaviotas, dieciocho, cada letra una gaviota, y se notaba ingrávido el cuerpo, anchurosos los pulmones como cuevas barridas por el mar, sosegado el ritmo de la sangre, pumba-plas, pumba-plas. No quiso preguntar si aquel paisaje existía de verdad o era alucinación. Pero el mar había barrido sus pulmones, los reptiles, los soldados con fusil, el pasillo embaldosado, los charcos de sangre. Era como si alguien le hubiera estado cantando una canción de cuna. Y se durmió sin enterarse.

El otro no. El otro se quedó apuntando cosas en un cuaderno hasta muy tarde. Ya estaba amaneciendo cuando se acostó.

A la mañana siguiente vinieron a buscarlo. No sabía que lo llevaban al Hospital Penitenciario. No preguntó nada. Recogió sus cosas y se dejó llevar sin oponer resistencia. Su compañero no estaba en la celda en ese momento. No se despidieron.

Nunca se volvieron a ver ni a saber uno del otro, porque el papelito de adiós que Julián Expósito garabateó para él a los pocos días, cuando salió en libertad, no llegó a su destino. Lo escribió a última hora, sorbiéndose las lágrimas, apoyando el papel contra la maleta, y se lo dio a escondidas a un recluso que ingresaba en el hospital después de haber mantenido una huelga de hambre.

–Que se lo des sin falta. Está allí hace una semana. Se llama Leo, Leonardo Villalba.

Pero aquel chico murió de una lipotimia sin tener tiempo de entregar el mensaje. La madre del muerto, al recoger posteriormente su ropa, se lo encontró en el bolsillo del pantalón que llevaba puesto el hijo, junto con una cajetilla de tabaco mediada. Era un papel muy pequeñito y estaba arrugado. Lo leyó. Decía: «Adiós. Salgo a pegarme golpes contra las esquinas. Nunca podré olvidarte. Perdóname.» Y lo guardó llorando, porque creyó que era para ella.

III. LA ISLA DE LAS GAVIOTAS

Aquella tarde de principios de septiembre barruntaba lluvia. El sol había picado muy fuerte desde mediodía entre arrecifes de nubes espesas, alternando sus caprichosos favores con la amenaza de no volver a concederlos, y un grupo de veraneantes desorientados e indolentes abandonaron la cuestionable delicia de las playas por el asiento de un autobús de recorrido programado. La excursión por una serie de rincones poco conocidos de la zona, ante cuyo panorama la empresa garantizaba el éxtasis colectivo, incluía también dentro del precio, como dulce remate a aquellas emociones prometidas, una merienda de chocolate con picatostes en alguno de los hoteles antiguos de la costa con nombre de perla, de sirena o de gaviota, desde cuyo comedor encristalado la mirada inerte de docenas de ojos podría seguir naufragando en un mar rutinario y empachoso que hurtaba su secreto a los turistas profesionales.

La señora de la Quinta Blanca oyó a sus espaldas el claxon del autobús cuando se le estaba viniendo literalmente encima, y apenas si tuvo tiempo de echarse a un lado en la curva estrecha y cerrada anterior a la taberna. Se apoyó como pudo contra un zarzal de la cuneta, y desde aquel recodo vio desaparecer con gesto ofendido la mole azul y plata del autobús, que había pasado casi rozándola por el costado derecho. Luego se enderezó y se puso a desprender con toda pausa y cuidado el chal que se le había quedado enredado entre los pinchos de la zarza.

Era una zarzamora en plena sazón, y alguno de sus frutos tiernos habían dejado, al aplastarse contra el chal, marcas rojizas sobre el fondo gris perla, como emulando por anticipado la sangre del poniente que en breve mancharía las nubes quebradizas y presurosas. Después de volvérselo a poner sobre sus hombros, la señora empezó a coger moras de la zarza. Las elegía una por una, parsimoniosamente, empinándose a veces para alcanzar alguna que estaba en lo más alto, y se las iba comiendo con delectación. Luego se guardó unas pocas en el cuenco de la mano y reemprendió camino hacia el faro. Llevaba un vestido malva y un sombrero de paja con cinta negra adornada de cerezas artificiales.

El camino moría entre dos colinas ondulantes donde crecían la maleza y las flores silvestres, y allí estaba parado el autobús azul y plata, ya vacío, cuando la señora llegó. Cruzó unos instantes su mirada con la del chófer, que fumaba aburrido contra la portezuela, y luego empezó a trepar decidida por el montículo de la derecha. Iba canturreando entre dientes:

Recuerda, niña del alma,
recuérdalo tú, mujer,
amores que ya pasaron
no los vuelvas a querer
que no hay empeño en el mundo
que los pueda retener...

Los turistas se habían desparramado en grupos por la colina y el viento traía retazos de sus voces mezclados con el olor del mar. Muchos de ellos habían subido hasta el promontorio del faro y se sacaban fotografías unos a otros. La señora se dirigió hacia aquel punto, pero no se detuvo en él. Una vez alcanzado, lo rebasó, sin dignarse mirar a nadie, con el paso dominante y experto de quien conoce el terreno que pisa y sabe adónde va. Se hizo un silencio expectante. El mar estaba muy alborotado, y el espectáculo de aquella mujer del sombrero de paja descendiendo intrépida por las rocas del acantilado provocó el pasmo de los excursionistas. Uno de ellos, un hombre de barbita rubia con aire de profesor universitario, se separó de sus compañeros, se apoyó en la pared delantera del faro y miraba para abajo fascinado, como si no diera crédito a sus ojos.

–*Oh! Where are you going? Come here! It's very dangerous, madam!* –gritó al cabo, con acento de alarma y escándalo.

Pero la figura malva y gris siguió saltando de roca en roca sin volver la cabeza, atenta tan solo a no resbalar.

Ya bastante abajo, tanto que hasta ella llegaban salpicaduras de espuma, había una roca plana más grande que las demás, y a partir de allí el descenso se convertía en un despeñadero. Soplaba mucho viento. La señora del sombrero de paja se lo sujetó a la barbilla con un pañuelo de seda que se quitó del cuello, y se quedó de pie sobre aquella plataforma festoneada de mejillones y berberechos, dejándose acariciar con los ojos entornados por el aire salino que le azotaba las ropas y le alborotaba el pelo, erguida y desafiante frente al mar que se rompía a sus pies en remolinos lechosos, a modo de mascarón de proa en la quilla de un barco antiguo. Luego se sentó en la roca y se abrazó las rodillas. Le temblaban levemente las aletas de la nariz fina y recta, tenía los ojos perdidos en la línea del horizonte, y en los labios le bailaba una sonrisa triste. Las gaviotas trenzaban arabescos encima de su cabeza y acababan yendo a posarse en un islote que había a poca distancia, donde tenían su cuartel general. Sobrevolaban aquel bastión con mirada alerta y bravía, buscando un hueco entre los cientos de siluetas movedizas que lo tapizaban de blanco, descendían chillando, se frotaban unas contra otras, levantaban nuevamente el vuelo. El cielo se había encapotado y se cernía una luz azulada e irreal, el claror que precede a las tormentas.

La señora sacó del pecho una carta, la desdobló despacio y se puso a leerla. La carta decía:

Querida Casilda: salgo para Chicago con Gertrudis la semana que viene. Pasaremos una temporada larga en casa de su hermana. No queda otro remedio porque aquí no mejora y además le ha tomado manía a su psiquiatra, casi tanta como a mí. Hace unos días estuve hablando con él. Dice que todos los conflictos de Trud arrancan de su rechazo a hablar de Leonardo o a oírlo mencionar, que esa es la raíz de su agresividad. Y que solamente yo podría ayudarla, ya ves qué descubrimiento. Me estuvo sondeando para enterarse de si lo he intentado en serio alguna vez. Opina que, plegándome a su chantaje, soy cómplice de ese cerco de silencio con el que nos estamos haciendo un daño mutuo de consecuencias irreparables. Y acabé entendiendo que también me considera a mí carne de psicoanálisis. Bueno, tal vez, pero ya es demasiado tarde para tirar de la manta y reparar treinta años de errores. Así que eché mano, como siempre, de esas hábiles evasivas con las que finjo mantenerme a flote y que me van hundiendo en un pozo sin fondo. Estoy llegando al límite de mis fuerzas, Casilda, y te necesito como nunca. Pensar se ha convertido en un callejón sin salida, en un tormento inútil que me corroe la salud. La única luz, la que me viene de ti, ya tampoco consigue darme calor, porque luce en un ámbito distante, como si me tendieras desde muy arriba una mano que no alcanzo. ¿Cómo puedes seguir teniendo esperanza en que todo se arreglará solo? Y sin embargo, me gustaría estar a tu lado y mirarte cuando lo afirmas con ojos encendidos, con esas frases raras y poéticas tuyas, tan carentes de lógica. Te lo dije la última vez: me desesperas por un lado, y por otro me arrebatas. Siempre estuviste loca y me enamoré de ti por eso, porque me dabas envidia. Porque cabalgabas, y sigues cabalgando la locura sin desaliento, sin caer nunca en la tentación de cambiar ese caballo por otro. Sería absurdo, a estas alturas, que yo me atreviera a dudar de tu generosidad y lealtad para conmigo, pero también sé que me desprecias. Como Leonardo. Aunque tú con más datos para hacerlo. Pertenecéis a una raza distinta. A ese grupo de seres privilegiados y superiores para quienes la soledad supone liberación y no condena.

Yo, desde mi cautiverio, te invoco como a una diosa inabarcable. Lo que siempre fuiste para mí. Pero déjame decirte una vez más que a ti en toda esta historia te ha correspondido el papel menos ingrato. No sé cuándo podré volver a verte. Cuídate, mi reina. Te adoro,

Eugenio.

La señora de la Quinta Blanca volvió a plegar la carta y la tuvo un rato guardada en el hueco de la mano como un pañuelo húmedo. La apretaba pensando que se estaría corriendo la tinta de algunas palabras al mezclarse con el zumo violáceo de las moras. Luego abrió el puño y se puso a rasgar el papel en pedacitos minúsculos que enseguida el viento arrebataba para llevárselos revoloteando hacia el mar en una danza de círculos caprichosos.

Se sobresaltó al oír una voz que rezongaba a sus espaldas.

–¡Siempre viniendo aquí! ¿Qué vendrán a buscar? Ni ellos mismos lo saben… Siempre viniendo a ver lo que no ven, a meterse donde nadie los llama, a llevarse lo que no se llevan.

Se volvió. Era el viejo de la cicatriz en la mejilla, que merodeaba con frecuencia por aquel paraje. La señora ya lo conocía de vista y, aunque nunca se hubieran dirigido la palabra, existía una especie de complicidad porque cada uno de ellos sabía que el otro había reparado en él. Acababa de saltar a una roca que respaldaba la de la señora y miraba hacia el mar con rostro ceñudo, mientras trataba de recuperar el aliento, después de su indignada perorata. A lo lejos se oyó el claxon del autobús.

–¿Quiere bajar aquí? –preguntó ella con el rostro iluminado por una sonrisa que la rejuvenecía–. Se va a resbalar. Esa roca se mueve. Espere un momento que le ayude.

Pero cuando se levantó para tenderle la mano, ya el viejo había brincado con toda ligereza. Cayó muy cerca de ella y le tuvo que sujetar entre sus brazos porque vio que se tambaleaba. Era pequeño y enjuto. Sus ropas tenían un tacto áspero y olían a humo de leña. En aquel momento se encendió el faro y el claxon del autobús volvió a sonar llamando a los turistas.

El profesor de la barbita rubia fue el último en abandonar su atalaya. Había sacado unos prismáticos y enfocaba, incrédulo y maravillado, a aquellos dos personajes extravagantes azotados por el viento que parecían sacados de una pintura romántica. Ahora estaban tomando asiento uno junto a otro con la mayor naturalidad, ajenos a la intemperie, a la claridad que disminuía, a la tormenta que se avecinaba, como si se dispusieran a tomar el té en una estancia abrigada, frente a las llamas de la chimenea.

–*I can't believe it!* –murmuró para sí–. *They are mad!*

Pero hubiera dado cualquier cosa por convertirse en gaviota y volar sobre sus cabezas para saber quiénes eran, de qué podían estar hablando, cuándo y cómo se habrían conocido. Era un deseo imposible, pero tan fuerte que le alteraba el pulso y le impedía moverse de allí. Hasta que una voz aguda de mujer vino a sacarle de su ensimismamiento.

–*Gerald! Come on! We are leaving!*

Guardó los prismáticos en su funda y las figuras de la roca se volvieron distantes y borrosas, como vistas en un sueño. Suspiró y echó a andar con paso desganado para reunirse con sus compañeros, algunos de los cuales ya estaban entrando en el autobús, sumisos, rutinarios, ignorantes del prodigio. A mitad de la cuesta, emparejado ya con su mujer, que se había colgado de su brazo y se quejaba de frío, sintió que todo el tedio del verano y del retorno a las tareas académicas se le descolgaba encima como una sombra alevosa de muerte. Y volvió la cabeza al faro enhiesto y blanco bajo las nubes oscurecidas, como si se despidiera de algo irrecuperable. Era un desgarrón súbito y secreto, que no podía compartir con su mujer ni con nadie; era como cuando de niño le arrebataban sin miramientos una novela que había empezado a leer a escondidas en la biblioteca de su abuelo. El claxon volvió a sonar, insistente.

–¡Benditos de Dios vayan! –exclamó el viejo–. ¿Pues no me pregunta uno que desde cuándo no hay torrero en este faro? ¡Como si yo le pudiera contar esa historia al primero que llega! Y luego las dichosas máquinas de fotos. Todo lo ven a través de la máquina de fotos, y ya tan contentos porque lo han metido allí. Pero ¿qué han metido? ¿Qué se llevan? No los puedo aguantar, de verdad.

La señora se echó a reír.

–¿A mí no me considera una turista? –preguntó.

Se miraron. Los ojos del viejo, incrustados entre arrugas en el rostro de pómulos acusados, tenían un fulgor tan penetrante que ella bajó los suyos.

–No –dijo muy serio–. Y supongo que usted a mí tampoco.

A la señora de la Quinta Blanca le latía muy fuerte el corazón y tenía la boca seca. Se puso a arrancar mejillones y a partirlos con una piedra. Estaban fríos y sabían a algas. Se resistían a despegarse de la valva.

–¿Hace mucho que vive aquí? –preguntó con un hilo de voz.

–Ya no me acuerdo, me bailan las fechas –dijo él–. A veces, cuando salgo al mar y miro al faro desde ahí en medio, el tiempo se confunde con la eternidad, con las olas y las nubes que no se preguntan por qué siguen moviéndose ni para qué ni desde cuándo. Es lo que tiene este sitio, que le enseña a uno a vivir al margen de las fechas. Pero en la aldea habrá alguien que se acuerde de cuándo llegué yo, debió ser a finales de la guerra civil. Vine de maestro, huyendo de un mal de amores, y enseguida supe que me iba a quedar aquí para siempre. Ahora, como ya no me trato con casi nadie, los que llevan la cuenta del tiempo me miran con recelo, como a un fantasma. Pregúntele a cualquiera por Antonio Moura, nunca les gusté mucho; le dirán que estoy chiflado y hasta puede que se santigüen. Pero los niños no me tienen miedo, siempre estoy rodeado de niños. Yo no los llamo, pero tampoco los echo. Se escapan a verme, aunque los riñan en sus casas, porque les enseño mapas y libros y les cuento historias. También me los llevo a veces a pescar. Tengo una casa a la espalda de aquella colina, cerca de una playita entre rocas. Y una barca también, que me construí yo, como la casa. No necesito de nadie. Me moriré en la barca un atardecer, bajo la luz del faro. Tiene que ser así. Me quedaré dormido contándome una historia, leyéndola en el agua. Y luego se acabó. Será como entregarle al mar el último fragmento, devolvérselo. Porque es la marea alta la que trae las historias. Fabián siempre lo decía.

A la señora de la Quinta Blanca se le había quedado pegado a la falda un pedacito de carta con la palabra Eugenio sesgada en letra grande. Lo amasó entre los dedos hasta convertirlo en una bolita chica que arrojó lejos de sí. Le brillaban los ojos.

–Veo que le gustan mucho las historias –dijo–. ¿Por qué no me cuenta alguna?

El viejo maestro sacó una tabaquera muy usada y se puso a liar un cigarro con gesto complacido.

–A usted también le gustan, claro, eso se nota –dijo–. Desde que la vi por primera vez paseando por aquí, supe que acabaría pidiéndome una historia. Pero no tenía prisa. ¿La quiere verdadera o inventada?

La mujer se quedó pensativa. Por su rostro vagaba un difícil amago de sonrisa. La voz le temblaba un poco al preguntar:

–¿Hay tanta diferencia, cree usted?

–No tanta –contestó él–. Pero las verdaderas resultan más exóticas.

–Pues una verdadera –musitó ella.

Luego cruzó las manos sobre el regazo y entrecerró los ojos. El sol era una bola maciza de metralla naranja un poco apaisada por el centro, lo iba a incendiar todo en su caída.

–Le contaré la historia del último torrero que hubo en este faro –empezó el viejo, tras darle la primera chupada al cigarro, que había prendido con un encendedor de mecha–. Porque antes, ya lo sabrá aunque solo sea por las novelas, los faros no funcionaban automáticamente como ahora, un faro no era nada sin el hombre que vivía dentro y lo atendía, la idea de un faro sin farero hubiera resultado tan absurda como la de un barco sin capitán. Bueno, al principio, hace siglos, fueron simples hogueras que los hombres encendían en puntos elevados de la costa, «allí hay un ser humano que me avisa del peligro», pensarían los navegantes al ver aquella luz a la intemperie. El nombre viene de una isla que hay a la entrada del puerto de Alejandría, la isla de Faros, porque allí se levantó una de las primeras torres para proteger el fuego. ¡Y cuántas no levantarían fenicios y romanos, poniendo cada cual un adorno al invento! En fin, si me meto en esto no acabamos nunca, pero Fabián decía que para qué preocuparse del acabar, que lo importante es empezar las cosas siempre por su principio. Y aunque ahora no se lo voy a contar todo, porque tampoco sé si le importa, desde luego le diré que hasta llegar al empleo de los reflectores metálicos, mejorados luego por sistemas de relojería y tantos artilugios más, es apasionante como pocas la historia de los faros y de su relación con el hombre, y también complicada, muy larga de contar, una historia hecha de heroísmos anónimos. Fabián se la conocía al dedillo, pero sobre todo la vivía, la había hecho suya. Por eso, al hablar de él, tengo que empezar hablando de los faros, porque como ya no lo veo, cuando lo quiero recordar, como ahora, no me lo puedo imaginar más que contando algo, callado se me borra; y si cierro los ojos para escuchar lo que dice, siempre está hablando de faros desde dentro del suyo, mientras hace masilla o repara una grieta o sube por la escalera de caracol para limpiar la linterna o comprueba la velocidad de rotación de la máquina o lleva su registro diario de anotaciones o le prepara la merienda a su nieta. Solamente revive y lo veo moverse cuando consigo que se me vuelva a dibujar su voz, que tampoco lo consigo siempre. Fabián era el torrero de este faro, supongo que ya lo habrá comprendido.

La señora tenía los ojos fijos en la isla de las gaviotas.

–Sí –dijo–, ya lo había comprendido. Y dígame, ¿consigue en este momento recordar su voz como si la oyera? Es lo más difícil reproducir una voz en la memoria, y lo más misterioso, ¿verdad?

–Muy misterioso, sí –asintió él–. Y no sirve de nada empeñarse en convocarla; viene cuando quiere la voz del ausente, a ráfagas, como los olores. Es exactamente así: un olor olvidado que te asalta de improviso y te clava en el sitio a aspirarlo y a reconocerte en él. Hace un momento me estaba sonando en la cabeza la voz de Fabián como si lo tuviéramos aquí sentado con nosotros; pero ya no, al oír la de usted se me ha ido la suya.

–¡Vaya, cuánto lo siento!

–No lo sienta, su voz también estaba deseando oírla. No crea que me gusta vivir solo del culto a los muertos. Aunque ya, claro, ¿qué otra cosa me queda?

La señora percibió una inflexión amarga y vencida, como de lágrimas, en la voz de Antonio Moura, y sintió un trallazo de emoción pensando en lo difícil que le sería algún día recordarla. Quedaba una rayita curva de sol y se hundió detrás del mar. Las rachas giratorias de luz, que ya solamente controlan máquinas sin rostro, los envolvían de vez en cuando desde la linterna del faro deshabitado.

–¿Hace mucho que murió Fabián? –preguntó la señora.

Antonio Moura se pasó lentamente por los ojos el dorso de la mano, como si estuviera limpiándose el sudor. Luego suspiró y dijo:

–¡Las fechas otra vez! Debe hacer mucho, sí. Recuerdo que era invierno y a mí me vinieron a llamar a la escuela porque era su mejor amigo, y a la gente le extrañó que el faro no se encendiera. Nos lo encontramos tirado en lo alto de la escalera de caracol. Una angina de pecho. Ya llevaba tiempo que no parecía él, sin ganas de hablar, débil. Y decía suspirando que de qué le servía haber estudiado tantas cosas, saber de historias, de hojalatería, de hierbas curativas, de albañilería, de electricidad y de dibujo, si ya nada de aquello le ayudaba a poner en paz su alma. «No se muera vuesamerced», le decía yo, «sin que otras armas le maten más que las de la melancolía», y él me miraba como si no me viera. La verdad es que morirse, se empezó a morir mucho antes, desde que la nieta se fue un buen día para no volver. Pero vivió bastante tiempo sin querérselo confesar, porque contradecía su tesis de que la única fortaleza del hombre reside en aprender a estar solo. Hubiera sido como reconocer su derrota. Y cuidado que me lo tenía dicho veces, a medida que ella iba creciendo: «Me tengo que acostumbrar, Antonio, a no quererla tanto, a darle rienda suelta, porque seguro que se irá, y cuando se vaya lo último que quiero en este mundo es que tenga remordimientos. A su aire. Los pájaros han nacido para volar.» Dijo que se iba en busca del tesoro. Pobre Sila, su abuelo le dio alas y el amor se las quebró.

–El amor a veces juega malas pasadas –dijo la señora de la Quinta Blanca.

–Y que lo diga usted. A Fabián le gustaba que su nieta fuera libre, rebelde y salvaje. Era así como la había soñado. Y la verdad es que no le defraudó. «La trajo el mar», decía, «como en los cuentos.» ¡Dios mío, ahora sí que estoy oyendo su voz!

La señora había levantado vivamente la cabeza y buscaba en vano la mirada de aquel rostro inclinado y absorto.

–¿El mar? –preguntó.

–Sí, la trajo el mar –murmuró el viejo mirándose las manos sarmentosas–. Una historia desgraciada, por eso le gustaron luego siempre tanto a ella las historias desgraciadas. Perdone, es que se lo estoy contando todo sin orden ni concierto. Fabián se había quedado viudo con una hija muy guapa, pero débil de cabeza. Dicen que le daban ataques epilépticos. Una noche de tormenta naufragó un barco inglés no lejos de aquí y el torrero, como era su obligación, salió a la mar con otros hombres para poner a salvo algunos efectos y ayudar al rescate de los heridos. Uno de ellos, el capitán, se quedó viviendo en el faro, atendido con todo esmero y cariño, hasta que se encontró completamente restablecido. Comentó al marcharse que se iba con pena y que en aquel tiempo no había echado de menos absolutamente nada; y después se entendió por qué lo decía. Fabián y su hija también se quedaron tristes. Él había cumplido tan a la perfección su misión como torrero, que al poco tiempo el ingeniero jefe de la zona, de acuerdo con informes del capitán inglés, propuso que le concedieran una recompensa. Pero, como él decía años más tarde cuando me lo contaba, «ya ves, recompensa, Antonio, ¿y quién me ha podido recompensar a mí de mi hija?». Porque la chica, que tendría por entonces quince años, pronto se descubrió que estaba embarazada. Claro que eso hubiera sido lo de menos, que en esta tierra los hijos de soltera crecen como la flor del brezo y nadie los señala con el dedo, lo peor fue que como ella era débil murió de sobreparto. Yo no la conocí. Pero Fabián decía que la niña era su vivo retrato, aunque mucho más sana y decidida, y en cuanto a inteligencia, infinitamente más lista no solo que su madre la pobre, sino que su mismo abuelo, «y te lo digo yo, Antonio, más lista que su abuelo que es un sabio, igual que tú», y nos reíamos los dos mirándola saltar de roca en roca. Sí que era lista, sí, y precocísima. Poco pude enseñarle yo. Cuando llegué aquí de maestro, ya sabía leer, con tres años recién cumplidos, y la afición aquella le fue tan en aumento que cuando tenía un libro entre las manos mejor no andarla llamando, se olvidaba hasta de comer. Por aquí se venía a sentar muchas veces, parece que la estoy viendo; y pintaba también unos cuadritos que luego vendía a los turistas con una leyenda encima, «Recuerdo del faro». ¡Las cosas que se le ocurrían a ella sola! Se atrevía a todo, hasta a meterse en el mar en pleno invierno, cuando estaba más alborotado. Porque era una salvaje, un pozo de pasión. Y también ella tuvo su novela desgraciada. Pero esa es otra historia.

Levantó la cabeza y vio el perfil inmóvil y grave de la mujer, que asentía imperceptiblemente sin apartar los ojos del islote plagado de manchas blancas. Soplaba un aire huracanado y se estremecieron sus hombros frágiles.

–¿Tiene usted frío? –preguntó el viejo, inclinándose solícito.

Ella le dedicó, sin mirarle, una sonrisa voluptuosa.

–No, gracias –susurró, entornando los ojos–. Es que me parece que estoy leyendo una novela.

–Sí –dijo el viejo–, de las que acaban mal, que eran las que a ella más le gustaban. Siempre, desde muy niña, estaba inventando cuentos que acababan mal, decía que para poder llorar mirando las olas. Pero lo más extraño era cómo compaginaba aquel sentimentalismo con su condición bravía y enérgica. A mí me recordaba a Elida, la protagonista de *La dama del mar*. Fue un libro que yo le di a leer, y le encantó. ¿Conoce usted el teatro de Ibsen?

–Sí. Elida es aquella que echó su anillo al mar, como homenaje a un marinero misterioso. ¿O me equivoco de obra?, luego se casó, me parece.

El viejo maestro la miró con sorpresa.

–Habla usted de ella como si la hubiera conocido.

–Claro, la he conocido. Las historias buenas tienen eso, que te las crees. ¿Y de Sila qué fue?

–No sé, la dejé de ver cuando tenía diecisiete años. Según dejó escrito se fue a pedirle cuentas a su padre.

–Pero ha dicho usted que tuvo su novela desgraciada. ¿Es que acaso sabe cómo terminó? Porque diecisiete años en una mujer me parecen pocos para dar por cerrada una novela. Creí que le gustaban de verdad las novelas.

El viejo la miraba entre interesado e incrédulo.

–Me gustan mucho, sí, ¿por qué lo dice?

Ella se echó a reír y le pasó un brazo por la espalda.

–Por nada, hombre. Nos estamos armando un lío. Pero la culpa la tiene usted por haber comparado antes las historias verdaderas con las inventadas.

–Tiene usted razón. Aunque las verdaderas, cuando no conoces el final, te tienen más en vilo.

–Los finales se inventan –le dijo ella afectuosamente–. Pregúntele usted al mar por la nieta del farero. ¿No habla usted con el mar?

Hubo un silencio iluminado por la luz de un relámpago, y ella sintió temblar bajo las ropas ásperas aquel cuerpo caduco, que inesperadamente se inclinó hacia su regazo para besar la mano que tenía abandonada sobre él.

–Se lo preguntaré, hija –contestó al cabo con la voz velada de emoción–. Aunque ya no hace falta.

Las últimas palabras, que habían sido pronunciadas en voz muy baja, quedaron oscurecidas por el fragor de un trueno espeluznante. Algunas gaviotas levantaron el vuelo asustadas, y la señora de la Quinta Blanca se puso de pie bruscamente. Ya casi no se veía.

–Hay que irse –dijo–. Se está haciendo de noche y tenemos la tormenta encima. Es una temeridad seguir aquí.

–Sí, una verdadera temeridad –dijo el viejo, incorporándose con un suspiro, como si despertara.

Luego, ya de pie, se quedó mirando al mar y añadió con una sonrisa:

–Pero Sila no conocía la palabra temeridad. Pasaba a nado hasta aquel islote de allí y trepaba por él para sentarse en medio de las gaviotas, no sé cómo se atrevía, pero nunca trajo ni un rasguño. Bueno, miento, una vez al saltar se dislocó un pie.

Ella no contestó. Se le había ensombrecido la expresión súbitamente, y empezó a escalar el acantilado sin mirar para atrás. El viejo la siguió. Subieron con cuidado y en silencio, agarrándose a trechos uno a la cintura de la otra para contrarrestar la fuerza del huracán. Poco antes de llegar al promontorio del faro, habían empezado a caer goterones de lluvia y en pocos minutos se formalizó un violento aguacero.

En mitad de la colina, se pararon unos instantes para despedirse. Un relámpago iluminó sus figuras. Ella era bastante más alta.

–Gracias por su preciosa historia, Antonio Moura –dijo con voz serena–. Otro día me la tiene que seguir.

El viejo la miraba embelesado, entornando los ojos a través de la cortina de la lluvia.

–¿Para qué, mujer? –contestó con un amago de sonrisa.

Pero estaba llorando.

La señora de la Quinta Blanca se inclinó a besarle fugazmente en las mejillas y luego se desprendió de su abrazo y escapó a correr sin decir nada. Pero a los pocos metros se detuvo y volvió la cabeza. El agua le caía del ala del sombrero y le chorreaba por la cara. Y allí seguía inmóvil el viejo maestro, con los ojos fijos en la fugitiva, aguantando a pie quieto la tormenta.

–Dios te bendiga, hija, me has hecho revivir –murmuraba entre dientes, como si rezara.

Pero ella no se enteró de lo que estaba diciendo. Se limitó a agitar la mano y a gritarle desde lejos:

–¡Cuídese, Antonio! Mientras hay vida, hay esperanza.

Luego reemprendió la carrera y desapareció loma abajo, sin cuidarse de las zarzas que se enredaban en su falda.

Llegó a casa empapada y aquella noche tuvo mucha fiebre.

IV. LA CHICA PELIRROJA

Cuando Leonardo Villalba salió de la cárcel, había una chica esperándolo. Era pelirroja y estaba embarazada. Se acercó a él y le dio un beso.

–Tengo el coche allí –dijo.

Leonardo echó a andar detrás de ella sin contestar nada. No estaba seguro de quererla seguir ni siquiera de conocerla mucho. Su nombre, por ejemplo, no le venía a la cabeza.

Rebasaron la tapia del recinto exterior y llegaron junto al coche, un dos caballos naranja abollado y bastante sucio. Hacía una tarde desapacible de llovizna. La chica se sentó al volante y abrió la portezuela del otro lado.

–Vamos, sube. ¿Qué haces ahí parado? –se impacientó–. La maleta puedes echarla al asiento de atrás.

Leonardo obedeció con movimientos desmayados, vigilado por la mirada intranquila de ella. Se notaba frío dentro del coche y por el suelo se veían periódicos arrugados y una cajetilla de tabaco vacía. Se acurrucó en el asiento y se quedó mirando, a través de la ventanilla, uno de los cubos que remataban la tapia de la cárcel, con su centinela dentro. No se movía, parecía un muñeco de guiñol.

–Quítate el macuto, irás más cómodo.

–Da igual. Voy bien así.

El coche se puso en marcha, tras una sacudida brusca. Los dedos de ella le habían rozado el muslo izquierdo al hacer la maniobra para arrancar. Llevaba las uñas pintadas de color escarlata, un poco descascarilladas por el borde.

–Supongo que vendrás a casa, ¿no? Javier quiere hablar contigo. ¿O qué pensabas hacer?

El camino tenía muchos baches y el coche avanzaba dando tumbos. A Leonardo se le clavaba contra el macuto un muelle del respaldo. Notó que se le venía a la boca una oleada de saliva amarga que se veía obligado a controlar.

–No sé –dijo–. No tengo ganas de pensar. Si no me haces preguntas en un rato, te estaré muy agradecido.

La chica pelirroja se echó a reír. Era la suya una risa que desafinaba, que no daba calor. Llegaba de fuera y fuera se quedaba culebreando, mezclada con otras estridencias de origen más o menos localizable, ajenas.

–¿Agradecido tú? ¡Qué novedad! No sabía que los médicos de la cárcel hicieran milagros.

Empezó a arreciar la lluvia contra los cristales sucios. Por entre los reguerillos aparecieron desdibujados varios obreros con casco al pie de una alta grúa amarilla que levantaba bloques de cemento. Era muy trabajoso entender la relación que pudiera existir entre la escena aquella de la grúa y la que tenía lugar dentro del recinto del coche amparado de la lluvia. Y sin embargo, aunque cada una llevara su propio proceso, las dos se estaban desarrollando al mismo tiempo ante los ojos inertes de Leonardo, vueltos ahora hacia el breve perfil de su compañera, detenidos en el pliegue tozudo e incógnito de sus labios.

–Oye –dijo en un tono apagado–, prefiero que, si no tienes más remedio que decirme algo, me lo digas claro y en pocas palabras. No estoy muy bien, ¿sabes?, y me cuesta trabajo entender las cosas.

La voz de ella se dulcificó.

–Que no estás bien ya lo sé. He seguido viniendo de vez en cuando a interesarme por tu salud, y te he traído comida y ropa, ¿no te lo han dicho?

En el rostro de él se pintaba un gesto de esforzada concentración. Entornó los ojos.

–Sí –dijo–, creo que sí.

–Y eso que era como para no haber vuelto ni a acordarme del santo de tu nombre, después de los desprecios que me hiciste al principio, que era un jarro de agua fría llegar con tantas cosas que contarte y verte siempre con aquella cara de aburrimiento, como si estuvieras deseando que me fuera. Menos mal que a Javier nunca le dije lo mal que me recibías, si no, me hubiera echado una bronca. Yo creo que tiene celos, aunque le moleste reconocerlo.

–No entiendo por qué seguías viniendo si notabas que me aburría –dijo él–. Algo necesitarías, ¿qué necesitabas?

–Parece mentira, Leo, que me hagas esa pregunta a mí –contestó ella muy alterada–. ¿Qué iba a necesitar? Pues verte, hablar contigo, porque me quedé fatal después de lo que pasó, que supieras que yo no había tenido nada que ver, porque a veces no te enteras de las cosas. Ya hace tiempo que te lo venía avisando, que tuvieras cuidado con ellos, que te usaban, que te iban a hacer pagar los vidrios rotos, porque yo los conozco mejor que tú y me da rabia que te tomen por tonto. Acuérdate de aquella noche en casa de Goyo, pocos días antes de que te cogieran, ¿te lo avisé o no? Que, por cierto, se me había olvidado en casa la píldora y a mí no hay quien me quite de la cabeza que fue esa noche cuando me quedé embarazada, que el niño es tuyo.

Leonardo miraba el limpiaparabrisas que había empezado a funcionar. Le descansaba aquel movimiento semicircular desplazando trabajosamente las gotas de lluvia. Ahora la voz de la chica pelirroja también describía un semicírculo y cambiaba de inflexión hasta volverse grave, casi patética.

–Se me juntó todo. Estaba hecha polvo, de verdad. Me pasaba la semana esperando el jueves, y me parecía que a nadie en el mundo tenía ganas de contarle lo que me estaba pasando más que a ti. No porque a Javier no le quiera, me va muy bien con él y me hace más caso del que tú me has hecho nunca, pero ya sabes cómo es para ciertas cosas: él al pan pan, al vino vino y dos y dos son cuatro, de ahí no lo saques, no le va la angustia ni entiende de sentimientos complicados. Y tú sí, no me vayas a decir ahora que no, aunque no hables, aunque te pases las horas muertas mirando a la pared, pero tú eres de otra manera, Leo, tú sufres. Y nunca has hecho daño a nadie queriendo, en plan mala leche, eso lo reconozco. Se me han venido tantas cosas a la cabeza en estos meses. Todos hemos sido muy torpes contigo, yo también. Pero es que eres tan difícil.

Llovía sin piedad sobre los desmontes, sobre los vertederos de basura, sobre un inmenso almacén de chatarra. Los coches que venían en dirección opuesta desaparecían entre las salpicaduras. Ya se veían algunos edificios altos.

–Para Javier, ya te digo –seguía la chica–, el único problema era el de encontrar dinero para el viaje a Londres, pero aparte de que no lo hemos tenido hasta hace poco, cuando ya era tarde, es que yo tampoco le metía prisa, comprendo que he tenido una reacción muy rara, no estaba segura de querer abortar hasta ver qué te parecía a ti. Pensaba: «¿Y si el niño es de Leo? Porque en ese caso, el que tiene que decidir es él», lo pensaba por lo que me dijiste aquella tarde en Tánger, ¿te acuerdas?

Las frases que terminaban con una pregunta eran las que más desasosegaban, Leonardo movió la cabeza negando, Tánger era un lugar de mucha luz, una luz irrecuperable, ¿dónde estaba ahora ya aquella luz?

–¿Cómo que no? Pues me dijiste que lo que más te gustaría en este mundo sería tener un hijo para ti solo, que te lo diera la madre y no te lo volviera nunca a reclamar, en el cafetín aquel donde Mustafá tocaba la derbuga, hablabas muy serio, «yo le enseñaría a mi hijo a ser libre», y yo te dije que estabas loco, pero me gustó. Nunca le había oído a ningún chico joven decir una cosa tan rara y tan romántica, nunca había conocido a nadie como tú. Era en agosto, poco después de conocerte, cuando pintabas todavía y me contabas aquellos sueños que tenías por las noches, tan absurdos; igual que tus cuadros. Pero bonitos. Te sentía mi amigo de una manera especial. No nos habíamos acostado todavía.

Leonardo volvió la cabeza vivamente hacia su compañera. Por primera vez despuntaba en sus ojos una luz de curiosidad que le animaba la expresión del rostro.

–¿Te contaba a ti mis sueños? –preguntó–. ¿Te acuerdas de alguno?

–Bueno, muy bien no –dijo ella–. Más que sueños eran historias un poco chaladas. Salía mucho una señora que no sabías si era tu madre o tu novia, la llamabas la Reina de las Nieves, yo me reía de ti, te decía: «Estás completamente loco», pero en el fondo quería saber la razón de aquellas fantasías; estaba segura de que te tenía que haber pasado algo de pequeño.

Leonardo abrió la ventanilla y sacó la cabeza. Necesitaba mojársela, sentir el aire de fuera.

–Y además entonces era distinto, no habías caído tan bajo, tenías proyectos. ¿Qué te pasa? ¿Te mareas?

–Un poco. Es que no he comido. ¿Tienes un pitillo?

–No, no me deja el médico fumar. Luego paramos en un bar, si quieres.

Hubo un silencio grato, una pausa en la sinfonía discorde que entrelazaba lo de dentro con lo de fuera. Leonardo subió otra vez la ventanilla. Los ribazos y los desmontes habían dado paso a bloques de viviendas, bocas de metro y cruces con letreros y semáforos. Tenía el pelo chorreando. La chica volvía a hablar. Cerró los ojos.

–Eran tantas las cosas que te quería decir después de que te cogieron. Ya sabes que a mí no se me da bien lo de escribir, pero me pasaba la noche dándole vueltas a todo lo que te iba a preguntar, ordenándolo en la cabeza, me parecía que a ti también te vendría bien para aclararte la memoria, y cuando venía los jueves de camino para acá casi me lo traía aprendido como si lo hubiera escrito en una carta. Y total para qué. En cuanto me veía sentada allí en el locutorio y aparecías detrás del cristal ese con los agujeritos, perdía la aguja de marear, era horrible, empezaba a embarullarme y ya no sabía si te estaba pareciendo una imbécil, una cínica o qué, porque lo peor no es que no me hablaras casi, es que me mirabas como si no me hubieras visto en tu vida. Claro que ahora comprendo que no estabas bien. Lo supe luego. ¿Qué te pasa? ¿Por qué cierras los ojos?

–Porque la calle me da náuseas, y me mareo. Cállate un poquito, si no te importa.

Se adentraban en las fauces de la ciudad surcada de autobuses, de ambulancias, de policías, de máquinas perforadoras, de pasos elevados, de gente con paraguas que los cerraba para meterse en las casas, en el metro, en los bingos y en los bares a fragmentar la tarde e irla conduciendo hacia su desembocadura. Leonardo, con los ojos cerrados, se concentraba en un esfuerzo por considerar la retahíla de la chica pelirroja hostigando la muralla de su silencio como un elemento más del vaivén de signos movedizos que se aglomeraban en la calle y por acoplarlo todo con el desasosiego de sus vísceras, como si dirigiera a tientas un concierto fantasma, cuyos acordes podían llegar a apaciguarle con tal de no sentirse responsable de ellos. En eso estaba el secreto, en distanciarse de la situación personal (de perplejidad, de hambre, de náusea, de frío) para relacionar el laberinto de fuera con la topografía provisional e ignorada del propio cuerpo. Al fin y al cabo todo eran tuberías escondidas acarreando aguas residuales, jugos gástricos, gasolina, sudor, humo, dinero, palabras, sustancias pútridas, material de derribo. Imaginar que aquellos conductos de acarreo pudieran dejar de funcionar suponía un descanso, todo perdía relieve e importancia.

La chica pelirroja había vuelto a la carga, pero ahora en un tono más sereno. Estaba hablando otra vez de Javier, trataba de justificarlo: «No le importa que vivas con nosotros, en el fondo sabe que la culpa fue suya, y solo te queremos ayudar.» Leonardo notó que se le estaba durmiendo un pie, sentía el hormiguillo junto con el cosquilleo de aquel fonema, Javier, que se repetía una y otra vez, que se le colaba por el conducto auditivo, Javier-Javier; escuchado al revés sonaba más inocuo, como trabalenguas infantil, Vier-ja-vier-ja-vier-ja, se alejaba desintegrado entre pitidos de bocinas, afluía de nuevo, qué concierto más sin sentido. El cosquilleo del pie se le había convertido en un calambre que le subía por la pierna.

–... Yo nunca te he mentido, Leo, eso me lo reconocerás, y mi amistad contigo, a Javier se lo he dicho, quiero que quede al margen de vuestros trapicheos y de quién tiene la culpa o la deje de tener de que a ti te pillaran, sabes que siempre te he defendido...

Leonardo abrió los ojos y se agachó para frotarse el pie agarrotado. No lo sentía, era como si le hubiera picado un bicho venenoso. Lo levantó, ayudándose con las manos, de uno de los periódicos tirados por el suelo, y al desplazarlo y dejar al descubierto el lugar que había estado tapando, brotaron fulminantes del papel pisoteado quince palabras que se le clavaron a traición en los ojos, en el costado, en la garganta. Y entendió enseguida que era de aquel escorpión escondido bajo su zapato de donde le había venido la picadura mortal que ahora se le propagaba por todo el cuerpo. «El financiero Eugenio Villalba Guitián y su esposa muertos en accidente de tráfico en Illinois.» Era el epígrafe de una noticia perdida entre la amalgama de residuos y basuras que afluyen cotidianamente a la marea de la gran urbe, quince palabras agazapadas, emboscadas, colándose alevosamente, como trombos, en su sangre. Agarró el periódico con manos trémulas. La fecha estaba encima del recuadro: veinte de octubre.

–... Te has pasado la vida haciendo cosas que no te reportaban ningún beneficio –continuaba su monserga implacable aquella voz ajena–, regalando tu dinero, tu talento, tu salud, todo, tirándolo por la borda...

–¿Te quieres callar de una puñetera vez? ¿A qué día estamos hoy? –aulló descompuesto.

La chica le miró asustada.

–A veintiocho –dijo.

–¿A veintiocho de octubre?

–Sí, claro, de octubre. ¿Pero qué te pasa, Leo, por favor? ¿Qué haces? ¿Estás loco? Si todavía no hemos llegado...

Su compañero, pálido como el papel, se había arrodillado en el asiento y estaba cogiendo su maleta de la parte de atrás. Daba miedo verle la cara.

–¡Párate antes del semáforo! –gritó–. ¡Aquí mismo!

–¿Pero por qué, Leonardo? ¿Te he dicho algo que te haya molestado? ¿Te encuentras mal?

–¡Déjame en paz! ¡Aquí! ¡Arrima a la derecha! ¡Van a abrir el semáforo!

La chica obedeció con un esguince torpe, que provocó las protestas de un coche que venía detrás, y Leonardo se apeó casi en marcha, sin añadir una palabra, con la maleta en una mano y el periódico arrugado en la otra.

–¡Leonardo! ¿Adónde vas? ¡Leonardo! ¡Espera!

No volvió la cabeza. Lo vio cruzar corriendo entre los coches, aprovechando los últimos estertores verdes del semáforo, llegar a la otra acera y agitar el brazo que enarbolaba el periódico para llamar a un taxi, abrió la ventanilla, volvió a gritar «¡Leonardo!» con toda la fuerza de sus pulmones, notó que se volvían a mirarla rostros desconocidos, pero el suyo no, «¡Leonardo, Leo!», le vio entrar en un taxi que se lo llevaría en dirección opuesta, nada, ya nada, no podía dar la vuelta para seguirle, el semáforo acababa de cambiar de color, pitaban los coches de detrás, y ella sin arrancar, con la cabeza fuera y los ojos fijos en el taxi que desaparecía. «Está loco, está loco», repetía consternada.

Eran las siete y media cuando llegó a la plazoleta de un barrio modesto de extrarradio y aparcó el dos caballos delante de una casa con terrazas cuadradas que parecían cajones. Había dejado de llover. Entró en un bar que había junto al portal y se acercó al mostrador. Las piernas le flaqueaban. Notó pinchazos en el bajo vientre.

–Hola, Pepe.

Olía a calamares fritos. Había mucha gente de pie con la cara levantada hacia el televisor y hacían comentarios acalorados. Estaban retransmitiendo un partido de fútbol.

–Hola, Ángela, guapa. ¿Qué va a ser?

–Una copa de coñac y una cajetilla de ducados.

–Tu hombre ha estado aquí hace un rato con la chica esa morena. Me parece que te estaban esperando.

–Ya. ¿Se subieron a casa?

–Puede, no sé decirte.

Se bebió la copa de un trago y pagó.

–Hasta luego, Pepe, gracias.

En el ascensor encendió un pitillo, el primero después de dos meses. Le estaban entrando dolores de parto.

Segunda parte
(De los cuadernos de Leonardo)

I. PROPÓSITOS DE ORDEN

Anoche, ya tarde, me pareció oír ruidos en el piso de abajo y me quedé muy quieto con los ojos fijos en la puerta. Sabía que estoy solo, pero también con idéntica certeza que alguien estaba a punto de subir a verme. Y esperaba sin miedo. Cada vez me resulta más difícil distinguir entre la alucinación y la realidad, y la llegada aquí ha acentuado la ambigüedad de esa frontera, que transponen a su antojo las imágenes de un campo para colarse en el otro, así que da igual que lo soñara o que lo imaginara. Lo único que supe, igual que ahora sé que tengo la pluma en la mano, es que alguien había empezado a subir la escalera hacia esta habitación. Y cuando se abrió la puerta y apareció mi padre, lo acepté como algo natural.

Se quedó unos instantes en el umbral de su propio despacho, abarcándolo todo con la vista, como desde muy lejos, y a mí me preocupaba un poco su reacción ante el desorden introducido por mi asalto. Y sobre todo que se diera cuenta de que, por fin, he conseguido abrir la caja de caudales. Pero enseguida sonrió, sin acusar violencia ni extrañeza.

No era el hombre que acaba de morirse, sino otro más joven, el que soñaba para mi futuro la imagen de un artista consagrado, escritor, pintor o tal vez músico. Iba vestido con una chaqueta sport y camisa blanca abierta.

–¡Qué alegría, Leonardo, al fin has vuelto! –decía simplemente–. ¿Estás a gusto aquí?

Yo no contesté nada. No podía.

Cerró la puerta, avanzó despacio hasta el pequeño bar que hay en la esquina, y se puso a preparar dos cócteles, mientras yo le miraba inmóvil desde mi butaca. Sus gestos eran los de alguien que no tiene prisa, que ya no la va a tener nunca. Estaba de espaldas. Tardó mucho en volverse. Cuando por fin lo hizo, trayendo una bandejita con dos copas, no vino en línea recta hacia donde yo estaba.

«Se ha dado cuenta», pensé, «o se la va a dar enseguida.» Y me corrió un frío raro por la espina dorsal.

Se paró ante la mesa de donde he desplazado sus objetos lujosos de escritorio y sobre la que se amontonan mis cuadernos y libros sacados del macuto, junto a fajos de papeles suyos que aún no he tenido tiempo de mirar, sobres abultados, algunos dólares, documentos, carpetas y fotografías. Desde allí volvió los ojos, siempre con la misma calma, al agujero de hierro practicado en la pared. Estaba vacío y con la tapa abierta, como un nicho recién profanado.

Y entonces nos miramos. No me miró él a mí de juez a reo, ni yo sentí que tuviera que bajar los ojos o aprestarme al disimulo. Sencillamente nos estábamos mirando por primera vez en la vida con equivalente fijeza, estableciendo una especie de complicidad.

–¡Vaya! –dijo sonriendo–. Veo que por fin acertaste lo de la flor de lis. ¿Te ha sido muy difícil?

Le devolví la sonrisa.

–Un poco. Sobre todo por lo de la S, ¿sabes?, que se me resistía.

–Ya, no me extraña –dijo–. Es una letra subterránea y sinuosa. ¿Se te ocurre algún adjetivo más para definirla? ¡Tiene que ser con ese; si no, no vale!

Su voz, de pronto, era la de la abuela, invitándome a ese juego infantil al que se ingresa diciendo: «De La Habana ha venido un barco cargado de...» Y hay que buscar palabras que empiecen con la inicial elegida.

–¿Secreta? –pregunté.

–No está mal. Lo vas cazando. Hay que perseguirla por senderos de sombra y de sueño, hasta llegar a la sabiduría.

Vino hacia acá andando despacio, me alargó una de las copas y se sentó enfrente de mí.

–¿Qué ha sido de tu vida? Cuéntame. Porque supongo que no tendrás prisa.

El pelo le brillaba muy negro todavía, abundante, recién lavado, casi sin canas.

–¡Mi vida reciente déjala ahora, padre, por favor! –exclamé impaciente–. Tenemos que empezar por el principio.

Él se quedó mirando a la ventana y dijo con una voz grave, dulce y recóndita, que me volvió a recordar a la de la abuela:

–¿Y dónde está el principio?

–Pues verás, el principio...

Y empecé. Eso fue todo. Ya no me acuerdo más que de la plenitud de aquel instante en que se rompió el freno, que ahora me paraliza, de buscar un comienzo entre tantos posibles, de lo fácil que fue arrancar a hablar, y seguir, y seguir. La presencia de mi padre, que no sé cuándo se fue ni siquiera si vino, quedó sustituida por la corriente arrolladora de aquel texto que se ha desvanecido ya también, que se despeñaba sobre la mesa mezclando mis papeles con los suyos, que crecía derribando contornos, invadiéndolo todo, salpicándolo todo. Mi vida era aquella marea de palabras, pero al mismo tiempo la contemplaba desde lo alto, impávido, con ojos de gaviota. De eso me acuerdo como si lo estuviera viendo. Pero ¿por dónde empecé?

Hoy he estado revisando cuadernos de los últimos años, y me ha parecido pasar la mano por las cicatrices de mi conflicto frente a la escritura. En todos ellos se alternan los más inconsistentes desvaríos y las notas más caóticas con algún espacio en blanco, a partir del cual la caligrafía se recompone y, durante unas líneas, que progresivamente se van desintegrando, se mantiene un propósito de orden: la promesa de un auténtico comienzo. Esos instantes, durante los cuales la urgencia por romper el cerco de la confusión me pareció cuestión de vida o muerte, me asaltan desde el papel y convierten en ilusoria la pretensión de que ahora las cosas vayan a ser de otra manera.

Pero mis cuadernos, además, me atrapan con tentáculos mucho más peligrosos, al sugerirme la identificación con las andanzas y mudanzas de la persona que los escribía, cuya evocación me distrae de lo que busco. Me incluyen, a pesar mío, en escenas como de cine mudo ocurridas en Tánger, en Ámsterdam, en Verona, en una cárcel, en el Boulevard Saint-Germain, argumentos aislados cuya trama no tiene grandeza ni salida. Me veo dentro de sueños sucesivos, gesticulando junto a seres borrosos, diciendo palabras que no oigo, fingiendo pasiones que no siento, recuperando el tacto de cuerpos sin nombre que se me adhieren tenazmente, que me arrastran a decisiones denigrantes o simplemente banales, condenado a entrar en locales que hubiera preferido no pisar, a huir perpetuamente hacia ciudades que nunca me dijeron: ¡quédate!

Y desde todos estos sitios, mi voluntad de fuga se quiebra una y otra vez contra las esquinas del escenario que siempre está presente, que resurge con mayor alevosía cuanto más me empeño en sumergirlo. Y es el lugar de donde voy huyendo: este cuarto.

Repasando esos comienzos de novela, donde el muchacho convertido en hombre regresa al castillo de irás y no volverás para pedirle cuentas a su padre de todo lo que siempre estuvo oscuro, he llegado de pronto a una frase que, como tantas mías, va dirigida a quien la pensaba mientras la estaba escribiendo, un «tú» perdido. Pero además a mí, al que soy ahora. Se me ha cortado la respiración. Es una frase escrita con pulso tembloroso, en Tánger, hace dos años:

«Pero no escribas más, mírame y dime. ¿Has vuelto de verdad?, ¿te has atrevido?, ¿no serán, como siempre, retazos de tu sueño?»

Me he levantado, a instancias de esa voz, a palpar las paredes de madera, la caja de caudales abierta, la ventana. Me he asomado. He reconocido desde aquí el camino de grava por donde entré hace tres días al piso de abajo, las adelfas del pequeño jardín, la fachada trasera de los otros chalets.

−¡Sí, he vuelto! −he gritado en voz alta como si saliera de una pesadilla−. No pienso extraviarme nunca más por rutas de fango. Se acabaron los pretextos . Ahora voy a empezar.

Luego he cerrado todos mis cuadernos y los he guardado en el macuto. También he despejado la mesa de todo lo demás. Revisar los papeles de mi padre es una tarea que no voy a acometer por el momento. Los he vuelto a meter en la caja de caudales y he corrido el cuadro que la esconde. Nadie me va a interrumpir, el teléfono lo tengo descolgado y empieza a caer la noche. Aunque alguien llamara a la puerta, no abriría. Me siento estimulado, lúcido, tranquilo. Y solo. Tengo que emprender la pesquisa solo. La ausencia definitiva del padre, la visión ahí enfrente de su butaca vacía, es lo que diferencia este comienzo de todos los que había imaginado.

Pero no quiero desviarme más. Cosa por cosa. Empezaré contando cómo fue la llegada. Las buenas novelas, él lo decía siempre, suelen empezar con una llegada.

II. LA LLEGADA

Después de que desapareció el taxi y me dejó en la acera con mis dos bultos tuve unos instantes de vacilación y desmayo. Hace más de siete años que no trasponía la puertecita de hierro que lleva a la fachada trasera, y cuando lo hice fue horrible, una sensación como de hundirse en el vacío. Pero no deprisa ni de una vez sino enganchado, a medida que caía, en escenas incómodas que me incluían como protagonista gesticulante y me disparaban hacia los pinchos de la siguiente apenas empezaba a tratar de entenderlas; de acomodarme una por una a ellas.

«¿Para qué he venido?», me preguntaba. «¿Para qué?» Incapaz de detener mis pasos o de retroceder, al menos con la imaginación, a situaciones donde la atmósfera fuera menos oprimente, luchaba entre dos fuerzas encontradas, según dejaba atrás los ruidos de la calle y reconocía contornos del jardín: una que me urgía a seguir avanzando en nombre de una inercia olvidada, otra que me avisaba del peligro y me aconsejaba escapar de nuevo a la falsa aventura, a buscar un remedo de refugio en viviendas y voces más o menos recordadas, en locales ruidosos donde corren la droga y el dinero, donde se urden proyectos descabellados y se entablan contactos perentorios. Obedecí por fin al mandato primero, pero sin convicción, pensando: «¡Qué más da, también esto es un sueño!»

Habilité de cualquier manera el cuarto grande de abajo donde, a mi llegada, se amontonaban los trastos más diversos: ficheros, muebles desarmados, baúles llenos de cortinas y ropas antiguas, alfombras enrolladas, libros, jarrones, bibelots con alguna rotura o deficiencia –una pastorcita sin dedos, un arlequín sin nariz–; pero sobre todo una serie de cajones de diferentes tamaños que, aunque parecieran estar allí para testimoniar algún proyecto de arreglo, era evidente que se habían integrado ya a la arbitraria geografía de la situación, habían perdido su carácter de hitos en el seno del desorden y delataban el fracaso de tal tentativa al exhibir su propio contenido agobiante: una amalgama de enchufes, destornilladores, cables, tulipas, herrajes desparejados, ovillos de cuerda, bombillas, llaves, rollos de esparadrapo, qué sé yo. Y me negué a subir bajo ningún pretexto a los pisos de arriba. Lo decidí con la mezcla vehemente de inseguridad y desafío que alimenta siempre mis fútiles propósitos.

Paralizado allí, entre aquellos objetos que despedían un olor acre a moho y alcanfor, el único residuo de voluntad que quebraba mi atonía se concentraba en esa resistencia a moverme del primer cuarto que había pisado –por pura inercia, porque antaño, cuando llegaba tarde, usaba esta entrada y no la de la puerta principal–, en el rechazo a dar un paso más de exploración por el resto de la casa. Así que lo primero que hice para fortalecerme en aquella especie de apuesta conmigo mismo –con gestos, por cierto, tan atolondrados que me clavé un formón en la palma de la mano izquierda– fue condenar la puerta que comunica con los pisos de arriba, mediante la aplicación de un candado enorme y sin llave, el primero que encontré hurgando en uno de aquellos cajones. Tal vez sospechaba que si me hubiera puesto a buscar otra pieza de tamaño más adecuado, ese breve plazo podría haber sido suficiente para poner en cuestión la importancia de una tarea que en aquel momento me servía de estímulo y consideraba fundamental.

La puerta estaba recién pintada, y como la ataqué por diferentes flancos, buscando compulsivamente un lugar por donde la madera ofreciese menos resistencia, el marco se estropeó bastante, pero al final el candado quedó firme, aunque un poco torcido, y destacaba como un rostro oscuro contra el esmalte blanco de la puerta.

La tarea me dejó extenuado y me apoyé contra la pared, al tiempo que empezaba a sentir las primeras punzadas de dolor en la mano herida. Fue entonces cuando miré por primera vez de plano a aquel hombre negro de gran estatura que ya había vislumbrado en el jardín y que, plantado ahora en mitad de la estancia sobre sus piernas firmes y derechas, me contemplaba a su vez, absorto e impenetrable. Era incapaz de discernir si en mi expresión estaría leyendo reto o desconcierto, y era la sed de indagarlo lo que intensificaba mi mirada, mucho más que el deseo de averiguar qué opinión le estaría mereciendo mi conducta que, por otra parte, demostraba aceptar sin mayor extrañeza.

Presa de un leve mareo, dejé caer el martillo al suelo y pude ver cómo se acercaba a recogerlo y lo devolvía, junto con las otras herramientas, al mismo cajón de donde yo las había sacado. Desde allí, aún de rodillas, se volvió a buscar mi mirada.

–Es que la señora pensaba hacer una reforma –dijo, como si pretendiera disculpar el estado en que se hallaba la habitación.

Tenía una voz melodiosa, con leve sombra de acento portugués. Yo me encogí de hombros y murmuré:

–Ya. ¿Y cuándo no?

No tenía ánimos de preguntarle nada, pero tampoco sentía ya ante su presencia la alteración que me provocó cuando me crucé con él en el jardín y me pareció percibir que, más que asustarse, se había dado cuenta de mi susto. Ahora, mientras le veía ordenar un poco el contenido del cajón, colocarlo encima de otro y arrimar ambos a la pared, tuve que reconocer que su impasibilidad aventajaba a la mía, porque, bien mirado, de los dos el intruso era yo.

–Sí –dijo sonriendo–. Le gustaba mucho cambiar las cosas de sitio, le aplacaba los nervios.

De pronto miré a la puerta sobresaltado, con el miedo de verla aparecer dando órdenes acerca de aquellas mudanzas y traslados que desde la infancia fueron para mí una cruz. Creaba en torno a sus proyectos un clima de opresión que se propagaba a cuantos nos veíamos, quieras que no, implicados en aquella furia de actividad. Pero lo más extravagante era que cualquier jaqueca, llamada telefónica o simple racha de lluvia podían imprimir un sesgo inesperado a su humor y aplazar indefinidamente aquellos planes, dejándonos a los demás contagiados del malestar que se incuba en las febriles expectativas.

Paseé los ojos en torno mío. Por toda la habitación quedaban huellas de su último estallido.

—Yo no creo que nada le aplacara los nervios —dije.

Pero él no contestó. Estaba de pie, a cierta distancia, y de repente no era más que lo que era: un criado negro que no tiene por qué mezclarse en nada, esperando mis órdenes. Yo tampoco apetecía mayor intimidad.

Decliné sus ofrecimientos de dejarme totalmente limpia y despejada la estancia donde, según todas las muestras visibles, estaba dispuesto a instalarme, y solo consentí que me ayudara a desplazar los objetos que estorbaban para poder armar en el centro la gran cama de hierro de la abuela Inés, cuyas piezas dispersas hubo que rescatar trabajosamente de entre el maremágnum de los cachivaches. Se requería tiempo y paciencia, igual que para hacer un puzle, claro; encontraba lógico que resultara difícil. También lo sería ponerse a acarrear todos los fragmentos de mis sueños donde esta cama haya aparecido alguna vez, combinarlos y hallar la clave del argumento que componen.

Hice un alto en la labor para sacar de mi macuto, que había dejado contra la pared, una libreta con tapas de hule que estrené en la enfermería de la cárcel y apuntar este paralelo entre la reconstrucción de los sueños y la de la cama, tema bien sugerente. Las sugerencias luego se fueron ampliando y me senté en el suelo para escribir más cómodo. Llené varias páginas.

(Por cierto, antes las estuve releyendo y copiando en limpio con algunas rectificaciones en el mismo cuaderno que estoy usando ahora, amarillo con argollas, tamaño folio. Pensaba que podían haberme servido de comienzo. Luego he cambiado de idea, los apuntes es mejor dejarlos como se tomaron.)

No sé cuánto tiempo llevaba sentado en el suelo junto al macuto; cuando volví a salir de mi abstracción, reparé con ojos aturdidos en el escenario que me rodeaba y lo reconocí. El negro continuaba agrupando las piezas de la cama, como si mi deserción no le hubiera alterado lo más mínimo. Ahora tenía en la mano unas tijeras grandes.

Me levanté para reincorporarme a la tarea, con la sensación de haberme quedado rezagado. El permiso tácito que le había dado para meterse en mis asuntos se empezaba a ampliar. Pero bueno, al fin y al cabo –pensé mirándolo– quién mejor que un extraño para ayudarme a armar la cama de la abuela, lo hace mejor que un amigo, porque lo hace desde fuera. También pasa en los sueños. Sale con frecuencia un desconocido que llevábamos al lado no se sabe desde cuándo y cuya intención principal parece ser la de que apenas nos fijemos en él, e incluso a veces se esconde o se convierte en otro para despistarnos. Y en los cuentos de la abuela aparecían también esta clase de seres secundarios pero fundamentales que luego he reencontrado tantas veces en las novelas y en el cine. Son testigos que no dan muestras de actividad, que disimulan que están mirando, pero pueden estar enterándose de las cosas mejor de lo que parece.

Ahora se había sentado y estaba cortando las puntadas de cuerda recosidas a una tela de saco que, a modo de embalaje tosco, protegía la cabecera de la cama. Yo mismo me había aplicado con un celo febril, casi con saña, a hacer esa labor que él deshacía desollándome los dedos contra el áspero roce del saco, hiriéndome con el hondón de la aguja gorda, más de una hora arrodillado en el suelo. Hasta que entró ella y me preguntó muy airada que por qué estaba haciendo eso. Llevábamos varios días sin hablarnos.

–Porque me voy –le dije–, porque no aguanto ni un día más, y la cama de la abuela no quiero que me la toque nadie, ¿entiendes?

–¡Te la debías llevar contigo a donde vayas! –exclamó con voz de cólera contenida–. Siempre me ha parecido un trasto que aquí no pinta nada.

–No te preocupes, enseguida mandaré a por ella.

Fue nuestra despedida, y las palabras de una despedida siempre se recuerdan, ya sean dulces o agrias. Nunca las he olvidado en estos años, y de vez en cuando, desde los diferentes puntos de mi diáspora, me remordía como una cuenta pendiente el proyecto, siempre aplazado, de venir a buscar la cama de la abuela.

Miraba ahora los dedos de aquel hombre manejando la tijera, como si cortara los puntos de una herida, como si deshiciera un maleficio. Cuando terminó, apoyó la pesada cabecera contra la pared y fue a buscar la pieza de los pies al otro extremo de la habitación. Esa no estaba embalada. Una tarea más de las muchas que he dejado sin rematar en mi vida. La cabeza me bullía de imágenes que subyacían, formando un jeroglífico, al mero trabajo físico de armar la cama. Cometido en verdad bien ingrato y que yo no hubiera sido capaz de desempeñar solo. Mis pasos detrás del negro, que levantaba ágilmente hierros y largueros y me iba pidiendo con gesto mudo que le pasase alguna herramienta o le ayudase a arrastrar el somier, se fueron volviendo cada vez más indecisos y pendientes de los suyos, pasos de grumete en pos del capitán. Y así, durante la última etapa de aquella tarea inventada por mí, tuve que confesarme ya sin paliativos que me estaba limitando a trabajar a sus órdenes.

Cuando la gran cama, rematada en sus extremos por cuatro bolas doradas y en el pináculo de la cabecera por el angelito rollizo que toca la trompeta, quedó finalmente montada en el centro del cuarto, me senté sobre el colchón y me puse a liar un canuto, mientras el negro retiraba parsimoniosamente los enseres que entorpecían el acceso desde la puerta del jardín y les iba buscando acomodo por diferentes rincones. Apenas hacía ruido.

Luego, bajo el bienestar de los primeros efectos del *hash*, observé que daba por concluida su misión y que se apoyaba contra la puerta del jardín en una actitud de expectativa y disponibilidad, que dejaba traslucir también cierto voluptuoso abandono. Le miraba vagamente intrigado, como en sueños.

–¿Y este qué pinta en el cuento, abuela? ¡Qué cuento más difícil de entender!

–Lo más difícil no ha empezado todavía –dice la abuela–. Estaba la pájara pinta sentadita en el verde limón; con el pico picaba la hoja, con la hoja picaba la flor. Ni de noche ni de día, ni por tierra ni por mar, ni vestida ni desnuda. Adivina, adivinanza.

–Pero dímelo más claro, tú lo sabes todo, ¿qué es lo más difícil?

–Te pierde la impaciencia –dice la abuela–. Deja que lo atrancado se abra solo, pero no atranques lo que está abierto. Pin pin zarrama-catín, la pega la mega pasó por aquí vendiendo limones a maraverí. Lo más difícil es saber quién pasó por aquí sin que se notase y quién parecía que estaba y quién se escondió.

–¿Te estás refiriendo a alguien en particular?

–Anda, ¡qué gracia! –dice la abuela–, eso lo tienes que acertar tú. El enamorado que sea discreto y entendido; ahí le va el nombre de la dama y el color de su vestido.

–Sí, Elena-morado, ya lo sé. Pero este acertijo es otro, siempre te escabulles, no te escondas, ¿dónde estás?

–Ronda a ronda, el que no se haya escondido que se esconda. Tú también vete a esconder.

–¿Dónde me escondo?, siempre me encuentran, abuela, me creo que me he escondido bien pero me están viendo, quedo destapado, no hay sitio bueno.

–Que te vayas a esconder detrás de la puertas de Pedro Fabrés, las puertas están cerradas, mandaremos que las abran con cuchillos y navajas, tris tras, afuera estás.

Me balanceaba sentado encima de sus empeines, me tenía cogidas las manos con las suyas y a medida que recitaba el sonsonete, unas veces inclinaba hacia mí su rostro y otras lo echaba para atrás; cuando se alejaba de mí se reía, cuando se acercaba no, se iba poniendo seria y daba un poco de miedo, se le quedaba la cara tan parada como el día que la vi muerta, la última vez que pisé la Quinta Blanca, blanca la quinta muerta, blanca la abuela muerta, pero seguía teniendo un poco de risa detrás de la mueca seria, se notaba después de mirarla un rato.

–Deja los acertijos, anda, abuela, que no los entiendo. Mejor cuéntame un cuento.

–Pues tienen mucha miga, niño, los acertijos –dice la abuela– y si no, a ver por qué te acuerdas después de tanto tiempo, por algo será.

–Debe de ser por la cama. Me mareo un poco, ¿sabes?

–¿Te mareas? –dice la abuela–. Sana, sana, culito de rana, si no sanas hoy, sanarás mañana. Déjame ver lo que te has hecho en esa mano, pero no vale que la escondas, a la mano-mano-muerta. ¿A ver? Tienes sangre.

–No ha sido nada; de cerrar una puerta.

–¿Ves? –dice la abuela–, por atrancar lo que está abierto, ¡qué manía con las puertas!, y en cambio queriendo siempre entrar donde no se debe, igual que la mujer de Barba Azul. Mucho te gustaba ese cuento. Y el de la Reina de las Nieves.

–Sí, era maravilloso, me gusta mucho todavía. ¿Cómo empezaba?

–Te gusta mucho –dice la abuela–, pero tampoco lo entiendes bien, porque no tienes paciencia. Para entender hay que tener mucha paciencia, esperar al acecho y sin moverse, como los pescadores de caña. Tú no paras. ¿Cuántas veces te lo tengo que decir?

Había cerrado los ojos y el dolor de la mano me obligó, de repente, a abrirlos. Toda la habitación se alargaba sin esquinas ni referencias, como si fuera de algodón. La recorrí con los ojos, buscando algo firme, y el negro seguía allí junto a la puerta del jardín anochecido, como un tótem guardián. Se mantenía en su puesto de vigía, en el umbral que separa lo de dentro de lo de fuera. Di la última calada al canuto y vi que él se acercaba trayendo un cenicero. Nuestros dedos se encontraron y nos miramos.

–Le sangra la mano –dijo él–. Voy a buscar un poco de agua oxigenada.

Se encaminó, sorteando los barrotes bajos de la cama y los bultos diseminados por el suelo, hacia el lugar donde yo había instalado el candado originario del percance. Le pasó los dedos por el borde superior, sin forzarlo, pero tanteando a ver si cedía.

–¿Dónde tiene la llave? –preguntó, al fin.

–No sé. No voy a abrir nunca esa puerta.

–¿Ah, no? ¿Y yo tampoco la puedo abrir?

–No la abres porque no puedes –dice la abuela–, porque no te atreves, porque preguntas lo que no es y no entiendes lo que es; yo tengo un buey que sabe arar y trastonar y dar la vuelta a la redonda, esa manita que se esconda.

–¡Basta! –grité–. ¡Tú tampoco!

Dispersé de un manotazo las palabras locas de los trabalenguas, se pusieron boca abajo y se convirtieron en una bandada de mosquitos de oro que volaron a nimbar la figura del negro, en un espol-voreo de luz que le bajaba de los hombros a las caderas. Tuvo un ligero tic al parpadear.

–Bueno –dijo–, es que el agua oxigenada está en los servicios de arriba. Ese cuarto de baño no se usaba nunca últimamente. Lo pensaba ella arreglar.

Había hecho un gesto con la barbilla, indicándome otra puer-ta entreabierta situada en la pared de enfrente, a través de la cual se apreciaban huellas de una reciente labor de albañilería.

Es el paisaje que veré desde este barco cuando abra los ojos. Ha cambiado el rumbo del barco y ya no se mueve. Antes, en los tiempos del «érase que se era», se echaba a navegar desde una alcoba de te-chos altísimos por cuyas ventanas entraba el olor del mar. «En las noches de luna clara», decía la abuela, «puedes subir conmigo a cu-bierta y te contaré cosas de las estrellas.» Yo entraba a pasitos leves y ella me hacía sitio, también si soplaba la borrasca, también si había tenido un sueño malo. Ahora ha encallado el barco, no hay viaje.

A la derecha de la puerta del baño, habían instalado un banco de carpintero y por el suelo, entre las virutas, se veían varias pilas de azulejos, dos capachos de cemento y un bidé enfajado en tiras an-chas de papel color garbanzo con letras negras.

Un paisaje chirriante, surrealista. Me estaba empezando a en-trar sueño, pero me incomodaba aquella presencia en pie, junto a la puerta del candado.

–¿Y qué problema hay? Da la vuelta por el jardín y entra por la puerta principal.

A la izquierda del banco del carpintero, en el extremo de la pa-red, destacaba el cuadrilátero del montacargas, resto de una época en que el comedor de verano estuvo aquí abajo. Tal vez el monta-cargas ya no comunicase con la cocina. ¡Qué necia y complicada labor de arqueología! Cerré los ojos. No quería preguntar si tam-bién estaban haciendo obras en la parte de arriba, no quería saber nada de la parte de arriba. Oí que el negro salía al jardín.

–Como mande –dijo.

III. MAURICIO BRITO

Me quedé dormido y me transformé en mi madre. Es un sueño que, camuflado bajo argumentos diferentes, tengo desde niño, desde que probé por primera vez el ardiente deseo de meterme en su cuerpo y en sus sentidos, de saber si me quería o no, de entender lo que piensa una mujer cuando se arregla ante el espejo, cuando está acostada pero no duerme, cuando se impacienta al verte entrar porque estaba esperando a alguien que no eras tú, cuando te mira y es evidente que no te está viendo; quería encontrar el lugar de su cuerpo donde se acusaba la temperatura de sus desasosiegos, necesitaba saber con quién soñaba o con qué. Es una curiosidad que nunca he conseguido aplacar, semejante al afán infantil por romper juguetes y relojes para ver cómo funcionan.

Soñé que llegaba en una noche de luna a la Quinta Blanca, habitada ahora por otras personas. El parque era más estrecho y estaba flanqueado por una especie de gallineros raros, con pinchos en las alambradas, pero las estatuas estaban donde siempre y me dirigí hacia allí, porque todo el resto era un poco distinto. De todas maneras, a medida que me acercaba, aumentaban de número. Me paré delante de una de ellas, más grande que ninguna, la miré fijamente y vi que se bajaba de su pedestal. Era mi madre. Me dio la mano, sin oprimirla mucho, y echó a andar a pasos más largos que los míos, dejándome ligeramente atrás. Veía sus muslos blancos y desnudos y trataba de acomodar mis pasos al ritmo de los suyos, consciente de que iba a fundirme con ella de un momento a otro. También era, al mismo tiempo, el pequeño Kay siguiendo a la Reina de las Nieves y sabía –de esa manera tan confusa pero tan evidente con que se saben las cosas en los sueños– que, para salvarme del peligro, tenía que recordar el cuento y contárselo a alguien. Cuando estábamos llegando a la pared de atrás de la casa, se volvió a mirarme y me pasó un brazo por los hombros. Noté entonces un frío horrible que me subía de los pies al pecho, agarrotando mis miembros. Me estaba convirtiendo en hielo, tenía que gritar pidiendo auxilio antes de que se me helara también la voz.

Me desperté jadeante y el negro estaba sentado al borde de la cama. Me había aferrado a su muñeca robusta como a una tabla de salvación, pero inmediatamente retiré la mano, ahogando un grito, porque me dolía mucho. En ese momento, él alargó el brazo y encendió una lámpara de flexo.

–¿Hace mucho que estabas ahí?

–Un poco. No me atrevía a despertarle. Dicen que es malo despertar a la gente cuando tiene una pesadilla, que se tienen que desenrollar ellas solas.

Sonreía dejando ver una fila de dientes blancos y grandes. Rectifiqué mi postura y me desplacé hacia el borde. Los colchones de la abuela siempre se hundieron por el centro.

Había traído el frasco de agua oxigenada y le estaba quitando el tapón. Luego se puso a empapar de líquido un algodón grande. Me incorporé.

–Vamos a ver, ¿quiere darme la mano?

Le tendí la palma abierta. La herida era profunda y ha tardado varios días en cicatrizar del todo. Al contacto con el agua oxigenada, se le empezaron a dibujar burbujas blanquecinas que contorneaban el borde. Escocía mucho.

–¿Le hago daño?

–Sí, no frotes tan fuerte.

–Hay que limpiar bien –dijo, agarrándome mejor la muñeca, que hacía amago de retroceder–. Se le ha pegado polvo de andar con los trastos viejos.

Me hizo una cura minuciosa y al final me vendó la mano, a pesar de que le dije sin demasiada convicción que no valía la pena. Mirando sus uñas grandes y sonrosadas que destacaban sobre la piel color chocolate, experimentaba de nuevo una sensación estimulante.

Recogió los efectos de la cura y los puso, junto a la lámpara de flexo, sobre el mármol de una mesilla que, como por encanto, había aparecido a la derecha de la cama. Aquel mueble era también de los pocos que se trajeron a la muerte de la abuela. En el cajón metía siempre ungüentos y extraños aparejos, cuyo uso era difícil de determinar.

–¿De dónde sale esta mesilla?

–La he puesto hace un momento, aprovechando que estaba dormido –dijo–. Puede venirle bien, ¿no?

–Sí –dije confuso–. ¿Pero dónde estaba?

Él señaló a la pared de enfrente.

–Detrás de aquellos cuadros.

–No te he oído arrastrarla.

–Lo he hecho despacito. Y también le he bajado esa lámpara. Aquí hay mala luz.

Hubo un silencio. Parecía estar esperando a que lo despidiera. Y yo no me atrevía a pedirle que se quedara. Habría tenido que confesarle demasiadas cosas que no me quería confesar ni a mí mismo. Por ejemplo, que empezaba a tener miedo de la noche y de dormir solo, que me sentía súbitamente desamparado. Entraba fresco del jardín y piaban unos pájaros, entregados a ese éxtasis de algarabía que precede a su silencio, a la negrura definitiva. Nadie sabe dónde se esconden a dormir. Vi unas sábanas y unas mantas por el suelo.

–Y ropa para hacerle la cama –añadió–. Porque supongo que va a dormir aquí.

–Sí, pero da igual. Yo duermo de cualquier manera. No te molestes.

–Bueno, usted verá. Yo es que ya tengo algo de prisa, ¿sabe? ¿Se las podrá arreglar bien usted solo con la mano así?

–Sí, hombre, no te preocupes.

–Pues nada, si no manda otra cosa... Mauricio Brito, para servirle. Me alegro de haberle conocido.

Luego bajó los ojos compungido y añadió:

—Y le acompaño en el sentimiento.

Me tendió la mano y se la estreché con la izquierda.

—¿Pero adónde te vas? —musité, desconcertado.

Comprendía de repente que en poco rato aquel hombre se había convertido en una especie de ancla a la que agarrarme para empezar mi nueva vida.

—Bueno, es que yo desde ayer ya no presto servicios en esta casa. Había venido a recoger mis cosas. Pero ha sido un placer conocerle. Esta tarde, no sé, me pasó una cosa rara... Se acababa de ir don Ernesto... Sabe quién es don Ernesto, ¿no?

—Sí, el administrador, una rata de alcantarilla.

Mauricio se echó a reír.

—Bueno, pues ese. Ahora está siempre en el despacho del difunto señor, hablando por teléfono, manejando llaves y papeles, poniendo orden, cogiendo recados, que hay muchísimos, claro.

—Pero ¿recados para quién?

—Pues... toda clase de recados —dijo, tras una breve vacilación—. Llama gente muy distinta, la mayoría de aquí pero también conferencias de fuera. Unos que han tardado en enterarse y preguntan cómo ocurrió, otros para asuntos de negocios, y otros...

Se paró como quien da un frenazo en seco, por miedo a embalarse en temas vidriosos.

—¿Otros qué?

—Otros preguntan por usted, claro, mucha gente. El notario es el que más pregunta. Y cartas también hay unas cuantas arriba, esas las guarda don Ernesto. Trabaja todas las mañanas en el despacho del señor.

—Le va a durar poco —interrumpí vivamente.

Y, nada más decirlo, sentí una extraña angustia. Era tanto como declarar que había venido para mandar yo en la casa y tomar decisiones sobre ella. No lo podía soportar. Y me daba rabia empezar a alterarme.

—Deja a don Ernesto en paz, por favor —dije, procurando que mi voz sonara tranquila—. ¿Qué me estabas contando?

–Pues nada, que había venido a recoger mis cosas esta tarde y a don Ernesto se le veía incómodo. «Bueno, Mauricio, ¿no te vas ya?», como si desconfiara de que me quedara aquí solo, aunque me conoce de sobra y sabe lo que el señor me quería. Pero yo estaba esperando una conferencia, se lo dije, y finalmente, como él tenía prisa, se despidió de mí y se marchó, aunque un poco a regañadientes. Y que le dejara las llaves en el jarrón. Total, para no cansarle, que después de que me llamaron por teléfono, ya había sacado el equipaje al jardín y estaba pensando en cerrar esto de abajo, pero me seguía quedando y quedando. Y es que le estaba esperando a usted, de verdad, no se ría, por eso no me extrañó nada verlo.

Se quedó callado, mirándose las rodillas. Se oía una música de rock and roll que llegaba del chalet vecino.

–No me río –dije–. Yo también tengo a veces esas corazonadas. ¿Pero cómo sabías quién soy yo?

–Lo he supuesto por su comportamiento.

–Puedo ser un ladrón o un impostor. ¿Sabes lo que es un impostor?

–Sí, claro, salen mucho en las novelas. Pero nunca llegan así a una casa que no es suya.

Me estaba empezando a divertir. Encendí un pitillo y le ofrecí otro a él.

–¿Pues cómo llegan? Pero siéntate unos minutos, hombre, tanta prisa no tendrás.

Lo hizo, a los pies de la cama después de consultar el reloj. Miraba la brasa del pitillo, como pensando la respuesta.

–No sé, de otra manera –dijo al cabo–. Entran dando muchas explicaciones, precisamente porque quieren hacer ver que la casa es suya. Enseguida se nota que lo traen todo pensado para que nadie los pueda pillar en un renuncio, se pasan de cautelosos y de normales. Ningún impostor haría las cosas tan raras que ha hecho usted. Además, es que he visto una foto suya.

–¿Ah, sí? ¿Dónde?

–Dentro de un marco de plata. Está usted montado en un caballo. De más pequeño. Pero se le reconoce.

Volvió a mirar el reloj. Yo tenía casi tanto miedo a que nos calláramos como a seguir hablando. Le pregunté que cuánto tiempo llevaba en la casa y que si estaba contento. Y a partir de entonces, la conversación tomó un tono de interrogatorio que sin duda a él le incomodaba un poco. Y a mí también, porque nos sacaba de la situación grata e irreal que habíamos rozado en algún momento, y yo me convertía, a mi pesar, en alguien que pide informes. Dijo que llevaba tres años en la casa, y que ahora se volvía a otra donde había estado sirviendo antes mucho tiempo a una señora sola que casi no le daba trabajo; se vino porque aquí el sueldo era mucho mejor. Pero, por otra parte, aseguraba que mi padre le quería muchísimo y que fue él quien lo trajo al principio como chófer. Los últimos meses parece que cumplía funciones de secretario o algo por el estilo. Lo contaba todo deprisa y como sin ganas, pero, aunque quedaba confuso y había algunas contradicciones, se desprendía de su relato que era mi padre quien se había empeñado en mantenerlo. Le pregunté que qué había sido de los otros criados o criadas, porque siempre antes hubo por lo menos dos. Aquí Mauricio, ya francamente violento, se puso a mirar para el suelo.

–Bueno –dijo–, la señora despidió a todo el servicio suyo antes de marcharse a Chicago. Me quedé yo solo, esperando órdenes del señor.

–¿Y cómo eso?

–Ella se fue con intención de no volver, de quedarse allí para siempre... Por una vez, la pobre –añadió compungido– no tuvo tiempo de cambiar de idea.

–¿Quedarse allí? –pregunté extrañado–. ¿No has dicho que iba a hacer una reforma en la casa?

–Sí, pero luego ya no se acordaba de eso. Las últimas semanas tuvieron muchos disgustos. Lo venían arrastrando desde principios de año. El señor no podía aguantar más. Habían decidido separarse... En fin, eso creo.

Me entró una ráfaga de indignación retrospectiva.

–¡Pero eso es absurdo! ¿Y entonces por qué se fue con ella? Bien claro está que no podían separarse, era fatal que siguieran siempre juntos, quitándose la respiración, estrangulándose uno a otro. Hasta el final, ya se ha visto.

Me odiaba a mí mismo por perder el control de aquella manera delante de un extraño, pero no lo podía remediar.

–Bueno –dijo Mauricio con voz grave, tras una pausa–. Es que ella estaba enferma. Hay que tenerlo en cuenta. Muy enferma.

Luego, sin que yo se lo pidiera, me puso al tanto de algunos detalles del accidente, de que había llamado la tía Ingrid dos veces desde Chicago para saber si yo había aparecido, de que los habían enterrado allí. Ahora era él quien espontáneamente daba los informes, como si quisiera provocar en mí alguna nueva reacción que quebrara mi mutismo. Me dio el nombre de personas que habían llamado y, naturalmente, volvió a salir don Ernesto. Me empezaba a arrepentir de mi regreso, me agobiaba aquella procesión de seres vagamente recordados, como cuervos al acecho, «pobre Eugenio, pobre Trud, y con ese hijo que les ha salido», las sonrisas, los suspiros, los ofrecimientos de ayuda. El notario –seguía informando Mauricio– era el que me estaba esperando con más urgencia, don Octavio Andrade, tenía que firmarle muchos papeles. No había vuelta atrás, tendría que meterme, quieras que no, en un laberinto de datos y cifras que solo tangencialmente iban a incidir en mi rompecabezas. Compra de terrenos, acciones, hipotecas, seguros de vida, impuestos, bienes gananciales, subrogar, inversión, palabras imprecisas y rapaces colándose como gusanos por las cuencas vacías de una calavera.

–Don Ernesto viene siempre a las nueve. Si quiere, le dejo una nota arriba de que ha llegado usted.

–No, por favor, no quiero pensar en eso ahora. Déjalo.

–Es que... se va a extrañar de verlo aquí, puede llevarse un susto.

–¡Cuánto me alegraría!

Mauricio se había puesto de pie, pero aún no parecía del todo dispuesto a marcharse. Titubeaba. Era evidente que quería advertirme de algo más. Acabó confesándome, después de algún rodeo, que a don Ernesto, en los últimos días, le habían llegado barruntos de que yo pudiera estar en la cárcel. Levanté los ojos y la mirada de

Mauricio, pendiente de la mía, me pareció la de un cómplice. Sentí un alivio momentáneo al contestar con arrogancia:

—Pues sí, efectivamente. De allí vengo. He pasado siete meses a la sombra.

Pero de pronto fue como quebrar un maleficio para meterse en otro. Desde que entré en la casa no había vuelto a pensar en mi pasado reciente, se me había borrado como si no existiera. Y la mención a los siete meses me trajo bruscamente la imagen de una chica embarazada que pocas horas antes me había ido a esperar a la puerta de la cárcel. Si fueran ciertas sus suposiciones, me faltaba poco para ser padre. Podía ser verdad o ser mentira, y yo desentenderme, olvidarme de semejante asunto. Pero iba a venir al mundo un niño que tal vez fuera mío, aunque creciera sin conocerme.

Me quedé abstraído, mirando aquel revoltijo de trastos esparcidos por una habitación en la que, de repente, ya no estaba, sino en otra alargada y mucho más pequeña. Mucho más impersonal también. Un cubil entre tantos parecidos donde he buscado albergue junto a hombres y mujeres ojerosos, inquietos, excitados, pertenecientes a una grey condenada al extravío. De pronto me acordaba muy bien de todo. La habitación tenía un ventanuco que daba a un patio interior y se oía el ruido del ascensor que subía y bajaba renqueando. Había enfrente de mí un póster grande de Mick Jagger sobre un sofá cama con las ropas en desorden. Goyo se había sentido mal y había estado tumbado un rato allí, luego los otros lo espabilaron y se fueron con él a buscar el alijo de heroína. Me dejaron solo con la chica pelirroja, que se llamaba Ángela. Yo me puse a escribir en un cuaderno, sentado en el suelo, sin acordarme de que ella se había quedado. Habíamos fumado mucho. Escribía a toda prisa, con una urgencia incontenible, casi no se entiende la letra, ayer lo estuve mirando. Son las últimas notas que tomé antes de entrar en la cárcel. Que no podía seguir así, que era mi última oportunidad de escapar, de emprender otra vida, citas de Walt Whitman, de Kafka, de Pavese, invocaciones al mar; y de repente hay un garabato como una serpiente hacia abajo, saliendo precisamente de la palabra «mar». Y es que ella había venido por detrás y su abrazo me sobresaltó, creo incluso que di un pequeño grito. Me preguntó que si ya no la quería, y yo le dije distraído «no». Estaba desnuda, pero llevaba al cuello un fular de gasa. Se lo quitó y empezó a jugar con él. Primero me lo anudó a la cara, a modo de velo, y dejé de ver con claridad las notas del cuaderno. Luego a las muñecas, que me agarraba por detrás. «Estás preso», dijo, «te cacé, he cazado al bicho raro.» Me tumbó en el suelo riendo, y me empezó a desabrochar la camisa. «Por lo menos tardan dos horas en volver», me decía. Me perturbaba su aliento, que olía a whisky, igual que me sigue perturbando ahora al recordarlo. Pero supe que me hundía. A los tres días me cogieron.

–¿Y por qué lo cogieron? –preguntó Mauricio–. ¿Cosa de drogas?

Levanté la cabeza sorprendido.

–Sí. ¿Cómo lo sabes?

–Bueno, es lo normal en los tiempos que corren –contestó él en un tono neutro–. Por política ya no meten a la gente.

–Me liaron –me defendí sin ganas–. Claro que a uno solo lo lían si se deja liar. Yo era cómplice de lo que me estaba pasando. Sabía bien... Pero da igual. Es una historia tan vulgar. No pienso volver a ver a esa gente.

–¿Y cómo es que ha salido precisamente ahora? ¿Por lo de sus padres? ¿O porque ya cumplía?

Le miré aturdido. Aquella pregunta tan lógica me hacía perder pie. Si empezaba a darle vueltas y tirar del hilo que me estaba proponiendo, surgirían muchas por el estilo y me vería enredado en una madeja que me nublaría el norte –ya de por sí enigmático– de la otra pesquisa verdadera.

–No..., no sé por qué he salido. Ni para qué tampoco, la verdad –dije con repentino desfallecimiento.

Creo que después de eso, casi sin transición, se despidió Mauricio. Dijo que sintiéndolo mucho se le hacía tarde para tomar el tren. Me explicó dónde quedaban las llaves de la puerta principal, por si cambiaba de idea y quería subir a los pisos de arriba.

–Además, yo creo que lo debía hacer –añadió con un deje de autoridad que, para mi sorpresa, no me molestó nada–. Igual pasa mala noche, y hasta puede entrarle fiebre, porque la herida quizá se le encone. En el cuarto del baño de su madre, que en paz descanse, hay un armario donde guarda muchos calmantes y antibióticos. Comunica con el dormitorio de ella, que lo amplió el año pasado, y la cama está hecha con ropa limpia. Además tiene cosas de comer en la cocina. Yo que usted no lo dudaría, menuda diferencia con esto.

Me imaginé el placer de un baño caliente con gel espumoso después de tantos meses sin conocer lujo alguno, y me asaltó un brote de sensualidad.

El dormitorio de mi madre siempre olía a flores. Usaba un perfume de Dior.

–Gracias, Mauricio. Ya veremos –contesté con voz dubitativa.

–Yo me quedaría más tranquilo –dijo, tendiéndome la mano.

Se la estreché maquinalmente y le deseé suerte.

–Lo mismo digo –replicó–. Y no se deje abatir. Mi señora dice siempre que a lo más oscuro amanece Dios, con tal de que lo dejemos amanecer. Ya tengo ganas de verla otra vez. Adiós, cuídese. Se me ha echado el tiempo encima. Voy a perder el tren.

Dio media vuelta y desapareció por el jardín. Me había quedado con la mente tan en blanco, que tardé un rato largo en darme cuenta de que estaba solo y de que no debía haber dejado irse a Mauricio así sin más ni más. Lo necesitaba de un modo perentorio. Pero cuando reaccioné y salí corriendo a llamarlo, ya era tarde.

Se había hecho completamente de noche y estaba diluviando. Rodeé la casa. Al otro lado de la pequeña verja del jardín circulaban los coches, no muchos ni demasiado aprisa, porque es un barrio de chalets apartado del centro. Empujé la verja y salí a la acera, mirando a todos lados. No vi a nadie. De pronto se me ocurrió que podría haber entrado en la casa a recoger algo y, aunque al alzar los ojos a las ventanas no vi luz en ninguna, subí los cinco escalones de la fachada delantera y llamé varias veces al timbre de la puerta principal. No salía nadie a abrir y la lluvia arreciaba. Volví a la acera y empecé a gritar mirando para arriba y haciendo altavoz con las manos: «¡Mauricio, Mauricio!» Me contestaron los ladridos de un perro desde el chalet vecino. Insistí en mi llamada a gritos cada vez más destemplados, hasta que oí el frenazo de un coche a mis espaldas, y me di la vuelta. Un Chrysler negro acababa de pararse al otro lado de la calle y en aquel momento salían de él dos mujeres y un hombre elegantemente vestidos. Abrieron sus paraguas y me miraron con pasmo y desconfianza, antes de dirigirse a uno de los chalets de enfrente. Yo eché a andar en dirección opuesta y me metí por la primera bocacalle. Esperé un rato con el corazón alborotado, antes de atreverme a asomar por allí de nuevo. No me interesaba que ningún vecino me viera entrar en la casa.

Y cuando al fin lo hice, tras toda clase de precauciones, mi condición de sospechoso, de fuera de la ley, volvía a atenazarme y la revivía con sobresalto agridulce, dejándome seducir por el espejuelo de aquella identidad que en tantas ocasiones me llevó a bordear la delincuencia.

A pesar de que estaba empapado, anduve merodeando todavía un rato a paso furtivo por el jardín en sombras, tanteando la posibilidad de saltar por la tapia trasera, reconociendo rincones que a veces en la infancia me habían servido de cobijo, imaginando cuál de ellos podría servirme ahora de escondite provisional si de repente oía los pasos de algún policía que, alertado por los vecinos, entraba con la linterna encendida y la pistola al cinto: «¡Date preso!» También mi fantasía de niño había urdido muchas veces historias semejantes, de persecución y captura, nunca me sentía a salvo de ser desenmascarado por alguien.

Cuando noté que empezaba a dar diente con diente, entré en la habitación, cerré las puertas correderas, atranqué con la barra y alcancé una manta del montón de ropa que Mauricio había dejado en el suelo. Me desnudé y me tendí, arrebujado en ella, sobre la cama de la abuela Inés. El hoyo del colchón volvió a atraerme hacia su centro, y me quedé allí mucho rato inmóvil, escuchando la lluvia que batía contra la puerta, mirando el techo descascarillado. Apagué la luz. Me estaba entrando fiebre. El perfil de los días venideros se identificaba con el de los bultos imprecisos que me rodeaban y con la presencia impalpable de los que –de techo para arriba– decoraban las otras estancias que me había negado a visitar. Todas afluían al despacho de mi padre y se colaban por el sumidero de la caja fuerte. Aun con los ojos cerrados, aquella geografía de pasillos, escaleras, oquedades y tabiques se me dibujaba por dentro de los párpados con precisión agobiante. Y me asaltaron de nuevo aquellas cantinelas surrealistas con pregunta implícita que la abuela me proponía, a modo de jeroglífico: «De codín de codán, de la vera vera van, de la bodega al desván, de la alcoba hasta el zaguán, de la sala a la cocina, ¿cuántos dedos hay encima?»

Tenía la casa entera encima, señalándome con mil dedos negros como cañones de escopeta, y lo que más miedo me daba de repente era que fuese mía. De nada me servía poner cerrojos, destruir llaves y hacer de Barba Azul conmigo mismo prohibiéndome subir a inspeccionarla. Era mía y tenía que hacerme cargo de ella. Para eso había venido. Y lo sabía, sabía que no lo podía evitar. Que acabaría subiendo.

–Pero esta noche no, todavía no, abuela –dije, acomodando mi cuerpo a los repliegues de aquella cueva blanda y ancestral–. Déjame que me quede aquí contigo. ¡Si pudiera llorar, como antes de venir la Reina de las Nieves! Pero no puedo. ¿Cómo empezaba el cuento? ¿Cómo era?

Apreté más los ojos secos. Quería retroceder, navegar hacia atrás, hacia aquellos comienzos de verano antiguos, necesitaba reingresar en el reino del «érase que se era», mediante el rescate de la fórmula exacta de iniciación. Principiaba el estío...

Me invadió un estallido de resplandor, como ante el brillo de una joya largo tiempo enterrada. Se echaron a cantar todos los pájaros del verano, se descolgaron subiendo y bajando por los rayos de sol para dar la bienvenida al niño aún inocente que acaba de ser depositado sano y salvo en la Quinta Blanca por un chófer de rostro anónimo, mientras sus padres viajan a lugares desconocidos.

–Principiaba el estío –repetí jubiloso–, principiaba el estío.

IV. EL RAPTO DE KAY

Principiaba el estío; los rayos del dorado sol jugueteaban alegremente en el espacio, inundando al propio tiempo de alegría el corazón de un niño y una niña a quienes la llegada de los días largos colmaba de felicidad.

Yo había dibujado muchas veces en mis cuadernos aquellos dos protagonistas infantiles de Andersen, con los cuales compartía, desde mi solitaria condición de niño rico y enfermizo, la alegría por la llegada del verano. Ellos eran bastante pobres, vivían en casas contiguas que se comunicaban por las azoteas, y saltando el tejado pasaban ágilmente de una a otra para contarse cuentos y jugar confiados en el seno de ese tiempo florido que aún no presagiaba ninguna desgracia. Y cuando no podían pasar a verse, se miraban y se hacían señas a través de los cristales de sus respectivas ventanas.

Unas veces los dibujaba así, separados pero mirándose y sonriéndose por la ventana; otras, sentados juntos en sus taburetes de madera, con un fondo de muchos tiestos llenos de flores, porque aquellas azoteas desbordaban de campanillas, azaleas, lilas y rosales, o por lo menos yo inventaba todas esas especies para que me quedara más bonito. Lo más seguro, aunque ya no me acuerdo, es que alguna de las ilustraciones del libro donde venía contada aquella historia y que la abuela, cuando yo aún no sabía leer, me prestaba para que mirase las estampas, pudiera dar pie a la idea de mi primer dibujo, pero luego ya aquella copia inicial –si la hubo– se ramificó en múltiples variantes añadidas por mi imaginación. Sobre la azotea y la ventana del niño ponía siempre una K. y sobre las de la niña una G., y estas iniciales las coloreaba de malva, igual que el vestido de Gerda y la camisa de Kay. Él iba descalzo y ella con zapatitos negros y calcetines de rayas, así me los había imaginado, la niña rubia, claro, y él moreno. Pero en lo que me entretenía con mayor placer y esmero era en dibujar las flores de los tiestos del fondo, emblema de la felicidad que destilaba aquel verano mítico y fugaz, y eran ramilletes recargadísimos, cuajados de volutas y espirales, en diferentes tonos de lila, morado y malva; los lapiceros de estos colores eran los que se me gastaban antes de tanto sacarles punta y recalcar el borde de los pétalos que orlaban como una greca los rostros sonrientes de Gerda y Kay.

—Está muy bonito —decía la abuela cuando se lo enseñaba—, pero el rosal casi no se ve entre tanta maraña, y es lo más importante, eran las flores preferidas de Gerda, ¿no te acuerdas de cuando luego le devuelven la memoria?

Yo me enfadaba y decía que no, que la segunda parte del cuento era mentira.

—Bueno, como quieras, pero no calques el lápiz tanto ni formes ese jaleo con todas las flores, que se distinga el rosal, ¿no? ¿Dónde se ha visto un rosal de color lila?

Otras veces me decía que los niños eran muy fáciles, que por qué no pintaba a la Reina de las Nieves.

La Reina de las Nieves no venía en ninguna estampa de las del libro y yo tampoco me atreví a dibujarla nunca, tal vez por eso mismo la veía tan clara dentro de mi cabeza, como si la hubiera conocido de toda la vida; formaba parte de esos miedos con presencia tan sólida que no se quieren ni nombrar. Era muy hermosa, pero fría como el hielo; y cuando venía a la tierra, los copos empezaban a caer en abundancia, las azoteas se ponían resbaladizas e intransitables, las flores de los tiestos se marchitaban y ella misma, aunque los niños nunca la habían visto todavía, venía por la noche a sus ventanas y se dedicaba a grabar sobre las capas de escarcha que se espesaban encima del cristal complicados dibujos representando plantas, pájaros, flores, palacios y extraños personajes. Sin duda se demoraría en ello, a pesar del frío que debía hacer allí fuera, con la misma aplicación y cuidado que yo ponía en imitar con mis lápices la fiesta viva de las flores. Pero mientras yo acariciaba como objetivo principal que el sol pasase a través de todo lo que pintaba, ella, que era su enemiga, trataba de ponerle barreras y levantarlas también entre los hijos del sol, impidiéndoles mandarse sus rayos pequeñitos.

De hecho, aunque alguna vez los dejaban salir a jugar a la plaza con el trineo de Kay, en cuanto los vidrios de las ventanas quedaban cubiertos por aquellas imágenes laberínticas y primorosas, a los niños las tardes en casa se les convertían en un encierro muy triste porque no se podían ver ni mandarse señales. Entonces Kay calentaba una moneda de cobre y la aplicaba contra el cristal hasta que los dibujos de la escarcha se desvanecían; luego miraba por aquel agujero y veía en la otra ventana un ojo aplicado a un redondel hecho en el hielo por el mismo procedimiento. Kay conocía que aquel ojo era el de Gerda porque brillaba lo mismo que una estrella.

Cuando la abuela llegaba a este punto del cuento, a mí se me venían lágrimas a los ojos. Todavía no se me había metido en ellos ningún cristalito de hielo ni me había raptado la Reina de las Nieves. Y la abuela se paraba y decía:

—Pero eres tonto, ¿por qué lloras?

Los cuentos me los contaba casi siempre en la parte de atrás del jardín, y yo la escuchaba mirando a los claros de cielo que se veían entre las copas altas de los árboles y luego abajo, a la sombra movediza que las hojas dejaban a intervalos en los paseos de arena y en el rostro de las estatuas blancas que los bordeaban, misteriosas y frías, como a la escucha del llanto del mar: una noche había descubierto que una de ellas, según le daba la luna, se parecía a la Reina de las Nieves, pero luego no la volví a encontrar en su sitio ni estaba seguro de haberla visto, se cambiaban de sitio para equivocarme, todo era un puro borrón, un laberinto. Y Gerda y Kay estaban tan lejos. Me sentía preso en aquel jardín donde nada era lo que parecía.

La abuela me tendía un pañuelo con labores de encaje en el borde.

—Anda, suénate. Y dime qué te pasa.

–Nada, que me gustaría avisar a los niños y no puedo, mandarles un pájaro con una carta en el pico o algo. ¡Si supieran lo que les va a pasar!

–Venga –decía la abuela–, si lloras no sigo. ¿Para qué me pides los cuentos que más te hacen llorar?

Pero yo le pedía que siguiera, porque ya sabía que aunque solo me contara esa primera parte, lo que iba a pasar luego pasaría sin remedio. El único remedio habría sido el de que Gerda y Kay no estuvieran tan lejos, separados de mí por mil barreras de escarcha, y que me pudieran oír si me ponía a gritarles: «¡Cuidado, tened cuidado a partir de ahora!» Pero no ha nacido nadie que nos pueda avisar de esas amenazas que cierne sobre nosotros el destino y que deja caer cuando nos ve más descuidados, es igual que la picadura de un insecto por la noche, solo al despertar te encuentras con la roncha venenosa sobre la piel, pero no sabes cómo ha ocurrido. Así que asistía impotente y con el corazón en ascuas a las postrimerías de aquella etapa feliz que vivían Gerda y Kay, inconscientes de que estaba tocando a su término. Y le pedía a la abuela que me contara despacio, para que durara más, aquel tramo de los niños mirándose y riéndose, sin saber que se estaban despidiendo, a través del breve círculo robado a la escarcha. Y la palabra de la abuela se detenía meticulosamente –como mis lapiceros sobre las flores– en describir con cambiantes metáforas el cálido fulgor que despedía el ojo de Kay al mirar a Gerda y el de ella al devolverle desde su redondelito el mismo reflejo de estrella imperecedera.

Era la abuela quien me había dicho que esas mudanzas repentinas que se operan misteriosamente en algunas personas y les hielan las lágrimas, la ilusión y el cariño son como picaduras de insecto durante el sueño, que son cosas que pasan y qué se le va a hacer, ningún malo tiene la culpa de haberse vuelto malo; y se sonreía cuando le preguntaba si a mí también me pasaría un día eso sin que me diera cuenta. Ella meneaba la cabeza parsimoniosamente y luego contestaba esquivando la pregunta, como siempre hacía, con aquella sonrisa enigmática de quien conoce todos los secretos pero no está dispuesto a vendérselos a nadie de barato.

—¿Que si te pasará qué?

—Lo del cristalito.

Sabíamos los dos que se trataba de un accidente confuso y de motivaciones inabarcables, algo muy difícil de prever en una respuesta, y que solo cabía contestar cerrando los ojos y señalando al azar, como cuando tiraba yo sin mirar de uno de aquellos rollos estrechos de papel donde ella había escrito los oficios que podía hacer de mayor, y me paraba a la buena de Dios para que me saliera uno.

—Puede que sí, puede que no, cuánto quieres saber. Tira esa piedrecita al aire, anda, cierra los ojos y di un número del uno al diez.

—El tres.

El número que decía yo nunca coincidía con el que estaba pensando la abuela. Se ponía a canturrear.

—Si dijeras siete, ni perdías ni ganabas, ni pasabas tanta pena como tienes que pasar, de codín de codán... Pero bueno, ¿ya estás haciendo pucheros otra vez? No llores, tonto, nunca se acierta. A unos se les mete el cristalito en el ojo y a otros no.

—¿A ti se te ha metido? Nunca te veo llorar.

Se quedaba mirando a lo lejos, pensativa.

—¡Cualquiera se acuerda, hijo! ¡Debe hacer tantos años!

—¿Cuántos?

—De ser, sería antes de nacer tu padre, que yo de soltera era bien llorona.

Cuando la abuela aludía a un tiempo en que yo todavía no estaba en el mundo sentía un gran malestar, sobre todo por lo reacia que se mostraba ella a contarme historias de familia. Lo que más trabajo me costaba era imaginar que por aquel mismo parque hubiera correteado de niño mi padre. Seguro que las estatuas ahora no lo reconocerían en ese señor serio y alto que casi nunca venía, porque a mi madre no le gustaban las casas antiguas ni los pueblos perdidos donde no hay diversiones. Se iban de viaje a otros lugares de nombre exótico y me mandaban postales que yo metía en una caja grande de galletas y que luego sacaba por las noches. La postal la escribía siempre él y ella se limitaba a poner «besos» y a firmar con su letra angulosa. Mi madre me intrigaba más que mi padre, mucho más, me preguntaba por qué tendría los dedos tan finos y tan fríos, por qué a veces me miraba como si estuviera tratando de espiar mis pensamientos o me estuviera reprendiendo por algo, cuándo y cómo habría conocido a mi padre, de qué hablarían en aquellos viajes a los que no me llevaban; pero de ella sí que era inútil preguntarle nada a la abuela, estaba bien claro que vivían al margen la una de la otra y que se dirigían la palabra por pura cortesía. Mi madre era muy guapa, muy rubia y casi tan alta como mi padre, le gustaba vestirse de tonos claros, cambiaba mucho de criados, de ropa y de muebles, hablaba despacio y parecía estar siempre fatigada. Era una maniática de las reglas de higiene y urbanidad. Cuando cumplí diez años y empecé a comer con ellos a la mesa, me concentraba en manejar con toda destreza el tenedor y el cuchillo y en que no me notaran que los miraba de reojo, mientras padecía el peso de sus silencios o de una conversación opaca que solía versar sobre lo mismo que se comía. Fue en alguna de aquellas comidas cuando empecé a sospechar que mis padres no se querían y a tener por seguro que ya se les había metido el cristalito en el ojo, ¿pero cuándo?, ¿qué día?, porque eso era lo que más me importaba, saber cuándo habían pasado las cosas y cómo. La abuela, incluso cuando contaba retazos de historias familiares, nunca daba fechas de los acontecimientos, no los ponía uno detrás de otro para que yo pudiera entenderlos, lo dejaba todo nadando en una niebla abstrusa, lo que decía con lo que callaba, lo ocurrido de verdad con lo contado y con la manera tan particular que tenía de contarlo, un tono raro que dejaba siempre sed y sospecha, lo pasado con lo futuro y con lo soñado. Yo quería saber el cuándo de todas las cosas para no perderme, y sin embargo vivía perdido en la maraña fascinante de los cuentos de la abuela, la única persona mayor a la que me atrevía a preguntarle cosas, aunque me contestara de un modo misterioso.

–¿Sabes a qué edad se me meterá a mí en el ojo el cristalito de hielo? Di.

Me pasaba la mano por el pelo, me levantaba la cabeza cogiéndome por la barbilla y jugaba a poner un gesto de bruja que a mí me divertía y me inquietaba al mismo tiempo, con el índice de la mano derecha marcando círculos lentos por el aire.

–Tardará, tardará, ya me habré muerto yo.

Los árboles del jardín dejaban de ser un borrón que giraba, el sol se colaba confiadamente por entre las ramas que movía la brisa, veía reflejos de iris y volvía a sentir el suelo firme y estable debajo de mis pies.

–Entonces nunca, abuela, porque tú no te puedes morir nunca.

A la abuela le gustaba oír aquello y siempre que se lo decía me daba un beso.

También la niña del cuento de Andersen tenía una abuela que les contaba historias a ella y a su vecino y les prestaba libros de estampas. Una tarde en que estaban los dos mirando uno de aquellos libros, Kay de repente se frotó un párpado y exclamó asustado: «¡Ay!, no sé lo que se me ha metido en el ojo, me duele mucho, es como una aguja de hielo, y también me duele el corazón.»

En aquel tiempo había en el mundo un espejo mágico fabricado por ciertos diablos; al mirar dentro de él se veían solo las cosas malas y desagradables y se olvidaban, en cambio, las buenas. Una noche los diablos aquellos, excitados de gozo al hacer el recuento de los muchos niños que se habían vuelto malos por mirarlo aquel día, no tuvieron cuidado al colgarlo del clavo donde lo solían dejar. El espejo, que era muy delicado, resbaló y se rompió en mil pedazos tan pequeños como partículas de polvo impalpable que volaron por la atmósfera y se extendieron por todo el mundo. Si una de ellas acertaba a caer en el ojo de alguna persona, todo lo empezaba a ver bajo su aspecto malo, pero lo peor era que se le colara hasta el corazón, porque entonces se le iba enfriando y enfriando hasta convertirse en un pedazo de hielo.

Gerda miró dentro del ojo de Kay y no vio nada, pero cuando estaba intentando tranquilizarlo, se fijó en él y no le pareció el mismo de siempre: se había puesto a arrancar las hojas del libro y a tirar piedras a los tiestos, y como viera que a Gerda se le llenaban los ojos de lágrimas, empezó a reírse y a decir que se ponía feísima cuando lloraba y que el libro era feo y que las flores eran horribles. Desde aquel día, cambió completamente de carácter. Le hacía muecas a la abuela de Gerda, se burlaba en clase del maestro y ya no se divertía con la compañía de su amiga que empezó a parecerle tonta, sosa y pequeña; andaba todo el día por la calle jugando a juegos brutos de chicos, era el más audaz y todos le temían.

Por fin llegaba el episodio más triste del cuento, aquel en que, a pesar de su crueldad, me gustaba que se detuviera la abuela con tanto detalle como en el de los niños mirándose por el redondel de la ventana el invierno anterior. Todo lo que venía ahora y que preludiaba, con la llegada del nuevo invierno, la aparición de la Reina de las Nieves, me repercutía en una zona distinta del corazón, la misma por donde sospechaba que se me colaría algún día el cristalito de hielo, si llegaba a entrarme en el ojo. Me parecía que los árboles se desnudaban repentinamente de hoja, extendiendo hacia un cielo plomizo sus brazos descarnados; y la voz de la abuela, al reemprender la narración tras una breve pausa, adquiría el tono solemne de una rapsoda. Este preludio ya inexorable de la desgracia, se abría siempre con las mismas palabras invariables, como tampoco variaban («principiaba el estío»), ni yo lo hubiera consentido, las del párrafo inicial del cuento donde se describía la primavera dando paso al verano. Aquellas eran como un conjuro de dicha, las de ahora, de perdición, y ni el texto de los conjuros ni el de las oraciones –la abuela me lo había dicho también muchas veces y yo lo entendía perfectamente– admite alteración alguna porque, enunciados de otra manera, perderían su virtud.

Llegó el invierno con su cortejo de ventiscas, los árboles se quedaron desnudos, las flores se marchitaron y empezó a caer la nieve en abundantes copos de blancura deslumbradora, como una sábana blanca sobre la negra ciudad.

Había otra particularidad que nunca variaba y que contribuía a acentuar lo mismo esta frase que la primera. Y es que la abuela las leía. O por lo menos fingía leerlas, porque se las debía de saber de memoria, lo mismo que yo. Cogía el tomo de tapas grises, que no consultaba más que en aquellos dos pasajes, se ponía las gafas y buscaba la página. Después de leído el párrafo, se las volvía a quitar, las guardaba cuidadosamente dentro de su funda, cerraba el libro como quien cierra un breviario de rezos y lo dejaba reposar en su regazo, o bien se inclinaba para depositarlo sobre el césped.

El tiempo que tardaba, desde entonces, en aparecer la Reina de las Nieves se me hacía tan tenso como el de las comidas a la mesa con mis padres, solo que este del cuento no sabía bien si quería abreviarlo o alargarlo infinitamente. Era igual que vivir esperando una condena. Unas veces pensaba: «Que no llegue nunca» y otras: «Que llegue de una vez.»

Cierta tarde, de aquellas tan frías, Kay había subido inesperadamente a visitar a su amiguita, a la que no veía hacía bastante, y la había invitado a salir con él. Llevaba su pequeño trineo, el mismo que el invierno anterior les había proporcionado a los dos ratos tan felices. Se montaron en él y se dejaron deslizar sobre la nieve a lo largo de una calle en cuesta que acababa en la plaza. Durante este trayecto, que yo hacía con los ojos cerrados y transido por una aguda e hiriente alegría, tan intensa como jamás en la vida he vuelto a probar, compartía con Gerda, que iba sentada detrás de Kay y agarrada a su cintura, la esperanza de que aquel niño, a quien los dos veíamos de espaldas, volviera la cabeza y nos sonriera con su rostro amigo de antes, solo para eso, para que lo reconociéramos y pudiéramos decir: «Es el mismo.» ¡Era tan fácil! Y lo podía hacer, bastaba con que se volviera hacia nosotros y pusiera aquel gesto añorado e inconfundible con que yo lo había dibujado en mis cuadernos (los labios, tres rayitas paralelas afinándose, y vueltas para arriba en las comisuras); tenía que saber poner aquella sonrisa todavía, qué le costaba mirarnos y decir: «Soy el mismo, lo otro ha sido solo un mal sueño», y podía pasar, la esperanza de que pasara alborotaba mi corazón y el de la niña de mejillas enrojecidas y pelo al viento, nos abrazábamos muy fuerte pendiente abajo por aquella superficie blanca camino de la plaza, y yo aprovechaba ese plazo fugaz para murmurar al oído: «No te apures, si pasa lo peor yo te acompañaré y te protegeré; quedo yo, aunque se vaya Kay.» Pero ella no me oía y a mí me gustaba pensar que era a causa del viento ensordecedor.

Al llegar a la plaza, Kay dejó a su amiga plantada y se fue a reunir con otros chicos mayores, sus amigos de ahora, que le saludaron dando gritos y agitando sus gorras. «Adiós, Gerda», la saludó con la mano mientras se alejaba, «me voy a jugar con los amigos.» Lo vimos confundirse con aquella multitud hormigueante y bulliciosa de chicos que ataban fuertemente sus trineos a otros carruajes tirados por caballos. A ratos lo volvíamos a divisar, pero luego lo perdimos ya de vista definitivamente. Los trineos que habían conseguido engancharse a otro carruaje mayor iban cargados de muchachos dando palmadas y vociferando, racimos de caras gesticulantes que desaparecían fugaces por los arcos de la plaza, arrastrados por el galope de los caballos, desafiando el riesgo y la velocidad. Eran vehículos guiados por vecinos del pueblo, gente conocida que iba a su trabajo, y que aceptaba de mejor o peor gana arrastrar aquella escolta de polizones revoltosos. Al llegar a las puertas de la ciudad, los chicos desataban su trineo del carruaje y volvían a la plaza para reemprender el juego. Pero Kay, aunque así lo suponía Gerda, no era ninguna de aquellas cabezas ni iba en ninguno de aquellos trineos. A mí, aunque había dejado también de verlo, no me era posible ya agarrarme a tal suposición porque sabía de sobra dónde estaba y lo que le iba a pasar. Pero miraba a Gerda allí parada bajo los soportales con los ojos ansiosos, acechando los carruajes que se entrecruzaban, y no tenía ganas de contarle nada de lo que sabía, solo sentía pena, total ya para qué. Otras veces dejaba de mirar a Gerda para fijarme en los labios de la abuela que se movían contándome el cuento, y me daba por pensar que tal vez ella, al callarme tantas historias familiares como tenía que recordar, sintiese la misma mezcla de desgarro e impotencia que experimentaba yo allí mudo, compadeciendo a Gerda y sin poderla ayudar, total ya para qué. Más que el placer de guardar secretos podía ser el desánimo de hurgar inútilmente en una llaga.

Kay, mientras sus compañeros jugaban, se había retirado a un rincón solitario y mal iluminado de la plaza y estaba mirando fijamente, como en espera de algo, hacia la bocacalle más cercana, cuando vio entrar por el arco de ella un trineo pintado de blanco y tan brillante como la nieve sobre la cual se deslizaba. Sentada sobre él venía una persona alta y de majestuoso aspecto vestida con una gorra y un abrigo de piel blancos; las solapas del abrigo eran tan altas que le ocultaban el rostro. Inmediatamente y sin vacilar, Kay ató su pequeño trineo a aquel otro mucho más sólido y grande, dieron una vuelta a la plaza y desaparecieron velozmente por el mismo arco donde se habían enganchado el uno al otro. El trineo blanco atravesó muchas plazas y calles de la ciudad y su extraño conductor se volvía de vez en cuando para ver si Kay seguía allí, y le hacía gestos amistosos, como si se conocieran desde hacía mucho tiempo. Aquellas calles no le parecían al niño las de siempre y, cuando ya en las afueras de la ciudad quiso desatar su trineo porque estaba empezando a caer la noche, la persona que lo arrastraba no se lo permitió.

«Continúa, pequeño Kay, continúa», le dijo con voz grave pero sin volver el rostro, «ahora ya hay que continuar.»

Esta última frase de «ahora ya hay que continuar» no la pronunció nunca la persona alta vestida de blanco, ni tampoco la decía la abuela; se la añadía yo mentalmente al relato con inmediata espontaneidad. Porque la verdad era que a partir de ese punto ya experimentaba la complicidad con el mal. Una vez traspasado el límite en que aún cabía la vuelta atrás, me abandonaba al oscuro y maligno placer de aliarme con el fatalismo de la situación. Ahora ya había que continuar, internarse en perdederos ignotos e irreversibles.

Una vez que atravesaron como flechas las últimas puertas de la ciudad y salieron al campo, empezó a espesarse sobre sus cabezas una nevada de copos tan continuados y enormes que Kay no conseguía ver por dónde iban pasando. Se puso a gritar lleno de miedo, pero nadie le oyó, y los dos trineos seguían deslizándose sobre la nieve indisolublemente unidos, cada vez más deprisa. Y con la velocidad aumentaba el terror de Kay. Trató de rezar, pero solo se le venían a la cabeza números, una bandada de números blancos pintados con tiza en la pizarra del colegio. Se acordó de la tabla de multiplicar y se puso a cantarla a gritos que nadie recogía. Aventaba aquellas cifras al aire y se le iban quedando atrás en remolinos equivocados, le azotaban la cara revueltas con la nieve, cuyos copos habían llegado a aumentar tan desmesuradamente de tamaño que Kay llegó a dudar si serían realmente copos. Parecían pájaros muertos y helados.

—Si quieres no sigo —decía la abuela—, lo dejo y merendamos.

—No, sigue —decía yo—, no te pares, ahora ya hay que seguir.

—Pero no me mires con esos ojos de lunático —decía ella—, que me recuerdas a tu padre. A él de pequeño también le gustaba mucho este cuento.

Parecía que lo hacía a propósito aquello de intercalar alusiones fugaces a mi padre en los tramos más álgidos de otra narración, cuando a mí me resultaba imposible distraerme del curso de esta para perseguir aquellos otros jirones fantasmales de la historia que siempre se quedó por contar. Nunca pasaron de ser eso, jirones azotando perpetuamente mi rostro ávido de asomarse a las puertas prohibidas, copos gigantescos de nieve rebotando contra el rostro de Kay. ¿Quién podía atender en aquel momento a otra figura que no fuera la suya, ni a otro rumbo que el de los dos trineos? ¡Qué cosa más inoportuna sacar a relucir a mi padre en ese momento!

Por fin, en un paraje desierto, se detuvieron, y la persona que conducía el trineo blanco echó pie a tierra. Era una mujer alta, blanca y muy hermosa. Adelantaba hacia Kay unas manos pálidas y largas y sus ojos brillaban igual que estrellas en noche despejada de invierno, pero estaba fría, fría como el hielo. Era la Reina de las Nieves.

Unos días llegábamos más pronto que otros a aquel paisaje yerto donde Kay y la Reina de las Nieves se miraron a la cara por primera vez. Yo suspiraba con tristeza, pero también con alivio. Ya daba todo igual. Los latidos del corazón se me apaciguaban, y empezaba a escuchar el resto del cuento con una índole de pena diferente, mezcla de apatía y resignación. Pero, ya se me hubiera hecho largo o corto ese tramo del viaje, la blanca señora siempre preguntaba lo mismo: «Hemos viajado aprisa, ¿verdad, Kay?»

Kay la miró sin decir nada. Claro, qué iba a contestar, cómo se puede calcular un tiempo como ese, con los copos pegándote en la cara igual que pájaros muertos. Yo tampoco sabía por dónde había llegado hasta el jardín de las estatuas, y la abuela no quería contármelo.

«Pero estás frío», añadió la Reina de las Nieves. «Ponte debajo de mi manto de pieles.»

Kay obedeció, y al resguardarse en el abrigo de la señora aquella, sintió como si lo enterraran en un hoyo de nieve y empezó a temblar y a dar diente con diente.

«Vamos», dijo ella. «Veo que todavía estás frío.»

Y entonces fue cuando lo besó. Ya antes estaba yerto, pero el beso de la Reina de las Nieves le caló más hondo, hasta el centro del corazón. «Voy a morir convertido en carámbano», fue el último pensamiento de Kay donde todavía conservaba la noción de anomalía, porque aquella situación cabía compararla con otras anteriores cuyo recuerdo no se había borrado aún para siempre. Pero aquella idea fue instantánea como un relámpago postrero. La señora del manto blanco le volvió a besar y entonces Kay ya se sintió completamente bien, porque no sentía nada. Todo era igual, todo era eternamente blanco. Olvidó a Gerda y a los chicos de la plaza, olvidó el verano, las flores, los cuentos, la tabla de multiplicar y toda su existencia anterior, incluida su propia casa y la callejuela en cuesta que llevaba a ella.

«Ahora no te besaré más», dijo la Reina de las Nieves, «porque, de hacerlo, morirías.»

Pero el corazón de Kay estaba ya tan frío como la muerte.

V. LA FLOR DE LIS

Entre los cuadros que adornan las paredes del despacho, hay un grabado inglés del siglo XIX. Nunca ha cambiado de sitio, que yo recuerde. Representa un faro en noche de tormenta y a lo lejos se vislumbra una embarcación que se está hundiendo. Es bastante grande, está enmarcado en terciopelo rojo y detrás de él se esconde la caja de caudales.

Una vez siendo niño, tendría yo diez años, le pregunté a mi padre si era allí donde guardaba su dinero.

–Sí –me contestó–, y también otras cosas que valen más que el dinero.

Me extrañó su respuesta y se lo dije. Según la abuela, a él la única cosa que le importaba en el mundo era el dinero. Se encogió de hombros con una sonrisa que me pareció triste.

–A mí la abuela nunca me ha conocido –se limitó a decir–. ¡Qué sabe ella de mí!

Aquellas palabras me despertaron dos emociones contradictorias. Por una parte rechazaba la idea de que alguien se atreviera a poner en cuestión la sabiduría de la abuela, pero por otra era un consuelo descubrir que también él, como yo, se sentía incomprendido por su madre.

Y de repente, el olor a tabaco de la pipa que estaba encendiendo nos hermanaba y aislaba del resto del mundo, como a dos náufragos calentándose las manos ante una hoguera raquítica y provisional.

–Entonces, ¿en esa caja guardas tus secretos? –le pregunté.

–Algunos –dijo–, todos no.

–¿Y se los enseñas a mamá?

Parpadeó y miró para otro lado. La pregunta parecía haberle pillado desprevenido.

–Bueno... –dijo–, ya sabes cómo es ella.

–¡No! ¡No lo sé! ¿Cómo es?

–Quiero decir que es poco curiosa. No le interesan mis secretos ni los de nadie.

–¿Y eso es malo o bueno?

–No sé qué decirte, hijo, es simplemente una manera de ser.

Por ese tiempo ya había yo empezado a entender, aunque me costara muchas rabietas aceptarlo, que a un niño nunca le contestan a derechas, que se ve obligado a crecer entre adivinanzas nunca resueltas. Y aquella caja de hierro oculta detrás del cuadro era un símbolo visible de todas las puertas cerradas de los cuentos.

–¿Por qué has puesto tus secretos detrás del faro? –le pregunté en un impulso repentino–. ¿Quiere decir algo eso?

Era una pregunta ingenua, pero enseguida noté que había ido a clavarse por sabe Dios qué resquicio en algún punto vulnerable de mi padre. Lo acusaban su gesto alterado y su voz súbitamente airada y descompuesta.

–¡Pero por amor de Dios, Leonardo, qué disparates dices! ¡Yo creo que tu abuela te está volviendo tonto con sus cuentos de hadas, de fantasmas y de brujas! ¿A quién se le ocurre hacer una pregunta semejante? Me gusta ese grabado, lo compré en Chicago en un anticuario, hace años, y lo he puesto ahí como podía haberlo puesto en otro sitio. Eso es todo. ¿Entendido?

Guardé silencio mirándole. Era la primera vez que le había cazado en algo, no sabía en qué. Y saboreaba los resultados de mi puntería. No era invulnerable.

–¿Por qué me miras así? –preguntó con voz colérica.

Yo estaba tranquilo. Como siempre que mi madre estallaba contra él, contra mí o contra los criados de forma totalmente arbitraria. Me podía dar algo de miedo, pero me sentía superior.

–Tú también miras a mamá así cuando se enfada sin venir a cuento. No te he dicho nada para que te enfades.

Había hablado sin dejar de mirarle, y me di cuenta de que él estaba haciendo esfuerzos para calmarse. Hasta que creyó haberlo conseguido.

—Yo no me he enfadado —dijo con voz normal—. Simplemente me molestan las preguntas estúpidas.

—Pues tú dices otras veces que preguntar nunca es una estupidez, que hay que preguntar para saber.

—Da igual, déjalo. ¿Quieres ver la caja fuerte? —dijo levantándose.

—Bueno.

Era una especie de premio de consolación. En otra ocasión no me lo habría concedido. Lo hacía para borrar el recuerdo de su intemperancia, para despistar. Pero yo ya había recogido un dato nuevo, de los muchos que iba almacenando, sin saber para qué. Los paisajes con faro, a mi padre, lo mismo que a mí, no le eran ni mucho menos indiferentes. Y era en lo que pensaba sobre todo, mientras le seguía hasta la caja de caudales cerrada y me subía a una banqueta que puso delante de ella para que pudiera verla de cerca, mientras escuchaba sus explicaciones, tal vez incluso excesivamente meticulosas. La voz neutra y serena con que las iba dando contrastaba demasiado con su alteración reciente como para conseguir hacérmela olvidar.

El grabado del faro se corría hacia la izquierda resbalando por unos raíles casi invisibles practicados en la pared de madera. En cambio, el foco alargado que había encima permanecía fijo, iluminando aquel rectángulo de hierro que ahora quedaba al descubierto, con su ruedecita en medio, como un ojo abultado y misterioso surcado de rayas y de signos. Me dijo que las cajas de caudales, aunque se hagan en serie en la misma fábrica, se diferencian entre sí porque cada una tiene una clave que solamente conoce su dueño.

Era la primera vez en mi vida que yo oía la palabra clave, parecida a llave, claro, porque las dos se refieren a abrir. A mi padre, que de joven había querido ser escritor, le gustaba mucho explicar con todo detalle el significado de las palabras. Se trataba, en el caso de la caja fuerte, de una combinación particular de las letras impresas en la rueda, que giraba unas veces hacia la derecha y otras hacia la izquierda. Luego, cuando se había hecho eso, se metía una llavecita en la cerradura que había debajo y la caja se abría.

Yo me daba cuenta de estar ante una oportunidad excepcional y aguzaba mi ingenio para aprovecharla. Me acordé del cuento del Gato con Botas, de cómo logró entrar en el castillo del ogro, a base de astucia, haciéndole ver que desconfiaba de sus palabras.

–Es tan raro eso, papá, que si no lo veo, no lo puedo creer –dije con candor ficticio.

–¿Que no? ¡Pero hombre, si es facilísimo! ¿Te divierte verlo?

Su voz era jovial, casi agradecida. Le había despertado su vanidad de padre, no desconfiaba de mí.

–Sí, si no te importa.

–¿Por qué me va a importar?

Ante mis ojos atentos, hizo una demostración experta y apresurada, manipulando la rueda. Dos veces a la derecha y una a la izquierda. No alcancé a ver en qué letras se había detenido. Pero eran tres. Enseguida sacó su llavero, eligió la llave pequeña, la metió en la cerradura y la puerta blindada se abrió.

–¡Abracadabra! –dijo–. ¿Has visto?

Al fondo blanqueaban los bultos de los papeles que esta tarde, por fin, he empezado a leer. Fue solo una vislumbre. Luego volvió a cerrar, cuidándose bien de dar antes una vuelta a la rueda para que no quedaran huellas de la última letra donde se había parado. Era de las últimas, tal vez la S, la R, o la T.

–¿Has visto? –repitió–. ¿Te lo crees ahora?

–Sí, es maravilloso –dije.

–Pues ya está. Ahora se corre el cuadro, y aquí no ha pasado nada.

Siempre era igual, siempre era como si no hubiera pasado nada, siempre una puerta infranqueable ante las preguntas apasionadas. Al fondo del grabado, iluminado nuevamente por el foco, una embarcación zozobraba entre las olas.

Por parte de mi padre, se había creado un clima grato, de distensión. Volvió a sentarse y encendió una pipa. Le pregunté que si quería que me fuera y me dijo que no. Yo me daba cuenta, con esa oscura pero aguda percepción con que los niños sospechan estar bordeando una frontera inquietante, que lo podía echar todo a perder haciendo una pregunta directa e inoportuna. La abuela me había ido enseñando poco a poco el arte de los rodeos. Me senté en el suelo a su lado. Mi madre se había ido a jugar una partida de pinacle a casa de unos amigos y habían discutido porque él se negó a acompañarla. Sonó el teléfono y tuve miedo de que fuera ella. Pero no; era una llamada de negocios, algo que no interrumpía, más que momentáneamente, la posibilidad de continuar la conversación.

–Te has quedado de un aire –me dijo mi padre cuando dejó de hablar por teléfono–. ¿En qué piensas?

–No sé. Estaba mirando la habitación. Me gustaría, cuando fuera mayor, tener una habitación como esta.

Me alborotó el pelo con la mano. Casi nunca me hacía caricias.

–Espero que cuando la tengas, la sepas aprovechar mejor que yo –dijo.

Se había quedado mirando a la ventana y de repente era como si yo no estuviera con él en la habitación. Buen momento para acercarme sin que me sintiera, como cuando se quiere cazar una lagartija.

–Es divertido eso de la clave. La inventa el dueño de la caja, ¿no?

–Sí, claro. Es secreta.

–Ya. Pero ¿cómo se te ocurre? A mí no se me ocurriría.

Otra vez la astucia del Gato con Botas había dado resultado.

–¿Cómo que no? –dijo–. Con lo que a ti te gustan los juegos de palabras, ¿no se te iba a ocurrir? Imagínate, por ejemplo, que te pones a barajar iniciales de personas queridas, y ves que dan el nombre de una flor, y luego leídas al revés el de un río..., qué sé yo, cualquier cosa, ¿no?

–Es verdad –dije–. Un acertijo como los de la abuela.

Y cambiando enseguida de conversación, me puse a hablarle de lo graciosos que eran los acertijos de la abuela, para que no se diera cuenta de que había captado y retenido los datos del suyo. ¡Una flor que al revés es un río! Había dicho «por ejemplo», pero un ejemplo así de raro no se inventa tan deprisa.

Al final, cuando me fui a mi cuarto, después de mirar con él un libro de barcos, me sentía en posesión de un secreto importante, y orgulloso de habérselo arrancado sin despertar sospechas. Era un placer furtivo, clandestino, como el de robar limpiamente una cartera.

De la caja de caudales no volvimos a hablar nunca hasta hace unas noches cuando se me presentó en sueños, y yo ya la había abierto. La verdad es que casi a la primera, sin mayor esfuerzo. La llavecita la reconocí enseguida en el mazo que me entregó don Ernesto, y en cuanto a adivinar la clave, estaba casi seguro de haber dado con ella hacía tiempo, aunque nunca hubiera tenido ocasión de comprobar o desmentir mi acierto. Me acordaba muy bien de que él la rueda la paró tres veces, o sea que la flor tenía que ser de tres letras. Y todas las palabras de tres letras llevan una vocal en medio. Descartando sucesivamente la A, la O, la U y la E, que no recordaba como iniciales de ningún ser querido por mi padre, la I de la abuela Inés se impuso enseguida en el centro. En rumias sucesivas surgió como hipótesis la flor de lis, que leída al revés se convierte en un río, el río Sil. Además, en la palabra estaba mi inicial. ¿Pero y la S? No hay ninguna persona en la familia cuyo nombre empiece por esa letra. Eso me desanimaba.

Cuando hace unos días, después de irse don Ernesto, ensayé la clave y la puerta de hierro se abrió, me quedé quieto, como sobrecogido, mirando los papeles, sin atreverme a tocarlos. Y sentía flotar la S sobre mi cabeza como una interrogación. La S es el secreto de mi padre. Hoy, además, lo sospecho con mayor fundamento. Pero de esto hablaré luego. Es un rompecabezas que no se puede pretender resolver a toda prisa.

De momento, estoy asombrado de mi perseverancia y de sus beneficiosos efectos. Escribir así, sin prisa, y con una cierta pretensión de estilo, como lo vengo haciendo, ha aplacado mi angustia y se ha convertido en una ocupación que no persigue un fin, porque lo lleva dentro de sí misma. Supe enseguida, desde que decidí no quedarme en el piso de abajo, que todo lo que pudiera significar una perturbación para emprender esta pesquisa personal lo iba a rechazar sin contemplaciones. La amenaza mayor era don Ernesto, a quien ya esperaba sentado en este mismo despacho a la mañana siguiente de mi llegada. Muy temprano, porque apenas había dormido. La herida de la mano, que no dejaba de martirizarme con latidos cada vez más dolorosos, me había dado calentura, como vaticinó Mauricio, así que, contra la madrugada, di la vuelta por el jardín bien abrigado con una manta, cogí las llaves del jarrón y subí a este piso en busca de medicinas, alguna bebida caliente y un ambiente más confortable. El susto de don Ernesto al no encontrar las llaves en su sitio le hizo pulsar el timbre de la puerta tan destempladamente que me despertó, porque me había quedado adormilado de bruces contra la mesa del despacho, decidido a no acostarme hasta ventilar mis asuntos con él. Bajé al vestíbulo arropado en un batín viejo de mi padre, y abrí la puerta. Su conmoción al verme, aún más fuerte de lo que Mauricio y yo calculábamos, acentuó mi actitud glacial, consecuencia tal vez de haberme pasado la noche rememorando a la Reina de las Nieves. Por otra parte, las recientes humillaciones sufridas en la cárcel –olvidadas hasta ese momento– debieron avivar en mí una sed aletargada de crueldad. De pronto podía ser yo quien pusiera condiciones, mirara con desdén y se negara a dar cuentas de su conducta. Simplemente le pedí todas las llaves de la casa («de mi casa», dije) y le hice saber escuetamente que por ahora necesito estar solo, que cualquier compañía me estorba.

–Pero la suya particularmente –añadí, mirándole a los ojos.

Me recordaron a los de un celador hipócrita que me metió sin más explicaciones en la enfermería, y que era incapaz de sostenerme la mirada de plano cuando yo protestaba por algo.

Me parecía imposible poder estar diciéndole aquellas cosas, consciente, por otra parte, de que mi aspecto insomne, demacrado y con barba de dos días, hacía más temeraria y escandalosa mi insolencia. Lo veía como entre nubes, porque la fiebre me había subido mucho, pero creo que realmente él estaba temblando de miedo. Es bajito y lleva lentes. Me miraba de reojo la mano vendada.

–¿Pero qué te pasa, Leo, por Dios? No habrás bebido... o algo. ¿Te encuentras bien?

—Estoy en mis cabales, si es eso lo que quiere preguntarme. Y en mi casa. Puede dejarme su teléfono, que ya le llamaré cuando necesite alguna aclaración. Pero ahora váyase. Ah, y en adelante, por favor, no vuelva a tutearme. El amo aquí soy yo, conviene que no lo olvide.

Las punzadas en la herida de la mano se intensificaron al unísono con el golpeteo de aquellas palabras recién pronunciadas; una llamada de refugio al propio cuerpo, un antídoto contra las sordas amenazas implícitas en tan arriesgada declaración de principios. «Ahora ya hay que seguir», recitaba Kay en mi interior, dando diente con diente.

Don Ernesto se puso muy nervioso e insistía, compungido y servil, en lo indispensable que era mantener cuanto antes una larga conversación. Pero le corté con sequedad. Me dejó las llaves, su número de teléfono y muchas cartas y papeles que le prometí ir mirando. Subió al despacho a buscar unas cosas suyas, y yo detrás, sin perderlo de vista ni un momento. De la misma manera, y en total silencio, le acompañé hasta la puerta.

Cuando por fin se fue, volví al piso de arriba y me di un baño caliente en la bañera ovalada de mi madre, a la que se baja por dos escalones. En su dormitorio, empapelado de rosa, todo es nuevo y de escueta elegancia. La mayor parte del espacio lo ocupa una cama con dosel. El tapizado de las butaquitas, la colcha, las cortinas y la alfombra hacen juego en tonos gris perla. Hay colgados dos grandes cuadros abstractos.

Abrí el armario empotrado y me vino una fuerte ráfaga de olor a ella. Usaba siempre el mismo perfume de Dior. Precisamente en una de las baldas, junto a los pañuelos, las medias y la caja de piel donde guarda su bisutería, vi el frasquito mediado. Hurgué en su ropa interior, buscando alguno de aquellos pijamas de seda de hombre que solía usar para dormir. Ella era muy alta. Elegí uno blanco, me lo puse y me metí en la cama tiritando.

El tiempo que dormí no puedo calcularlo, como tampoco las veces que me desperté, bajé a la cocina a calentarme leche o entré en el despacho de mi padre. En una de estas excursiones descolgué el teléfono y en otra abrí la caja de caudales. Poco después debió de ser cuando él se me apareció y hablamos de la flor de lis.

En fin, que no llevo bien las cuentas del tiempo, nunca he sabido llevarlas. Pero ahora que ya no tengo la mano vendada ni percibo las cosas en trance de delirio, me he dado cuenta de que tengo mucho trabajo por delante. Y por primera vez en mi vida me alegra la tarea, y estoy dispuesto a acometerla con sensatez.

A ratos atiendo a los argumentos plasmados en los papeles que don Ernesto me dejó, otras veces a los que se esconden detrás del faro. Y de esta mezcla de pasado y presente surge un nuevo surco intemporal: el de mi escritura.

VI. SALTO EN EL VACÍO

La foto no la vi hasta que ya llevaba miradas unas cuantas cartas de la carpeta verde, dejadas atrás casi con susto, justo cuando, perdido en su espesura, me había detenido a recapitular, porque empezaba a darme ya vueltas la cabeza. «¿Pero puede existir una mujer así, haber existido alguna vez? ¿Dónde la conoció? ¿Cómo sería?»

Estaba metida en un sobrecito, entre las dobleces de dos pliegos finos. Palpé desde fuera su grosor. Después la saqué muy despacio, como si la estuviera revelando al sacarla. Tenía un borde blanco dentado y la figura central en blanco y negro. Me acosó una sensación fulminante de extravío y embrujo, el miedo a estar perdiendo cualquier tipo de referencia espacial. Porque estaba volando. Eso fue lo que vi: una figura de mujer volando. Los brazos en alto sujetaban, a modo de bandera, una prenda blanca, tal vez ropas que se estuviera sacando por la cabeza al tiempo de saltar. Iba descalza, y el cuerpo cubierto apenas por una especie de combinación adherida a la piel. Piernas largas y elásticas, pero muy poco pecho. Era la silueta de una adolescente. Estaba captada de medio perfil y se reía con el pelo alborotado al viento.

Cuando logré apartar los ojos atónitos de aquella figura y los fijé en su entorno, como para orientarme y ver si se trataba de un montaje tipo *collage*, las sospechas de irrealidad se hicieron mil pedazos y destruyeron su reducto amable. Y se me cortó la respiración al reconocer un paisaje que nada tiene de ficticio, agarrado a las entretelas de mi alma, sustrato reincidente de mis sueños. Un lugar solo mío. ¿Por qué ranura se había colado aquella alegoría de la libertad a habitar geografía tan concreta y desplazarme de ella? Eran, no cabía duda, los acantilados del faro, escenario donde se incubaron mis primeras rebeldías, donde di alas a tantos inconcretos anhelos de aventura y empecé a idealizar, asomado al abismo, el destino de Kay.

¿Y tú? ¿Quién eres tú? ¿Qué haces ahí, insensata, dominando un espacio que nadie te ha invitado a compartir? ¿Cómo te atreves? Había pasmo y envidia, ira y admiración en mi reproche. Porque estaba saltando, la muy fiera, desde los últimos peñascos a la franja de arena estrecha y húmeda que solo cuando la marea está muy baja contornea la isla de las gaviotas. Algunas habían alzado el vuelo, otras levantaban el pico, aguardando impertérritas aquel extraordinario aterrizaje. Era un brinco arriesgado que, a mí, ni en los momentos de más exaltación se me hubiera ocurrido tan siquiera ensayar.

Pero, además, ¿quién la había seguido hasta allí para retratarla, para captar aquel momento único? ¿Cuándo? ¿En aras de qué?

Di la vuelta a la foto. «Sila, agosto de 1943», leí. Era, no cabe duda, la letra de mi padre.

Apoyé los brazos en la mesa y me quedé un rato con la cabeza escondida entre ellos, palpando los papeles esparcidos, arrugándolos, olfateándolos incluso con una rara delectación. Algunos son muy breves, como notas de urgencia, y pocos llevan encabezamiento. Pertenecen a épocas distintas, pero apenas se nota. Y es que además da igual. De la S mayúscula que siempre los rubrica, la misma consonante engarzada también en las flores de lis, ha surgido por fin el nombre femenino que despeja las nieblas del secreto. Sila, la mujer-niña que salta por los aires y habla como un filósofo, Sila esgrimiendo el no, no quiero, no te engañes, no podrás entenderlo, no me hagas más preguntas, ya te he dicho que no, huidiza, contumaz, desafiante, Sila diosa del mar, rechazando las voces que intentan encauzar hacia metas sensatas y previstas los embates del mar.

¿Y qué si soy del mar, si él me trae y me lleva y me conoce y no le tengo miedo? No te fíes de mí, ya te lo aviso, Eugenio, ni me eches la culpa de mis mareas altas ni de mis remolinos o resacas. No tiene explicación (ni se la busques) el oleaje libre de la vida, qué le vamos a hacer, eso no se controla. Si dices tú que la pasión te ha hecho perder la libertad, es porque no conoces la pasión por la libertad misma. Te veo pequeñito y encogido entre telas de araña de acero inoxidable y con levita azul de plexiglás.

Mi padre está en Santiago estudiando Derecho, mi padre está en Madrid, mi padre está en América del Norte, estado de Illinois, lo veo por los sobres, que algunos se conservan; otras veces está en la Quinta Blanca, pero eso qué más da, qué importa ahora, cuando lo que ya cuenta es el simple rumor de marea sonámbula con que llega a mi gruta el texto extraviado de estas cartas, condenado a la pena de no poder volver a releerlas el Eugenio a quien iban dirigidas y que durante años las guardó, aventado su nombre, reducido por siempre a una inicial genérica: la E de «enamorado». Mientras la S, en cambio, del secreto, se ha esponjado y da flor.

«Sila, Sila», susurro, «aprieta más mi cuello con el lazo del no, que a mí no me haces daño, dime más, dime, Sila, cuéntame disparates a través del vacío, dime quién te ha enseñado a hablar así, cuánto has tardado en llegar, Sila. Habíamos nacido para encontrarnos.»

Y me estremece repetir su nombre. Saberlo ha trastornado mis vacilantes planes literarios, disipando las dudas relativas al orden con que debo insertar en esta narración los retazos de otra que veía distante y desenfocada, en qué tiempo de verbo trasladar al papel el discurso quebrado en esos otros papeles. Por fin conozco el nombre, hasta ahora celado, de quien los escribió, salobre y simultáneo como un golpe de mar que no puede arrastrar más que presente, el presente continuo de los cuentos que confluyen de pronto a nuestra vida y forman para siempre parte de su caudal. Ya está. Se ha dirimido la cuestión. Iba viajando a tientas, pero desde el momento en que he salido por el túnel oscuro de la S a la luz de este nombre indiscutible que ahora puede alinearse con los de Gerda y Kay, Sila dice en presente ya todo lo que dice, no hay más regla que esa, porque a mí me lo dice, su tiempo se trasvasa y funde con el mío. Sigue, Sila, te escucho. ¿Verdad que estás hablando para mí? Pues claro –dice–, ¿y para quién si no?

Y se van desvelando afinidades, literarias también, que es lo más raro. A los dos nos gustaban en la primera edad «los libros donde hay vértigo», que así describe ella (y sonrío al leerlo) el encogimiento del héroe romántico, por una parte contagiado de la desmesura de la noche, del mar o la tormenta, pero incapaz, por otra, de abarcar esos fenómenos.

... y el amor, pues igual, ¿de qué te extrañas? Hay que tomarlo así, como una sacudida, solo cabe gozar de lo que es pasajero cuando estalla, pero como si lo miráramos en un cuadro, porque el mar a tu casa no te lo puedes llevar, ni a una casa tan grande como la Quinta Blanca, ¿cómo crees que le vas a hacer sitio?

Tienes razón –le digo–, para eso está el arte. Friedrich, por ejemplo, sí supo recoger en sus pinturas esas ansias de infinito que inculca la naturaleza desatada en las figuras como temerosas que contemplan la escena y la padecen, de espaldas a nosotros casi siempre. Cuando estuve en Berlín, le mandé a él varias postales de Friedrich, lo recuerdo, tal vez me las encuentre por aquí mezcladas con tus cartas y con las de la abuela, firmadas simplemente «el extranjero», ¿qué más iba a poner?, aunque estaba casi seguro de que le emocionarían y le harían recordar amores turbulentos como aquellos que luego buscaba en las novelas. O sea que al descubrir a Friedrich estaba pensando en ti sin conocerte, tanto o más que en mi padre. Fue hace cuatro años, me parece, cuando aún le escribía. Había sido un descubrimiento fulgurante, y durante aquel rato me zambullí en lo mismo que miraba, como si estuviera oyendo el ruido del viento y de las olas. Era por la mañana muy temprano; no había visitantes. Pero, al salir del museo, ya nada: simplemente la gente por la calle, los cafés, montarse en autobús, como si todo lo otro hubiera sido mentira, y yo con mis dilemas de arraigo o desarraigo, tan tediosos e impersonales ya como las pensiones que me iban dando albergue y donde, en espera del sueño, trataba de ahuyentar los recuerdos de infancia, solo en la cama o junto a algún amor de paso, cuerpos extraños. Todo me era extraño, nada me salpicaba, o por lo menos me aplicaba con esfuerzo a que las cosas discurrieran por ese cauce, así que es absurdo imaginar que aquel extranjero fugado de sí mismo pudiera haberse dirigido a su padre con un lenguaje ni remotamente parecido al que estoy usando aquí, desatado a partir de tu salto en el vacío, Sila. Y además hice bien, porque ahora sospecho que él jamás entendió tampoco el tuyo, tan loco como tu salto, anulando el tiempo, rozando lo inefable. O tal vez soy injusto, ¿por qué no iba a entenderlo? Lo que siento son celos. Llamemos a las cosas por su nombre.

... Después de besarnos, sé que estamos llenos de deseos que nos separan. No presumas de que eres más listo porque notas esa forma de "no estar ahí" que para cada uno tiene el otro cuando el calor del beso se apaga. Yo me doy cuenta más que tú todavía, solo que no me enfada, lo encuentro natural, como dormir un poco cuando se está cansado. Dices: "te estás evaporando", y suena a reproche. Yo lo llamo entrar en un escenario nuevo, te lo dije ayer, y no veo que sea ningún pecado, me gusta haberlo dicho porque es lo que me pasa en momentos así. Por ejemplo, cuando no te hago caso y me quedo mirando el mar. De nada te sirve entonces preguntarme rabioso "¿qué piensas?", forzándome a que atienda y quite los ojos del mar. No me zarandees, déjame, no sé explicar lo que pienso. Pero cuando miro el mar, es la eternidad. Es lo único que sé. Estoy viendo lo de ayer y lo de mañana, y lo de después de morirme, aunque sin contornos. Y me gusta ese vértigo.

Dios mío, Sila, ¡qué bonito es eso! Pero él te besaba. Yo te entiendo mejor porque no te he besado. Esa misma intuición o parecida tenía yo también a veces cuando me escapaba a los acantilados y rompían las olas allá abajo contra la isla de las gaviotas, una certeza de eternidad confusa pero firme, algo que luego me transmitió de segunda mano la pintura de Friedrich, como si el pensamiento tuviera sed de ámbitos espaciosos y quisiera romper los barrotes del cuerpo para fundirse con la naturaleza porque contemplarla le parece poco, y se agita intentando imitar al huracán y a las nubes y a las mareas, pero ve que no puede, ¿entiendes lo que digo?, porque el cuerpo es su jaula.

Y dice que sí, claro, cómo no va a entenderlo si no hago más que traducir con otras palabras lo que traen esos libros «donde hay vértigo», la lucha entre lo poco que somos y lo mucho que quisiéramos abarcar, «sueños de volar» lo llama en otro papelito, pero la palabra vértigo es la que mejor resume el susto implícito en los sueños, que no es ni más ni menos que miedo a la locura, aunque disimulado, un miedo que se esconde para que no se asusten los demás, a ella le pasa, le ha pasado siempre desde pequeña. Y a Elida también le pasaba. Elida significa en noruego antiguo «el que viene con la tempestad» y ella se identifica con ese personaje, de nombre masculino aunque lo lleve una mujer, un nombre que a veces se oye atravesado entre mi padre y Sila, como un entrechocar de espadas. Al principio me suena, pero tardo en localizarlo.

... ¿También de Elida vas a coger celos? Dices que en mala hora le prestó tu madre a don Antonio ese libro y en peor todavía me lo dio él a leer. Pero hombre, no seas tonto. Como si desde los tres años no fuera yo así, mucho antes de leer a Ibsen. Y si no, pregúntaselo a mi abuelo. Aunque, desde lo nuestro, ya sé que te da reparo hablar con él, por cierto, lo ha notado, ¿sabes?, y me lo dice él mismo, "qué le pasa al chico de doña Inés". En fin, allá tú. Vas a lograr que se malicie lo que no sabe ni nunca va a saberlo por mi boca. Para él sigues siendo el amigo mayor que me protege un poco y me ríe las gracias, igual que cuando niña. Pero volviendo a Elida, de la que parece que vienen todos los daños, a ver si ahora va a resultar que nacer en un faro también se lo he copiado a Ibsen, porque capaz serás de decir eso.

Son demasiados datos de una vez, demasiados espectros colándose en esta amalgama vida-literatura que cada vez se va espesando más, a medida que leo. Empecemos por Ibsen, que de espectros sabía más que nadie. Hacía tiempo, muchísimo, que yo no me acordaba para nada de Elida. «La dama del mar» estaba sumergida y ahora reaparece con el gesto solemne y enigmático con que sigue arrojando al mar su anillo, en presente también, lo mismo que la voz que viene a refrescarme una historia que en tiempos tanto me emocionó. Y se abre otro conducto subterráneo, porque de pronto pienso (hasta ahora no se me había ocurrido pensarlo) que Andersen nació en una isla de Odense, algunos años antes de que Ibsen viera la luz al sur de Noruega, tal vez no muchos, lo tengo que mirar, tampoco serán muchos los kilómetros que separen estos dos puntos fríos y brumosos del mapa, y Henrik tuvo que oír hablar de Hans Christian, incluso conocerlo, no lo sé. Pero en todo caso, en este cuaderno sus textos han venido a trenzarse de forma tan casual y misteriosa como se complementa mi visión de los acantilados con la que Sila me trae al saltar por encima de ellos, vértigo sobre vértigo, qué galope, nos vamos a estrellar. «No, tú agárrate bien a mí, que ahora cabalgamos juntos», dice ella.

Elida, hija de un torrero del faro, se ha casado con Wangel, respetable viudo finlandés, pero se mantiene fiel al recuerdo de un marinero misterioso, símbolo del mar, a quien un día jurara amor eterno, y que parece no existir. Wangel le pregunta por él, le pide que le cuente de qué hablaban. Y se me viene de corrido la respuesta de ella:

Hablábamos del mar casi siempre, y de la tempestad y de la calma. Pero sobre todo de las focas que toman el sol en los acantilados, de las gaviotas y de otras aves marinas. A mí me parecía que todos estos seres eran hermanos de él.

Era un libro encuadernado en rojo, parece que lo estoy viendo, sucesores de Hernando, Arenal 11, 1914, la abuela lo tenía con las obras de Lope, Moreto y Calderón, y en ese mismo tomo leyó Sila la historia que más tarde leí yo. Tal vez incluso alguno de los subrayados en lápiz fuera suyo. Qué emocionante es estarlo recordando al mismo tiempo, porque ahora vamos juntos cuesta abajo, yo me agarro fuerte a su espalda y cierro los ojos, como cuando iba en el trineo con Gerda y Kay. Tengo vértigo, Sila, nos vamos a estrellar.

... «He decidido salir a buscar el tesoro», dice Sila. «El que avisa no es traidor, abuelo. Quiero cortar con los lazos que me atan a este rincón del mundo, porque he nacido para irme. O simplemente porque sí, para saber que puedo.» Me ha preguntado él que si es un aviso, le he dicho que sí, y los dos nos reíamos. Pero luego ha querido saber si buscar el tesoro alude a que sigo soñando con encontrar algún día a mi padre, y yo le he mirado muy seria y le he dicho: «Sí, abuelo, él me llama como el mar, lo sabes de siempre. Y voy a salir a su encuentro. Tenlo por seguro.» Y ninguno de los dos nos reíamos. Por la tarde el abuelo le ha dicho a don Antonio que tiene miedo, porque ve en mí rasgos de la enajenación mental de mamá mezclados con el atrevimiento de «aquel hombre», que en eso reside la independencia. Y que ahora le pesa habérmela fomentado tanto. Hablaban bajo, pero yo los oí. Me he escurrido de puntillas por la escalera de caracol y he salido a sentarme en las primeras rocas. Hacía mucho viento. Respirar en momentos así hasta que casi me haga daño el aire es lo que más me gusta. Me he mirado las manos y los pies, y he comprendido que pueden llevarme a donde yo quiera. No me siento débil ni maldita, no estoy en ninguna parte y sin embargo estoy en todas, a Elida también le pasaba.

Algunos papeles son hojas arrancadas de un cuaderno, tal vez trozos de diario por el tono. Y supongo que debieron ser mandados a mi padre bastante después de ser escritos, metidos en sobres que sobrevolaron mucho mar, tanto como en algunas épocas los separó.

Llega un momento en que no resisto más, en que necesito un respiro. El respiro saludable de las fechas. A ver, que me dé el aire un poco, porque el ambiente está cargadísimo. Sila es nieta del último farero, de acuerdo, que murió antes de nacer yo y al que a veces se refería Rosa Figueroa, una sirvienta vieja de la abuela;

historias rurales que dejaban un rastro de curiosidad y misterio hasta que empezaron a hacérseme opresivas, perdieron su halo de revelación y las aborrecí con el mismo grado de intensidad con que las había amado. Entre ellas quedó sepultado el último farero. Se admite: era el abuelo de Sila, por raro que parezca. Pero cuando llego a enterarme de que ella por fin se escapó, como tenía proyectado, tras las huellas dudosas de un marino inglés al que no conocía, comprendo que necesito otras referencias, meterme en un escenario distinto, como a ella misma le pasaba. El vértigo había llegado a tal punto que me he apeado en marcha. Es demasiado. Desisto de agotar por ahora esta bebida. Apartado de la sucesión cotidiana de las cosas, inmerso en un tiempo al que he entrado como polizón, extraviado en el jardín sofocante de lo imaginario, la sensatez más elemental me aconseja abrir la ventana para que entren otras voces, otros testimonios.

Recojo los papeles firmados por una S y los meto despacio en la carpeta verde. Ya seguiré otro día. Pero sé que son míos. Y también que mi padre y yo hemos hecho definitivamente las paces, que no solo le gusta lo que estoy haciendo, sino también la manera de tomar delicadamente entre mis manos lo que hasta hace poco era todavía suyo. Se ha operado el traspaso de poderes con complacencia por su parte. Me deja el campo libre. Y recurro a la abuela, a ver qué pasa. La abuela es otra ausencia, pero su letra, aunque me meta en acertijos, me resulta tan de fiar como la voz que los proponía, algo familiar que resguarda y consuela. En la desviación caligráfica más insignificante podré adivinar de qué humor está. Y así he salido de un escenario para meterme en otro.

* * *

Seis años antes de nacer yo, mi padre ha acabado la carrera de Derecho y está en Chicago. A la abuela no sé si le gusta o no le gusta que haya ido. En este aspecto, que es el que me interesa desvelar, las pistas ofrecidas por las cartas que le escribe desde la Quinta Blanca son contradictorias. Parece haber sido una decisión súbita, como si huyera de algo.

Te crees que no sé lo que te pasa –le dice en una carta–, pero cuanto más me hablas de dinero, de negocios y de la gente tan importante que estás conociendo, más atisbo lo que escondes a tu madre.

Y en otra:

Siempre me ha gustado que sepas lo que quieres, cómo no me va a gustar, pero es peligroso enterrar lo que no está muerto del todo, así que asegúrate bien.

En algún caso, incluso llega a manifestar cierta tribulación de conciencia:

Puede que tenga yo la culpa de lo mismo que te achaco –dice– en eso tienes razón. Me quejo de que tus cartas parece que te las dicto yo, y tú te quejas de que me quiera meter a investigar repliegues de esa imagen, aunque ni siquiera me consta que existan. Es verdad. Pero tampoco me gustaría que te mintieras a ti mismo, estoy hecha un lío. Ya sé que llevo muchos años fomentando tu ambición y empujándote a dejar este país de atraso y de leyendas en que yo estoy anclada, a escapar de mis faldas y de otras aún peores. Pero dime de veras..., ¿tan a gusto te encuentras de repente ahí?, ¿tan cosmopolita te has vuelto? Lo veo raro, hijo, qué quieres que te diga.

En cambio, los datos sobre el motivo y gestiones del viaje, que constituyen la parte más prolija del texto, concuerdan en lo esencial con los que yo tenía desde pequeño, y me los salto porque me aburren. La caligrafía de la abuela en estos tramos es impecable y sin temblores, como la voz de los gobernantes cuando pronuncian un discurso. Y ninguna frase cuestiona, ni siquiera sesgadamente, la solvencia de su único hijo, Eugenio Villalba Guitián, ni su voluntad de hierro. Ha ido a Chicago a poner en orden ciertos negocios familiares, también de hierro, y a ajustarle las cuentas a un socio del abuelo, persona escurridiza y poco de fiar, a la que conviene meter en cintura. El bagaje jurídico de mi padre y sus dotes diplomáticas van a poner los cimientos de su futura fortuna. No queda claro si al abuelo Leonardo lo había engañado este individuo o fueron compinches de alguna confusa trapisonda que a su huérfano le tocaba esclarecer. Da igual. Tampoco sé el tiempo que llevaba siendo huérfano cuando partió para los Estados Unidos. Pero desde luego el tesón no parece que lo heredara de su padre, ni que este tuviera más voluntad que la de escabullirse de quienes pretendían imponerle la suya. En fin, es una historia vieja de la que ya tenía noticias antes de meterme a husmear en la caja de caudales. La abuela, cuando aludía a su marido, que no era muy a menudo, levantaba los ojos a lo alto y decía: «Ese pobre desgraciado que Dios tenga en su gloria.» Una frase donde la cercanía del adjetivo «ese» quedaba invalidada por una voz tan remota y opaca que ni siquiera encendía una brasita de curiosidad por aquella persona que un día llevó mi nombre y apellido. Llegué a pensar que se lo inventaban, que no había existido nunca.

Al otro abuelo solo recuerdo haberlo visto una vez en que siendo yo pequeño nos visitó en esta casa de Madrid, que por cierto había comprado él para su hija como regalo de boda. Pero no dormía aquí, se alojaba en el Ritz. No fue nada cariñoso conmigo. Era alto, tenía los ojos claros y vestía con elegancia. En el despacho, hay una foto suya enmarcada donde aparece con su hija, seguramente en la época en que papá los conoció. Están de pie en la escalinata de una casa lujosa, estilo colonial, y delante hay un perro lobo.

A la abuela, que siempre fue recelosa, le extrañaba que mi padre se hubiera sabido ganar tan pronto la confianza de aquella gente, «con lo suyos que deben ser los negociantes de ahí, y más teniendo en cuenta los tiempos que corren». También le aconseja que se porte siempre como lo que es, como un señor, sin andar mendigando favores de nadie. Y que si pesca en río revuelto, por lo menos que saque una buena trucha.

Faltan las cartas de mi padre, así que es como descifrar el dibujo de un bordado solo por el envés. Pero acabo atisbando, con el añadido de la fantasía y alguna consulta a la *Enciclopedia Británica*, cómo podía ser, a poco de concluir la Segunda Guerra Mundial, el clima de esta gran ciudad donde el afán de olvidar contiendas y apuntarse a la modernidad crecía tan ambiciosamente como sus edificios, y era al mismo tiempo motor y puntal de una nueva religión legislada por el dinero. El nombre de uno de sus máximos oficiantes, Walter Scribner, implicado en el proyecto del aeropuerto de O'Hare, debió de empezar a deslizarse desde muy pronto en las cartas de mi padre, aunque la abuela, sin saber que iba a ser su consuegro, solo se refiriera a él diciendo: «Ese señor tan rico que te invita a su casa», menciones que van adquiriendo una sombra de alarma, cuando se da cuenta de que anda por medio la hija. Al principio supone que será más fea que Picio, no porque mi padre no valga, sino por lo forrados de dólares que están ellos; luego debe haber mediado el envío de alguna foto y entonces sus sospechas se orientan hacia si la habrá dejado embarazada, pero no, Gertrud es muy feminista y no está segura de querer pasar por el trance de un parto.

Pues oye, hijo, eso tampoco, que parir en las mujeres es cosa natural. Y lo peor es que yo no sé si tú estás enamorado o no; eso es lo peor de todo. Te sigo diciendo que no me convences. Yo a ella por las fotos la encuentro guapa, pero muy tiesa.

A partir de ahí, parece que la veo encogerse de hombros, esperando la noticia de aquella boda rara. Ella de todo lo que no podía gobernar, se desentendía. Así, los acentos airados que al principio se aprecian en sus comentarios van siendo sustituidos poco a poco por una especie de fatalismo.

Pero es absurdo decir «al principio», «a partir de ahí» o «poco a poco». Esa sucesión temporal más bien la invento yo. Cuando se revisan papeles viejos, lo más difícil es enterarse ce por be de la historia a que aluden. Las palabras se hurtan a la cronología y recomponen un significado nuevo al aparecérsenos por otro orden.

Esto ya me lo había advertido una archivera amiga mía con la que estuve a punto de tener un romance en la Universidad de Verona. Pero no llegamos a nada, aunque la conversación apacible mantenida con ella durante nuestros paseos al atardecer nunca dejaba de evocar en mí resonancias shakespearianas. Era como si el texto de Romeo y Julieta ondeara en el remate de los edificios, tentándome a acometer proezas verbales de parecido ardor, arrastrarla conmigo a que se las creyera y forzarla a la réplica. Se llamaba Clara, era como una ingenua de cine antiguo, pequeñita, con los ojos asombrados, y nunca había tenido novio. Hacía mucho que no me acordaba de ella, y menos con esta invasión repentina de ternura y nostalgia, brisa fresca que arremolina las cartas de la abuela y las confunde con las de Sila, algunas infiltradas, por cierto, en este montón, ¡qué lío! Me llama la atención sobre todo una, enviada a Chicago desde Londres, donde se debe referir al compromiso de mi padre con la hija de Scribner.

En tu carta —dice— se nota la exhibición que haces de equilibrio perfectamente logrado. Por eso me preocupa. El «tú» que has hundido aflorará algún día como un cadáver viviente. Solo espero no tener que ocuparme de él entonces.

A saber si será casualidad o no que se hayan archivado juntas las reticencias de Sila y de la abuela Inés acerca de la boda de mis padres. Es un dato chocante, por lo menos. Y no me parece del todo inocuo.

Clara me hablaba precisamente de eso, del orden y desorden de los papeles. Ella estaba haciendo una investigación sobre Alfieri, y lo peor —decía— es que estaba encontrando demasiados documentos y muy revueltos.

¡Qué bien la entiendo ahora! Dejé de frecuentarla a partir de una tarde de primavera en que estábamos sentados ante la iglesia de San Zeno. Yo la escuchaba como ausente, y ella por primera vez puso una mano en la manga de mi chaqueta y buscó ansiosamente mi mirada, cuando solía ocurrir lo contrario, que bajaba los ojos si era yo quien buscaba la suya. «*Senti, Leonardo, dimmi*», que si entendía, que si me daba cuenta de ese abismo entre la vida y los papeles. Me estremecí. Siempre he tenido miedo de los amores románticos, y aquel no podía enfocarse desde otro ángulo: había visto los ojos de Julieta, la misma mezcla de audacia y candor. A los pocos días me enredé con una chica mucho más banal y descarada.

No saco todo esto a relucir premeditadamente, ha salido solo, porque es verdad lo que Clara expresó balbuciendo, contagiada sin duda por la poesía del atardecer: que las palabras de las cartas viejas se rebelan, como soldados que rompen filas, y no solo andan para atrás a repescar lo anterior –que cronológicamente puede ser posterior– sino que a veces se enganchan, sin querer, con retazos perdidos de nuestra propia memoria. Volaban los vencejos, se perseguían chillando, por el cielo amoratado. Dos leones custodian estáticos y eternos la entrada a la iglesia de San Zeno. ¿Qué habrá sido de Clara?

–*Capisci, Leonardo?* –preguntaba sofocada, con los ojos brillantes–. *Capisci? Dimmi.*

Y le dije que sí, que la entendía. Pero no era verdad. De lo que me daba cuenta es de que se estaba enamorando de mí; hasta hoy no había entendido a fondo aquello de los papeles y su desorden. Precisamente ahora, cuando esta pesquisa sobre el conocimiento de mis padres se ve interrumpida bruscamente por la mirada de unos ojos azules y olvidados. Que se fijan en mí, que intentan apoderarse de los míos, no lo invento ni le ha pasado a otro ni es historia de Ibsen o de Shakespeare, ella me miró a mí una tarde en Verona –¿entiendes?, dime, ¿entiendes? –, una mirada tan profunda y urgente que me ha obligado a abandonar argumentos ajenos para enfrentarme con ese retazo perdido de la propia memoria y contestar como se merecía a una cuestión vigente al cabo de los años, cuando no quedan rastros de quien la planteó.

Sí, Clara, sí, te comprendo. Y me gustaría mucho reanudar el diálogo contigo, enturbiado y truncado por mi culpa, por mi terror neurótico ante la transparencia de unos ojos que buscaban cobijo y aquiescencia en los míos, no en los de alguien a quien yo suplanto. Te entiendo, Clara, sí, porque me veo en una situación muy parecida, puedo sentirme dentro de tu piel, que es la única forma de comprender las cosas, romper los propios límites. La letra muerta revive al calor de quien se afana por recomponer tramas pretéritas desde un presente de cuyas adherencias nadie puede sin embargo prescindir, porque la misma tarea emprendida concita a veces esos argumentos extraños a ella.

Exactamente así, por eso mismo, has irrumpido y te has alzado tú, sin más ni más, como un gran arco iris tendido entre mi letra y la de estos papeles familiares que estoy vampirizando e intentando ordenar, como tú los de Alfieri. Arco iris efímero y fecundo. Por favor, no te apagues todavía, deja que los edificios de la orilla del lago Michigan se fundan con los de las placitas y calles de Verona y que al hotel Blackstone, donde se albergaba mi padre, le nazca en el piso catorce una balconada de piedra rosa a la que está a punto de asomarse Julieta, y se asoma y yo miro para arriba y veo que la curva de los siete colores se ha aflojado y se ondula como una serpentina.

Y de la S resultante nace otra vez la figura en blanco y negro de una adolescente que se precipita al vacío, y el escenario ya no es la fachada del Blackstone ni el balcón de los Capuletos, sino los acantilados del faro, ¡qué taquicardia!, deben de ser los efectos del *hash*.

Has agitado mi respiración, Clara, niña, hace tiempo que la sangre no se me alborotaba así. Quisiera retroceder a aquella tarde delante de la iglesia de Zeno y empujarla hacia otro final.

Se está consumiendo el pitillo de *hash* que encendí antes de tumbarme en el sofá a imaginar ese cambio de rumbo desde el momento en que pusiste tu mano en mi antebrazo hasta que empezaron a encenderse las primeras estrellas y los leones de piedra cerraron los ojos. Si tuviera tus señas, que gracias al cielo no las tengo, lo dejaría todo para escribirte una carta de amor interminable del estilo de las que recibió mi padre en distintas etapas de su vida firmadas por una S., cartas errabundas, donde el destinatario parece a veces ser mero pretexto. Se me enciende todo el cuerpo de deseo al imaginar cómo llegaría esa declaración intempestiva a clavarse, cual dardo por la espalda, en tu vida de ahora, en tus papeles, Clara, dulce fantasma, espejismo fugaz que ya te estás borrando.

Pero queda la abuela, la de los acertijos que nunca se acertaban, la que no se cansaba de decirme que tuviera paciencia, que no tratara de entender las cosas sin contar con su embrollo natural. «Si se ven todas las cosas puestas en fila, esto antes, esto luego, se acaba el misterio», solía decir, «y sin misterio ya me dirás tú qué tontería de negocio iba a ser la vida, niño.»

Pues qué contenta debe estar ahora, le ha salido un discípulo como los de los cuentos, un niño perdido entre papeles donde tal vez venga explicado lo inexplicable, en busca de un camino que no sabe cómo va a reconocer entre tantos como le salen al paso en el bosque, que a trechos recorre andando para atrás, sin más orientación que vagas advertencias, verás una encina con bellotas de oro, tendrás que cavar un agujero, pero procura que sea en el punto exacto, si te asustas del fuego que echa por las fauces el dragón, lo habrás perdido todo, pasa de largo, no te dejes arrebatar el talismán; siempre eran los conflictos de un adolescente que se enfrenta a la necesidad de crecer y de aguzar la astucia, que avanza a la intemperie entre graves peligros, orillando los precipicios que amenazan su memoria y hacen flaquear su decisión.

Me levanto otra vez del sofá. Estarás contenta, abuela.

VII. BAJADA AL COMEDOR

Me he dado cuenta de que, si quiero mantener el grado indispensable de concentración para seguir escribiendo, necesito, antes que nada, poner un cierto orden en mi nueva vida.

Lo primero que he hecho ha sido consultar los anuncios del periódico y contratar a una asistenta que viene todos los días a arreglar un poco la casa y a hacerme la comida. Le he dicho más o menos dónde están las cosas que puede necesitar, le he dado la llave de algunos armarios, cogiéndolas del mazo con letreritos que don Ernesto me dejó, y le he pedido que me moleste lo menos posible porque tengo mucho que trabajar. Parece eficaz, y además guisa bien.

También puse ayer una conferencia a Chicago y hablé con la tía Ingrid. No siento el menor afecto hacia ella, porque solo la he visto dos veces en mi vida, pero me pareció lógico y conveniente hacerlo. Hablamos en inglés. No se la oía demasiado bien, pero sí lo suficiente como para poder advertir que se esforzaba en vano por resultar cariñosa. Al parecer, mi madre estaba en tratamiento y pensaban ingresarla en una clínica de reposo. Le pregunté que si el coche lo llevaba ella. Me dijo que sí. Y que no se explica cómo mi padre le permitía conducir. Había reproche en su comentario. Los han incinerado. Luego me hizo diversas preguntas, de pura cortesía, sobre mi vida y mis proyectos, que esquivé con vaguedades. Quiso saber si me he casado, y al decirle que no, me sugirió que vaya una temporada allí si me encuentro solo. Le contesté que necesito estar solo y que además, por ahora, no puedo viajar al extranjero porque no tengo mis documentos en regla, a lo cual siguió un silencio embarazoso. Le aclaré que se trataba de problemas con la justicia, y ella dijo: «*Really? Are you kidding?*», con una voz metálica y extraña. No me pidió que le explicase qué tipo de problemas. Estaba claro que con aquello dábamos por cancelado cualquier intento de estrechar nuestras relaciones.

En cuanto colgué el teléfono, me acerqué a un papel que tengo pinchado en la pared del despacho con la lista de los asuntos pendientes y taché de un trazo rojo las palabras «tía Ingrid», experimentando un auténtico alivio. Y cuando se quita uno un asunto enojoso de delante, parece que los que quedan son más fáciles de solventar.

Debajo ponía «Notario». Ya había hablado dos veces con él por teléfono, pero le tenía que ir a ver.

Bajé para pedirle a Pilar, la asistenta, que me planchara el traje de franela gris, el único decente que conservo, aunque me queda un poco ancho. Estaba en el comedor, frotando la gran mesa de caoba del centro, y pareció alegrarse de que le encomendara una tarea más perentoria y vinculada con mi propio aseo. Porque realmente debe de pensar que tengo una pinta poco acorde con el lujo de esta casa.

Cogió las prendas y empujó con el pie la puerta de muelles que comunica con el *office*. Una de sus hojas, cuando ella desapareció, se quedó oscilando al compás de ese suave chirrido que se va amortiguando poco a poco.

Al comedor no había bajado todavía. Todo en torno mío estaba limpio y recogido, en la misma disposición que la última vez que lo vi; y el ambiente sugería idéntica sensación de inutilidad, de cobertura lujosa e inerte. Me quedé apoyado en la mesa de caoba, mirando fijamente las puertas blancas del *office*, como durante aquellas comidas tensas y silenciosas de la última época, cuando ya las líneas que unieron nuestro triángulo se habían convertido en cables de alto voltaje. Luego el segundo plato. Luego el postre. De la puerta del *office*, cuando se volvía a abrir, surgía el único alivio a aquella ceremonia insoportable. Yo refugiaba los ojos allí, esperando ver aparecer la figura impasible rematada por rostros cambiantes e imprecisos. Apenas si recuerdo algún nombre de aquellos criados y criadas, continuamente sustituidos, que entraban mirando al vacío, atentos a mantener en correcto equilibrio la bandeja con los nuevos manjares que venían a alimentar la pausa.

Pasé la yema de los dedos por la superficie pulida de la mesa y, al alzar los ojos, me vi reflejado en el espejo oval del comedor, como un fantasma incongruente custodiado en sus flancos por las dos mujeres desnudas que sostienen en alto sendos candelabros de bronce. Nunca me había fijado en que la de la derecha se ríe y la otra no. Las miré alternativamente, para asegurarme de que no se trataba de una alucinación, y cuanto más las miraba, más parecía acentuarse la sonrisa desafiante de la una y el gesto taciturno de la otra. Me quedé paralizado, como presa mi imagen dentro de una foto rara de esas que se encuentra uno al cabo de los años en el fondo de un cajón. («Aquella primera vez que volví cuando ellos ya no estaban, cuando comprendí de pronto que todo era mío, que algo tendría que hacer con ello, y me di cuenta de que la mujer del candelabro de la derecha me miraba y se reía, y la otra bajaba la vista.») Alguien podía estar a mis espaldas preparándose para captar aquella escena en su Kodak, porque sin duda se trataba de una circunstancia memorable. Mi padre siempre tuvo una especial intuición para elegir los momentos que consideraba significativos y gran capacidad de disimulo para recogerlos. La Sila voladora aporta un ejemplo de la mejor ley sobre estas dotes. Hasta que sonaba el chasquidito, nadie se daba cuenta de que había sacado la foto. Sin querer, me había quedado inmóvil, acechando la aparición de aquella silueta en segundo plano, dentro de las aguas estancadas del espejo, con el rostro escondido detrás del cuadrilátero negro. Clic. «Te cacé. Ha llegado el extranjero.»

El papel del extranjero me vino adjudicado el día en que mi padre me comparó con el protagonista de la novela de Camus, cuando se la di a leer. Yo, por mi cuenta, ya me había identificado con ese personaje de ficción. Pero el espaldarazo definitivo me lo dio él cuando me dijo, al devolverme el libro, que no le extrañaba que me hubiera gustado tanto porque el protagonista era igual que yo.

Y me miraba de forma penetrante, como si ya no tuviera más remedio que admitir esa naturaleza incomprensible que la literatura le había desvelado.

Nos prestábamos libros uno a otro sin convicción y hasta incluso con una punta de recelo, pero jamás con indiferencia. Se convirtió en una rara complicidad, del tipo de las que acompañan a los vicios compartidos, y mientras vivimos juntos nunca pudimos prescindir del intercambio de libros y el consiguiente comentario más o menos trivial, ceremonia de la que ella estaba por principio excluida. Era como una labor de tanteo, como lanzar un globo sonda para explorar cada uno el terreno del otro. Y es que, por mucho que intentáramos disimularlo, desde que empecé a crecer y a largarme de casa a todas horas, mis andanzas le desazonaban e intrigaban tanto como a mí las suyas. Y a través de las preferencias literarias y cinematográficas expresadas libremente, no era difícil imaginar los modelos a que podían atenerse nuestras respectivas conductas. Otras fuentes de información no teníamos. A él le gustaban mucho las novelas de adulterio del siglo XIX, especialmente *O primo Bazillio* y *La Regenta*. Por ejemplo, aquel pasaje en que Ana Ozores avanza por las calles de Vetusta vestida de penitente y Álvaro Mesía la contempla enardecido desde el balcón del Casino, con el ansia del cazador ante los atisbos de la pieza que aún no ha cobrado, y el alma pendiente de la aparición rítmica del pie descalzo que va a asomar fugazmente por el borde inferior del ropaje morado y a esconderse otra vez enseguida, le producía delirios de entusiasmo.

–En ese pie blanco de la Regenta –decía– se concentra todo el erotismo del mundo. ¡Qué sabrás tú! Qué te van a enseñar de erotismo esas amigas que llevas a la grupa de la moto y te encuentras por las discotecas, todo tan fácil, no os hace falta ni hablar, qué más da una que otra.

–Venga, padre, no hables sin saber de lo que hablas. Que yo tampoco me meto con las novias que hayas podido tener.

Pero a través de aquel «¡Qué sabrás tú!», me daba envidia imaginar que había vivido en su juventud algún amor romántico de los que ya no se estilan. Y estaba seguro, además, de que ese gran amor no había sido Gertrud Scribner, hija de un financiero de Chicago que hizo fortuna en los años del *crack*.

Él, a su vez, siempre estaba tratando de leer en mis ojos la novela que no conocía, una historia desconcertada y envuelta en penumbra. Al cine iba mucho mi padre, y tal vez pudo recoger datos para situar a tientas mi novela descarnada en locales de techo bajo y mucho humo, iluminados por focos de luz arrítmica. Entorno un poco los ojos y me siento un poco heredero de la impresión que debió balancear sus conjeturas. Hay niebla, mucha niebla. Yo tampoco me oriento bien ni, por mucho que pretenda viajar ahora hacia esos años a través del espejo del comedor, puedo recordar otra cosa que el son de un tocadiscos girando a todo volumen sobre la mesa de una habitación visitada cierta noche porque un amigo conoce a alguien que vive allí. Siempre queda flotando la pregunta de a cuál de los amigos de tu amigo pertenecerá el piso adonde se ha llegado, generalmente poco acogedor, aunque quepa en él mucha gente. No por espacioso, sino por el poco espacio de separación que parece exigirse entre unos cuerpos y otros. Y se tarda en saber, o no se sabe nunca, quién es la pareja de quién ni cuántas camas tiene la casa ni los que se van a quedar a dormir en ellas ni si ese acto —que se da por supuesto— de acabar yaciendo unos junto a otros se va a regir por combinaciones organizadas de antemano o será fruto de la casualidad, de cómo se vaya dando la noche, a cuyo rumbo nuestra entrada puede haber imprimido un derrotero nuevo, aunque nadie se ha sorprendido de vernos ni ha preguntado nuestro nombre —a lo sumo un gesto de saludo con la mano—; y siguen todos sentados en butacas deslucidas o tumbados por el suelo igual que estaban desde sabe Dios cuándo, uniformados los presuntos dueños de la casa y los presuntos visitantes por una actitud soñolienta y estática que no logra encender la curiosidad del recién llegado, cabezas y pies que se mueven al compás estridente de la música, manos que se alargan hacia una botella cualquiera o palpan un paquete de tabaco vacío —«¿os quedan ducados?»—, ojos que se quedan fijos en el techo con manchas de humedad o en un póster gigante de Marilyn Monroe y resbalan de su boca a su pantorrilla divina rematada por un pie provocativo que ningún ropón morado de penitente amenaza con esconder. Y nada hace sospechar que la noche vaya a tomar un sesgo apasionante, aunque al cabo de un rato alguna de las chicas que se han levantado para darle la vuelta al disco o para meterse por el pasillo que debe llevar a la cocina o al baño nos haya mirado al volver con más insistencia o se haya cambiado incluso de asiento y estemos ya acariciándole el brazo desnudo sin que a nadie le extrañe, ni siquiera a aquel que pudo haber sido su pareja en noches anteriores, y tal vez la chica esté triste o tenga algún problema, pero lo suele contar de una forma inconexa y deslavazada; mal. Una historia parecida a otras que ya hemos oído antes y que luego no vinculamos a aquel rostro que nos la contó, caso de que volvamos a verlo; se ha largado de casa de sus padres, no tiene trabajo, no tiene dinero o está embarazada, se le ha ocurrido un tema estupendo para una novela, quiere irse a Ibiza, conoce a gente que le puede dar albergue allí. Hay muchas chicas que nos han contado historias por el estilo en locales por el estilo, donde se agrupan gentes a la deriva, unidas por su condición de náufragos que no se escuchan entre sí, que sueñan vergonzantemente con narrar una aventura sensacional y sobrecogedora para alguien. Pero mi padre habría dado sin duda cualquier cosa por poder llamar con naturalidad a la puerta de uno de esos pisos cuya sordidez era incapaz de imaginar, por entrar en ellos sin talismán ni abracadabra alguno, sin que nadie le pidiera el nombre de una clave que al revés dice Sil, ni le preguntara su profesión o si estaba casado, porque le hicieran sitio en un sofá de escay frente a la embocadura del pasillo desconocido aunque sin misterio, pues nunca llevó al cuarto prohibido cuya puerta desazonaba mis sueños; pero a él le excitaría tal vez imaginar qué hará en una de esas habitaciones del pasillo la pareja que desapareció hace rato y no vuelve, si se quitarán la ropa nada más entrar, si dejarán la luz encendida, si se hablarán o no se dirán nada, cualquier cosa daría por no sentirse tenso en escenario semejante, por ser capaz de aguantar sentado allí sin mirar el reloj ni esperar nada del otro mundo, atento al ritmo del propio cuerpo, anulados sus planes inmediatos, fundidos sus discursos y juicios de valor al calor de una beatitud inédita que le hace deponer toda reserva para dejarse invadir tan solo poco a poco por el olor de la chica que le ha hecho sitio junto a ella, que aún no ha abierto la boca ni se perfuma con Diorísimo pero le mira mucho, idealizándolo porque tiene las sienes canosas y un aire antiguo de galán maduro. Una mirada franca e inequívoca. Muchas veces (tantas como yo había fantaseado sobre un encuentro con dama enigmática) tenía que haber soñado él con que le miraba así, tan de cerca, una de aquellas chicas que me llamaban por teléfono o traía a la grupa de mi moto, presencias femeninas apenas atisbadas que le producían recelo y enojo, que debía adivinar como una muralla contra la que se estrellaban sus sueños de seductor otoñal a quien le ha crecido ese hijo que nunca explica nada, que no se sabe si ha salido o está encerrado en su cuarto con gesto hermético, de quien a ratos es mejor olvidarse –«no sabía que estabas en casa, te llamaba una chica por teléfono», «yo tampoco sabía que estabas tú»–. Vivíamos bajo el mismo techo pero rumiando ideas tan divergentes que casi siempre el encuentro provocaba un sobresalto. La noción de su existencia era más cuestionable que ahora. ¡Se me hacía tan raro verlo aparecer, tropezarme con él algunas noches, cuando menos lo esperaba! –«perdona, papá, me has dado un susto, creí que estarías dormido»–; y unas veces se notaba enseguida que los dos nos habíamos sobrecogido de puro enfrascados como veníamos en lo nuestro, se advertía en aquel parpadeo nervioso de unos segundos con que nos esforzábamos por salir cada cual de su propio submarino y corregir el gesto de lejanía e indiferencia. Pero otras muchas quedaba claro que el encuentro no había sido fortuito sino consecuencia de un deliberado acecho por su parte o por la mía, y el que había andado merodeando para sorprender al otro era el primero que desviaba la vista –«No sabía que estabas ahí», «sí, aquí estaba, ¿querías algo?», «no, nada»–, una sombra espiando a otra sombra a lo largo del tiempo por pasillos, rincones, ventanas y rendijas de puertas, esas puertas que ocultan actitudes secretas y aíslan el olor de una presencia evanescente.

Pero nunca había sido tan real la colisión de esas dos sombras como evocada ahora, ya sin tacto posible, dentro de las aguas sepia del espejo, entre dos mujeres desnudas, una de las cuales acaba de enseñar la trampa, tantos años celada, de su risa terrible. Aunque no le hubiera oído bajar, se me estaba acercando por la espalda, con el rostro escondido detrás del cuadrilátero negro de su Kodak. «No te molestes», digo, «no va a salir la foto, hay poca luz.» «¿Y si yo enciendo las bujías de mi candelabro?», pregunta la mujer de la derecha con sus pechos al aire y su mirada al frente. «Ha habido gran motivo, ¿no te parece, Eugenio?, ha llegado por fin el hijo pródigo, tu querido extranjero.»

Con esas dos palabras encabezaría él años más tarde todas las cartas que me fue escribiendo desde que levanté el vuelo, hasta que últimamente perdió mi rastro porque yo mismo lo perdí también, igual que la memoria, la paz y el equilibrio. En esa fórmula de distanciamiento («querido extranjero») se amparaba siempre para acercarse a mí de la única forma que yo le permitía, poniendo entre nosotros unas gotas de humor y adornando mediante referencias literarias la barrera que nos iba alejando, como si quisiera conjurar el escozor que le pudo dejar mi brusca decisión de abandonarlos, de abandonarla a ella mejor dicho, aunque no quedó dicho ni mejor ni peor. Pero daba lo mismo, la ruptura total sin arreglo posible había sido con ella, y los dos lo sabíamos, a pesar de que nunca volviera a mencionarse el santo de su nombre, cobardía en su caso y desdén por mi parte. Se trataba de un juego clandestino, a espaldas de ella, y yo colaboraba en su mantenimiento, le daba pie para seguir tejiendo entre los dos aquel raro refugio con el único hilo que ya me vinculaba a una identidad cada día más discutible y remota.

Me sorprendí recordando, mientras me miraba reflejado en el espejo oval del comedor, la cantidad de veces que había contestado a sus cartas a lo largo del tiempo, firmando «L'étranger» (yo en francés lo ponía), desde puntos geográficos tan dispares como mis estados de ánimo. Incluso me invadía una especie de pesadumbre culpable cuando había pasado más de un mes sin mandarle alguna dirección nueva de amigos ocasionales, las señas de un hotel o un número de lista de correos. Y no solamente eran postales, no, también cartas. Tal vez las guarde todavía en algún cajón de su despacho,

¡me queda tanto por mirar! Seguro que no las habrá roto, porque le gustaban. Decía que escribía cada vez mejor, y yo procuraba describirle paisajes, gentes, locales, aventuras de autostop, costumbres y rarezas de los distintos países que iba visitando, todo lo que no me comprometía ni llevaba un adarme de mi huella: perfiles de ventanas y tejados, el color de los autobuses, el dibujo de los barcos, la visita a un museo, noticias de política, jirones de niebla momentánea. Y solo a veces alguna alusión a mis tentativas de trabajo como fotógrafo, pintor o periodista. Y también lector de español en Bérgamo y Verona, guía turístico, camarero o actor ocasional, porque de todo hice. A él le alegraba mucho –decía– ver mi letra. Lo decía como desde lejos, pero sonaba muy a verdad, y siempre latía un deje de resignación y de control en aquellas respuestas deliberadamente joviales, donde la tarea de comentar lo que yo había lanzado, apenas escrito, a las aguas azules del olvido me devolvía retazos de un perfil en perpetua metamorfosis, y a él le daba, de paso, pie para divagar y ejercitar unas dotes literarias siempre añoradas y latentes. Pero sin inmiscuirse en nada personal ni abrumar con sermones, era una consigna tácita, como si estuviera hecho a la idea de que algún día dejaría de escribirle y no se atreviera a pedirme que lo siguiera haciendo siempre. «Demasiado sujeto me tuvo a mí mi madre», se le había escapado confesarme en más de una ocasión.

Pero la procesión de mi padre iba por dentro como han ido pocas, así que no sé cómo encajaría –cuando llegó– mi abandono de la relación epistolar; una vez dijo que lo más raro del mundo, mucho más que la costumbre, era el paso de una costumbre a otra. Bien es verdad que ese tránsito no cae así del cielo o sube del infierno por las buenas, toda mudanza incógnita el día que se evidencia ya llevaba una etapa de carcoma royendo silenciosa y tenazmente las vigas del edificio.

Solo recuerdo que cuando empezaron a espaciarse mis respuestas, en las cartas y postales que me siguió mandando él –remitidas a veces de mi última dirección a la siguiente– se introdujo una novedad inesperada. En la esquina superior del texto se había colado ahora una apostilla oblicua y siempre idéntica: «Besos, mamá», decía.

Unos besos asépticos, picudos como la letra, algo que no dejaba traslucir ni siquiera arrepentimiento, solo la conveniencia (tal vez sugerida por él) de recordarme su presencia insoslayable en la casa, dar fe de la simbiosis mantenida contra viento y marea.

Ni que decir tiene que semejante novedad –la decidiera quien la decidiera– resultó contraproducente. La incursión de su firma no solo mediatizaba y teñía de convencionalismo las palabras de mi padre, sino que entorpecía, por añadidura, la espontaneidad de mi respuesta, de la misma manera que había perturbado siempre la relación entre los dos puntos inferiores del triángulo aquella presencia suya gravitando silenciosa en el vértice superior. Convenía hablar más bajo porque ella estaba dormida o le dolía la cabeza o estaba a punto de volver, ningún pronóstico descartaba una llamada o aparición repentina capaz de fulminar inmediatamente el fluido magnético que pudiera estar empezando a crearse entre nosotros, una intimidad que el mudo reproche de su sola presencia convertía en culpable desviación.

El extranjero, pues, fortalecido definitivamente en su condición de tal, abjuró de sus raíces y no volvió a dar señales de vida hasta que el azar y la fatalidad vinieron a traerle a estas costas de nuevo, en busca de unas huellas que creía borradas.

Nunca había sido tan densa la presencia del extranjero como en esos momentos en que, a pique de operarse una mutación en su naturaleza, estaba esperando a vestirse de gris, de huérfano respetable y decente, para ir de visita a casa del notario, mientras le preguntaba absorto a su doble del espejo de qué fecha sería la última carta firmada por él que llegó a este chalet lujoso de tres pisos, donde pocas veces se sintió feliz, pero que ya iba a ser libre de vender, reformar o incluso destruir en cuanto se prestara a rematar las cláusulas abstrusas de algún apelmazado documento con su firma armoniosa y responsable, sin acompañamiento malhadado de huellas dactilares, limpia de polvo y paja: L. Villalba Scribner.

Reaccioné sonriendo, disipé el garabato de mi imagen antigua y di la espalda a las dos celadoras de bronce, la risueña y la taciturna.

Ahora tenía enfrente, al otro lado de la mesa, las puertas correderas que separan el comedor del salón, con sus cuadritos de espejo incrustrados en la madera oscura. Me acerqué y las abrí. Corrían suavemente. Dentro estaban bajadas las persianas y en la penumbra de la estancia blanqueaban las fundas con que ella protegía la tapicería del sofá y de los butacones cada vez que salían de viaje. Era una ceremonia indefectible, antes habría perdido el tren o el avión que dejar de hacerlo. Ahora esas coberturas se me antojaban como un sudario sobre las cenizas de su propio cuerpo, sobre aquel necio empeño, que presidió su vida, de anular las manchas del tiempo y las arrugas del deterioro. Todo intacto, como si no hubiera pasado nada ni fuera a pasar nada jamás.

Cuando entró la asistenta con el traje planchado al brazo, me encontró arrancando las fundas del sofá y de los sillones. Me entregó el traje, y se puso a recogerlas y a doblarlas cuidadosamente. Sugirió que tal vez fuera conveniente mandarlas al tinte.

–¡No, por favor! Tírelas a la basura. ¡No quiero volver a verlas en mi vida!

Subí silbando a ducharme. Me puse el traje de franela gris con una camisa y una corbata de mi padre y encima la gabardina negra. Cuando me arreglo así tengo buen aire: el que ahora mejor cuadra a mi papel de heredero indolente pero cauto, que ha cogido el timón de sus asuntos.

VIII. EL ENTIERRO DE LA ABUELA

Cuando llegué a casa del notario y me pasaron a la sala de espera, el tema del extranjero, resucitado entre los dos candelabros del comedor, se había ido mezclando con el de la Reina de las Nieves, a medida que mis pasos indolentes por la calle de Serrano dejaban atrás edificios y tiendas que intentaban traerme otros recuerdos. Pero prevalecía la combinación de aquellas dos historias literarias, trenzándose y amplificándose como una melodía invasora a cuyos acordes se organizaba todo.

Creo que el libro de Camus lo leí el mismo otoño en que murió la abuela de repente y que más o menos por ese tiempo di por cancelada la obligación de bajar a sentarme con ellos a la mesa de caoba del comedor. Pero no estoy seguro, porque la muerte de la abuela es una cicatriz muy rara. El tiempo anterior a su marca se embarulla con detritus del que le siguió, igual que dos corrientes encontradas se estrellan contra los costados de una escollera, incapaz de contener el furor de las aguas bravías que le saltan por encima, se mezclan, coronándola de espumas y algas rotas, y acaban anegándola bajo sus remolinos.

Claro que cuando baja la marea, los perfiles rugosos de la cicatriz no hay maquillaje que los esconda. Durante mucho tiempo, al despertarme de algún sueño donde ella aparecía, tardaba unos instantes en tomar conciencia de que no podía llamar por teléfono a la Quinta Blanca para contárselo, de que ya nunca podría, y era como si me dieran la noticia de su muerte por primera vez. O la adivinara yo solo, mejor dicho, porque eso fue lo que pasó.

Era por la tarde, llegaba yo de la calle, y entré en el comedor sin saber para qué, puesto que no eran horas de comer ni yo iba a buscar nada en ese sitio, que además era el símbolo de lo que más odiaba. Me paré en el arranque de la escalera con la mano posada en una bola color caramelo que remata la barandilla. Era un asunto banal, relacionado con el aparcamiento de mi moto, lo que me había hecho detenerme unos instantes, pero aquella cavilación desapareció arrastrada por un cuchicheo que se filtraba por la puerta entreabierta del comedor. Crispé la mano, y la bola color caramelo estalló ante mis ojos como una pompa de jabón, llenando el aire, al disiparse, de reflejos irisados. Eran ellos dos los que estaban hablando en voz baja, y los pasos me llevaron allí obstinadamente, sin ningún tipo de vacilación. Empujé la puerta y entré, contra mi repugnancia a interrumpir conversaciones ajenas y a resultar inoportuno. Era un presentimiento fulminante el que me alteraba la respiración. Estaban de pie junto a la mesa de caoba, y dejaron de hablar cuando me vieron. Mi padre tenía un telegrama en la mano. Los dos miraron para abajo.

–Ha muerto la abuela –dije, extrañado yo mismo de la serenidad rotunda con que emitía aquella formulación.

Y mucho más me extraña ahora, al recordarlo, porque ni les había oído pronunciar su nombre ni ella estaba enferma. Pero lo más raro de todo es que pudiera admitir sin atragantos lo que siempre había tenido por inadmisible, haber sido capaz de decir, con voz clara y firme: «La abuela ha muerto», sin que se detuviera el tictac de los relojes, ni la imagen de su cuerpo inmóvil me impidiera seguir viendo y oyendo con toda precisión lo que a mi alrededor sucedía. Hay frases espantosas que segregan una rara anestesia al pronunciarlas, como si alejaran de nuestra carne viva el mismo acontecimiento que enuncian: un suceso que, imaginado unas horas antes, nos hubiera puesto los pelos de punta y que, entendido mejor con el pasar de los días, se vuelve francamente insoportable.

Mamá no vino al entierro. Viajamos él y yo en el Mercedes rojo con Luis, el chófer, ya que se dio por supuesto, sin discutirlo siquiera, que ninguno de los dos estaba en condiciones de conducir. Como apenas abrimos la boca durante el viaje, los recuerdos o preocupaciones que pudieran estar atormentando la mente de mi padre son para mí una de tantas incógnitas sin resolver. Yo me acordaba de Kay, de cuando fue raptado por la Reina de las Nieves y los copos gigantescos que le azotaban la cara le imposibilitaban reconocer los paisajes que iba atravesando. Trataba de reproducir también, con vano esfuerzo, el contenido de nuestra última conversación. Fue ella quien me había telefoneado, una tarde en que yo andaba con prisas porque me estaba esperando en un bar de Argüelles un chico que se llamaba Enrique Williams, escribía versos y tenía una buena discoteca. Le dije: «Adiós, abuela, ¿quieres que te pase a papá?» Y me dijo que no, que no hacía falta. Cuando llegamos, era ya tarde y estaba lloviendo. Antes habíamos hecho un pequeño alto en un restaurante de carretera, y yo me tomé dos somníferos con una tisana. Me notaba fiebre desde hacía varios días, pero no había ido al médico.

–Te acuestas en cuanto lleguemos –dijo mi padre–. Tienes una cara malísima. Yo me ocupo de todo, hijo, y mañana será otro día.

Le miré sonriendo, con una mezcla de abandono y gratitud.

–Bueno, papá. Pero quiero acostarme en su cuarto.

Dormí, efectivamente, en la habitación de donde acababan de sacar su cuerpo, y a la cual recuerdo haber llegado como braceando contracorriente, entre una marea de seres confusos y lloriqueantes, cuyas ropas oscuras despedían un olor a leña quemada, a eucaliptus y a leche agria. Y, de entre aquel magma con aromas de infancia, algunos brazos se destacaban, despegándose de la pared y se tendían hacia mí, como si trataran de apresarme. Yo concentraba todos mis esfuerzos en resistirme a su reclamo y a la náusea violenta que me producía ir avanzando sin mirar a ningún lado, atento tan solo a no naufragar entre aquella confusa marea. De todas maneras, no pude evitar percibir a la izquierda un fulgor de hachones encendidos, la sala grande del piano, donde acababan de instalar la capilla ardiente. En aquel punto arreciaron al unísono los gemidos y el oleaje encrespado de manos que intentaban apoderarse de mi cuerpo y desviar su rumbo.

–Dejarlo pasar –decía mi padre, a mis espaldas–. Viene hecho polvo. No necesita nada. Solo dormir. De verdad, Rosa. Dejarlo ahora.

Y por fin, una puerta que se cerraba.

Me acosté vestido sobre las mismas ropas que ella acababa de abandonar, y no quise siquiera dar la luz. Arrebujado, como hace unas noches, en la cama grande cuyo colchón se hunde por el centro, imaginaba, a oscuras y entre escalofríos, la disposición de muebles y objetos, las dimensiones y esquinas reales de aquella estancia tan familiar donde, de pronto, me sentía extraviado y sin protección alguna. En algún rincón, por ejemplo, debía de estar su cesto de costura, y no localizar el lugar exacto me producía una inquietud cercana al desvarío. Las manos largas y nudosas de la abuela, sobrevolando aquella variada geografía de hilos, carretes, cintas, flecos, cabos de lana, retales, imperdibles y botones, empezaron a blanquear fosforescentes como en un último estertor de vida. Fogonazos recientes de su aletear ayer mismo sobre el nido enmarañado de tareas, premoniciones y recuerdos cuyos hilos de seda aún pueden perseguirse, cuyos nudos aún cabe deshacer. Por mucho que cerrase los ojos, la temblorosa y fulgurante blancura de aquellas manos, como alas luchando contra la tijera de la muerte, me llegaba de todos los rincones, traspasando la barrera de mis párpados apretados, a modo de sinfonía descompuesta. Me dio miedo dejar de estar alguna vez en el mundo y de que los objetos conocidos ya no volvieran a llevar mi marca. Y supe que la noción de la muerte es lateral y oblicua, que se nos cuela de través por ahí, desde la inmovilidad de las cosas huérfanas de su dueño, persistentes, parásitas, sin uso.

Pronto caí dormido y oí a mi padre sollozando cerca, pero no era a mí a quien invocaba. Sabía que era él, aunque su voz no se parecía mucho ni tampoco le veía el rostro. No importa. En los sueños pasa. En cambio, me llegaba claramente el contenido de su entrecortada perorata. Porque no era un monólogo; estaba llamando a alguien a quien echaba furiosamente de menos. «No sabes cómo te necesito, lo que daría por tenerte aquí, sería como recuperar la respiración verte aparecer ahora mismo, daría mi alma al diablo, entera no, lo que tú has dejado de ella, a cambio de mirarte tan solo diez minutos. Aunque tú no me hablaras. ¡Verte, mirarte ahora!» Era un aullido de desfallecimiento y pasión.

A la mañana siguiente, cuando estábamos desayunando uno frente a otro en la cocina, le miré de pronto, aturdido, como si no lo conociera. El teléfono está colgado en el pasillo, junto al dormitorio de la abuela. No estaba seguro de haber soñado aquella conversación. De lo que, sin embargo, no me cabía duda es de que no había sido mi madre la receptora de aquel clamor de súplica, alucinatorio o no. Ni en sueños. Ni siquiera imprimiendo marcha atrás a la rueda del tiempo. No. No ajustaban las piezas.

A la abuela la habían metido en un ataúd de cedro que, según oí comentar, ella misma tenía encargado desde hacía mucho a un ebanista viejo de la aldea, con ventanita de cristal en la tapa para que pudiéramos verla sonreír hasta el último momento en que vinieron cuatro paisanos a cargarlo a hombros.

A nadie le extrañó la ausencia de mi madre, o al menos nadie preguntó por ella. Íbamos él y yo siguiendo a pie el entierro, más juntos de lo que nunca habíamos estado, dos hombres enlutados de la misma estatura, con la cabeza baja, y detrás de nosotros el pueblo en pleno. Hacía una mañana gris, de nubes cárdenas y frías. Fue un trayecto muy corto hasta el pequeño huerto que rodea la iglesia. Corto pero infinito, como aquella bajada vertiginosa a la grupa del trineo que llevó a Gerda y Kay hasta la plaza.

Después de que don Anselmo, el cura de la aldea, rezara dos responsos en latín, cuando ya estaban rodeando el ataúd de cuerdas para descenderlo, empezó a lloviznar, y se percibió un tamborileo suave contra la madera. Entonces me arrodillé en el suelo y levanté por última vez una especie de contraventana con la que habían cerrado el cristal. A través de él y en ese momento eterno, la abuela seguía y sigue sonriendo enigmática con los ojos cerrados.

–¡Te lo llevas todo, todo! –le grité llorando.

Y golpeaba la madera de cedro con los puños. Tuvieron que llevarme de allí a rastras, como a un niño, aunque ya hace tiempo que no lo era. Fue mi último vómito de lágrimas.

También fue mi última visita a la Quinta Blanca.

Al volver del cementerio, ya no quise siquiera entrar en la casa. Me quedé deambulando por el jardín mientras mi padre hablaba con la gente, abrazaba a unos, daba órdenes a otros, recogía cosas o hacía alguna llamada por teléfono, no sé si real o imaginaria.

Debió de pasar bastante tiempo, porque me mojé mucho, aunque la lluvia era menuda y tibia, casi como rocío. Hay un tramo muy intenso, no puedo calcular si breve o largo, en que estoy sentado en el último banco junto a la estatua grande de Minerva, y miro la fachada de la casa. Ahí se empieza a formar la cicatriz. Tuve la impresión de estar asistiendo a algo ya acontecido, distante, y que, una vez cumplido su ciclo, antes de desgajarse totalmente de mí, dejaba como un aura de espejismo. Y tuve, sobre todo, miedo del futuro. Porque en aquel momento, cerrando los ojos, podía imaginar aún con toda precisión el timbre de voz de la abuela, llamándome desde la ventana de la cocina. («Pero Leo, ¿estás loco? ¡Anda, hijo, entra aquí, que te estás empapando! Acabo de encender la chimenea.») Podía oír de verdad su voz, reproducir espontáneamente su cadencia exacta, sin necesidad de adjetivarla, como ahora cuando digo que era grave, misteriosa, autoritaria, melancólica, o lo que sea. Simplemente oía aquella voz, la seguía oyendo. Se me cruzó entonces, como un flechazo, la posibilidad de que algún día llegara a olvidarla, a no poderme arropar con ella, y me pareció lo más horrible del mundo.

Después de aquello volvimos a Madrid y estuve varios meses enfermo con una hepatitis que, según parece, ya se me venía incubando de antes. Perdí totalmente las ganas de comer y de hablar. En cambio leía mucho. Horas enteras. Y apuntaba alguno de mis delirios que versaban casi siempre sobre habitaciones llenas de puertas prohibidas. Estaba terminando Filosofía y Letras, pero aquel año perdí el curso.

Mis padres me trataban entonces con más delicadeza, como si tuvieran algo de miedo. Y cuando me puse mejor, aproveché aquel nuevo respeto hacia mi persona para declarar que en la mesa con ellos se me quitaba el apetito y que no pensaba volver a bajar al comedor. Lo dije fríamente, como quien lanza un desafío, y desde que accedieron, o al menos no se atrevieron a discutirlo, se inició, con la mezquina sensación de victoria que su debilidad me otorgaba, la etapa sorda de sadismos y chantajes que culminó con la partida definitiva.

Había descubierto por entonces –no sé si antes o después de la cicatriz– a Baudelaire, Poe, Camus y Bataille, me exaltaban las nociones de destrucción y pecado y me sentía identificado con los héroes del mal, arrebatado por esa ingenuidad olímpica y cruel con que en la primera juventud nos creemos capaces de asomarnos sin temblar a todos los abismos. Me engolfaba con placer secreto en aquella dialéctica, al mismo tiempo turbia y peligrosa. La que ya se insinuaba en los umbrales de mi conciencia infantil y me llevaba a rechazar la segunda parte del cuento de Andersen.

Un día la abuela me había dicho: «Lo que te pasa es que tienes celos de Kay.» Y cogí una rabieta, porque era verdad. Porque Gerda, desde que una mañana muy temprano se calzó sus zapatitos rojos y, negándose a aceptar la evidencia de la desaparición de Kay, se escapó de casa sin rumbo fijo, dispuesta a buscar a su amigo, cada vez se iba alejando más de mí. Atravesó las calles estrechas y traspuso las puertas de la ciudad en dirección al río.

«Dime», le preguntó, sentada en su orilla, «¿te has llevado a Kay?, ¿dónde está?» Yo bajaba a los acantilados, me quedaba mirando subir la marea, y sentía a Gerda conmigo, porque, aunque nunca supe el nombre de aquel río del cuento, lo que sí sabía es que las aguas de todos los del mundo vienen a dar al mar y arrastran con ellas las lágrimas de quien llora a su orilla. Pero lo malo fue cuando se montó en una barca y se embarcó en aquella larguísima y peligrosa aventura que cada vez se la llevaba más lejos de mi paraíso encerrado. Me había dejado definitivamente solo y se negaba a llorar en mi hombro. La envidiaba en el fondo, sí, porque era libre y se atrevía a abrirse camino al raso. Decidí desentenderme de ella. Pero no la podía olvidar. Porque no la podía seguir.

Y me metía enfurruñado en mi cuarto a pintar a una niña muy fea y jorobada con el traje roto en harapos grises. «Me estoy volviendo malo como Kay», pensaba. Y a ratos sentía remordimientos, pero otras una confusa y secreta alegría, porque me tentaba la sospecha de que tal vez hay que ser malo para que a uno le puedan querer. Y además, en todo caso, para ser muy bueno –que es lo que yo seguía prefiriendo– tenía que existir una maldad contra la que luchar, un maleficio que vencer, algo, en fin, que alentase un propósito aventurado. Yo quería ser grandemente malo o grandemente bueno, pero no pasaba peligros, me sentía protegido y solamente podía dar palos de ciego contra sombras grises que no se materializaban en nada. ¡Qué diferencia con Gerda!

Ocupaban más de medio libro todas sus peripecias esforzadas (río abajo, a través de bosques y llanuras, de encuentros con brujas, princesas y animales parlantes) hasta que conseguía avistar el castillo de hielo de la Reina de las Nieves, rescatar a su amigo mediante un beso, y lograr así un final feliz.

Llegaba montada en un reno, desafiando los helados vientos. Y la verdad es que el encuentro con Kay era emocionante, por muy inverosímil que resultara aceptar que ella hubiera podido colarse por las ranuras de aquel edificio gélido e inaccesible donde la blanca carcelera lo mantenía secuestrado. Se lo encontró de rodillas en un vestíbulo inmenso, glacial y desprovisto de todo adorno, tratando de hacer un puzle con trocitos de hielo. Se trataba de componer la palabra «eternidad». Estaba enteramente concentrado en aquel juego, cuyo nombre me sigue estremeciendo: el Juego de la Razón Fría. Cuando Gerda lo vio, corrió hacia él y le echó los brazos al cuello. «¡Kay, mi querido Kay! ¡Por fin te he encontrado! ¡Ha sido tan largo el camino, tan lleno de peligros!» Pero Kay no se movió. Permaneció allí rígido e indiferente, mirando a su amiga sin verla. Entonces ella rompió a llorar con desconsuelo, y sus ardientes lágrimas, resbalando por el pecho del niño, se abrieron camino hasta su corazón de piedra. Esto es lo que a mí me parecía más absurdo, que un trozo de hielo incrustado en el interior de alguien durante tanto tiempo como para haber llegado a formar costra pueda fundirse sin más, al calor de un llanto ajeno y contagioso. Pero eso decía Andersen: que inmediatamente las lágrimas acudieron a los ojos de Kay, que arrastraron en su fluir el añico de espejo diabólico, y que aquellas mejillas azuladas de frío tomaron enseguida un tono de arrebol. Al mismo tiempo reconoció a Gerda, la llamó por su nombre, la abrazó y le preguntó que qué pasaba, que por qué estaba él en aquella habitación tan grande y desconocida. Todo en un abrir y cerrar de ojos.

–No sé de qué te extrañas –protestaba la abuela ante mi desconfianza–. También a Blancanieves la resucitó un beso de amor. Pero yo pensaba que una mudanza tan terrible no podía borrarse con un beso. Si la primera parte era verdad, la segunda tenía que ser mentira.

Algunas tardes de mal tiempo, cuando, desobedeciendo las prohibiciones de la abuela, me escapaba al faro y me quedaba allí estremecido de frío, mirando las olas peligrosas y terribles, me sentía zarandeado entre esos dos polos contradictorios de maldad y bondad, de calamidad y bonanza, que alborotan la corriente del cuento infantil, enviando alternativamente sus luces en pugna, hasta que una de ellas se apaga. ¿Pero por qué era la del mal la que se apagaba siempre, y al final se volvía inocua, como si nunca hubiera existido? Regresaba a casa con las ropas húmedas y afrontaba triunfal la riña de la abuela. Desde el acantilado que está cerca del faro, mientras oía sobre mi cabeza el chillido de las gaviotas, soñaba con el castillo de hielo de la Reina de las Nieves y con aquel niño que había perdido la memoria y se esforzaba, con las mejillas azuladas de frío, por descifrar a solas un rompecabezas incomprensible, arrodillado sobre las baldosas del inmenso vestíbulo.

–Gerda es tonta –le decía a la abuela–. No sé por qué se tiene que meter. Kay está pensando en sus cosas, quiere resolver él solo ese puzle. Tú dices que los jeroglíficos los tiene que descifrar uno solo. Igual no le gusta que lo encuentren. Y además, si es malo, pues que lo sea. Que lo deje en paz.

–No es malo. Al final se vuelve bueno –me recordaba la abuela.

Pero su voz tenía el tono de monserga de cuando rezaba las letanías del rosario.

–¡Es mentira! El final es mentira. No te lo crees tú tampoco, lo cuentas sin ganas.

–El que lo oye sin ganas eres tú. Pero en fin –añadía suspirando–, si quieres, te lo cuento mejor.

–No quiero. Te he dicho que no lo quiero oír.

–Como te dé la gana. ¡Vaya un niño! Pero por el acantilado del faro no bajes, que algún día te vas a desgraciar.

Una vez muerta ella, ya la única cosa que merecía la pena era seguir bajando por el despeñadero de la literatura del mal, que promete asomarnos a todos los abismos. Pero lo curioso es que mi afán de transgresión, alimentado ya sin trabas por las lecturas de la edad adulta, se fue volviendo cada vez más contra mi padre. Si había decidido componer en adelante una figura diametralmente opuesta a la suya, era sobre todo para brindársela. Como si sospechara que en los sótanos de su apariencia mesurada y paciente se escondía, amordazado, un ángel rebelde muy parecido a mí.

En aquella época inmediatamente posterior a la muerte de la abuela, sus relaciones con mi madre atravesaban por una de las fases de tirantez más acusadas que yo recuerde. Aunque el recuerdo, más que gestos o actitudes, lo que registra es la ausencia total de ellos, como si fueran dos malos actores desconcertados ante los focos y totalmente desconocidos uno para otro, incapaces de seguir recitando un papel demasiado difícil. Y en aquella ocasión, más que en ninguna, había llegado además al convencimiento de que era mi existencia la que contribuía a hacerles insuperable el desempeño de un ensayo aborrecido e ingrato. También por entonces –no sé si antes o después de la cicatriz– es cuando me empezó a rondar cada vez más insistentemente la sospecha de que él pudiera tener una amante. Se ausentaba con frecuencia, por días y hasta por semanas. Y volvía con un rostro ensimismado, atractivo y misterioso.

Una mañana, durante una de aquellas ausencias suyas, en la convalecencia de mi enfermedad, me desperté y vi que estaba nevando. Nunca ha dejado de ser la nieve un acontecimiento prodigioso, algo que desvanece lo cotidiano y nos relega al margen de su acontecer, como si cualquier movimiento de los que pudiéramos hacer mientras está nevando se volviera cuestionable e irreal. Hacía un rato que me había levantado y que estaba sentado junto a la ventana mirando caer los copos sobre el jardín, cuando llamaron con los nudillos a la puerta y se presentó mi madre. Su aparición repentina me sobresaltó, porque no solía subir a verme. Iba vestida con una bata de terciopelo blanco. Me preguntó que qué tal me encontraba, que si estaba estudiando, circunloquios inútiles, porque yo enseguida había entendido que venía a decirme otra cosa. Por fin se sentó y sacó del bolsillo una carta muy abultada. Antes de que me la alargara, yo había reconocido al vuelo la letra que decía en el sobre «para Leonardo», y se la arrebaté de las manos, sintiendo cómo la sangre se me subía a la cabeza. La abuela se había muerto hacía meses. ¿Cómo no me habían dado antes aquella carta?

–No estabas bien. El médico dijo que no te convenían las emociones.

Pero yo, mientras escuchaba sus palabras que se esforzaban por denotar desvelo y afecto, apretaba entre mis dedos aquel sobre como si fuera un talismán y pensaba que qué tenía que ver el médico, que ni ellos ni el médico entendían nada si no habían entendido que la curación de todos mis males venía de allí, de aquella esperada confesión de la abuela. Porque no me cabía duda de que allí, dentro de aquel sobre, tenía que venir al fin expuesta con todo pormenor y claridad la historia deseada, sin intercalar acertijos ni equivocar pistas, la bebida infalible para aplacar mi sed, para curar mi fiebre. «Sana, sana, culito de rana, si no sanas hoy, sanarás mañana.» Ya había llegado la luz de ese mañana prometido.

Pero, cuando al cabo de un rato que se me hizo larguísimo, mi madre se fue por fin del cuarto, tras darme un beso en la mejilla, apenas rasgado el sobre y recorridas las primeras líneas del texto, sospeché que el cristalito de hielo se me estaba metiendo por un ojo. Seguí leyendo por encima, a toda velocidad, buscando. Pero nada. En aquella carta, fechada dos años atrás, la abuela simplemente declaraba haber comprendido que nadie, ni siquiera ella, podía ser inmortal, y que haberlo entendido significaba entrar en la recta final y empezar a morirse. Detrás de aquel preámbulo, adornado con refranes que rezumaban un humor ambiguo, se limitaba a darme una serie de consejos morales y prácticos para la vida y a aclarar varios puntos que pudieran quedar oscuros en su testamento. En cuanto cumpliera la mayoría de edad, podría entrar en posesión de mi herencia que incluía, por supuesto, la Quinta Blanca, con todos sus enseres de puertas para dentro. «No soy quién», decía, «para imponerte mi voluntad, y menos cuando ya la poca que me queda se la hayan merendado los gusanos, pero me gustaría que la Quinta Blanca no la vendieras nunca. Ya sé que habrá que hacer muchas reformas, sobre todo en la parte de arriba, que está cayéndose a cachos, y sé también que tú eres perezoso. Pero no te apresures a desprenderte de ella, porque algún día dejarás de serlo y entonces sentirás que esa tarea la hayan llevado a cabo manos extrañas.» A continuación venía un inventario prolijo de aquellos deterioros que ella ya se encontraba sin fuerzas para remediar, mezclado todo con comentarios más o menos jocosos, con descripción de muebles, con el dibujo meticuloso de bóvedas y corredores, cuyo trazo a veces incierto venía interrumpido acá y allá por crucecitas rojas que señalaban los tramos por los que se colaba la lluvia o crujían las traviesas más peligrosamente, con listas de recados, con alusión a censos enredosos, con detalle de cuentas.

Yo, mientras fuera se espesaba la nieve, iba devorando decepcionado los párrafos de aquella monserga interminable, confiando cada vez con menos fe en que pudiera aún aparecer, agazapada entre ellos, la anhelada confesión, el cuento solicitado tantas veces, o alguna clave por lo menos. Pero no la encontré, porque no estaba. Busqué una y otra vez, recogiendo las cuartillas que se me habían caído al suelo, repasando despacio las palabras del encabezamiento hasta la firma. Las líneas se trenzaban formando un arabesco incongruente, me bailaban delante de los ojos. Y no porque las viera nubladas por las lágrimas. No. Los ojos los tenía secos como la estopa, me escocían igual que si alguien les hubiera prendido fuego por dentro. Ya no podía llorar. De aquella carta, que cerraba la puerta a todas las preguntas, me había saltado a los ojos nada más sacarla del sobre una partícula del espejo que se les hizo añicos a los dioses del mal en el tiempo irrecuperable del «érase que se era», y ya aquel cristalito se me estaba colando hasta el corazón, bajaba vertiginosamente a helarme las lágrimas, la nostalgia y la memoria. Quedaba condenado a jugar eternamente al Juego de la Razón Fría, combinando pedacitos de hielo sobre una superficie blanca desconocida e infinita. Y ninguna Gerda me iba a venir a rescatar.

A la semana siguiente, cuando llegó mi padre, le dije que quería vender la Quinta Blanca. Lo antes posible. A cualquier precio. No quería saber detalles. Que se ocupara él de todo.

He tenido desde entonces mucho tiempo para jugar al Juego de la Razón Fría, para rebobinar aquella tarde y volverla a pasar a cámara lenta ante mis ojos secos, una vez y otra vez. Pero hasta ayer, cuando sentado en la antesala del notario estaba reconstruyéndola, como remate a mi deambular callejero, no había sido capaz de descifrarla. Allí, esperando vestido de gris en aquella habitación anónima a que alguien entrara diciendo «pase usted», con los ojos fijos en una puerta sin misterio aparente, por donde no se colaba más que un tecleteo de máquinas de escribir, surgió de pronto un rayo de luz.

Tarda uno mucho en descifrar las cosas, tenías razón, abuela, es cuestión de paciencia. La solución al misterio puede venir engastada dentro del mismo texto misterioso que la camufla, como pasaba con tus acertijos. Ahora ya sé por qué no fue tu hijo quien me trajo la carta, o no me la encontré sobre la mesa o no me la mandó certificada un notario. Entró ella vestida de blanco. Y la traía en la mano. Y poco antes había empezado a nevar. La fatalidad elige cuidadosamente a sus mensajeros, no creas que he entendido poco. He entendido lo fundamental, lo que tú nunca quisiste decirme, tal vez para que no se me helara del todo el corazón. La mensajera de aquella carta, a quien siempre besé y llamé madre con cierta aprensión, al sacarla de entre los pliegues de su manto blanco y tendérmela, me estaba dando también la clave de su propia identidad. Una clave descifrada a destiempo, cuando ni ella ni tú sois ya, señora abuela, más que un montón de polvo, un puñado de tiempo inmemorial. Pero quiero que sepas, donde estés, que por fin lo he entendido por mí solo, sin ayuda de nadie. Tu carta póstuma me la trajo en persona la Reina de las Nieves.

IX. LA EXTRAÑA INQUILINA

–De verdad, Leonardo, no te entiendo. Es como si hubieras perdido la memoria.

–Ya le he dicho antes que, en parte, la he perdido. Y que ahora, gracias a la escritura, la estoy empezando a recuperar, voy poco a poco. Son secuelas de la cárcel. Pero de todas maneras, aunque sea verdad lo que usted dice de que fui yo quien quiso vender la Quinta Blanca...

–¡Pues claro que es verdad! No es que quisieras, es que te había entrado una urgencia por soltarla que más parecía locura que otra cosa. Tu padre estaba consternado. ¿Es posible que no te acuerdes de cuando viniste aquí, a este mismo despacho, para otorgarle un poder y que se encargara él de todo? ¿De la prisa que le metías, como si fuera cuestión de vida o muerte? Te ibas al extranjero, a Marruecos, creo, ¿no te acuerdas?

La voz de don Octavio es persuasiva. Hace rato que más parece la de un psiquiatra que la de un notario. Ha encanecido bastante, pero su rostro me sigue resultando familiar. Era bastante amigo de casa, y siempre me inspiraron confianza su expresión bondadosa y su palabra serena. Me quedo mirando un sujetalibros de bronce posado sobre la gran mesa de madera oscura que nos separa. Representa a don Quijote de pie, lanza en ristre y con la cabeza alzada al cielo, a punto de iniciar un arrebatado parlamento. También aquella tarde me fijé mucho en él, sí, claro que me acuerdo, poniéndolo por testigo de una decisión enloquecida y que entonces se me antojaba heroica e irrevocable: desprenderme cuanto antes y para siempre del legado de la abuela, no volver a mirar nunca hacia atrás.

–¿Por qué estaba consternado mi padre? –pregunto–. A mí no me dio a entender que lo estuviera.

En el rostro de don Octavio se dibuja una sonrisa melancólica, como si se le hubiera cruzado otro recuerdo.

–Bueno –dice–, contigo tenía una relación difícil, poco relajada. Pasa a veces con los hijos. ¿Tú no tienes hijos?

–No, que yo sepa.

–Pues cuando los tengas, te darás cuenta de que nunca se sabe cómo acertar, lo disculpa uno todo, pero sin entenderlo. Los hijos, en cambio, puede que nos entiendan mejor, pero no nos pasan ni una.

Guardamos silencio. Está empezando a anochecer. No se oye ruido en la oficina. Antes me ha dicho que ya no queda nadie en la sala de espera, que me ha dejado a propósito para el final, y que podemos hablar sin prisas.

–En fin, de quién fuera la culpa no lo sé, pero se os notaba tensos a uno con el otro. No creo estarte descubriendo nada que no supieras. A Eugenio le daba pena que hubiera que vender la finca, eso por supuesto, pero más todavía, me parece, no entender los motivos de una decisión tan brusca, él descartaba que fueran de tipo económico, o al menos primordialmente. No sé, tal vez hubiera necesitado que tú le dieras pie para indagar esos motivos y para discutirlos.

–Puede ser. No se me había ocurrido.

–¿Se lo diste? Quiero decir que si consultaste en algún momento con él este asunto de la Quinta Blanca, o le pediste parecer.

–Pues no recuerdo. Seguramente no. ¿Usted cree que él lo esperaba?

–De ti, Leonardo, tu padre esperaba siempre un acercamiento, algún paso que él era incapaz de dar. O sea, como se espera un milagro. No quería agobiarte ni influirte en ningún sentido. Por lo menos fue lo que me dijo. Al fin y al cabo era tu herencia, y eras mayor de edad.

–Naturalmente. ¿Y a él qué le importaba que vendiera la Quinta Blanca o la dejara de vender? Ya en los últimos años de la abuela no era más que una fuente de problemas y de gastos. Supuse que, incluso, le produciría alivio.

–Es mucho suponer. Eugenio tenía anclada allí su infancia, tanto o más que tú la tuya.

–Ya, pero total para lo que iba. Y no digamos mi madre, ella ni pisar por allí.

De repente aflora, aunque confusamente, el recuerdo de una bronca antigua. Debía de ser yo bastante pequeño. Fue por causa de una mujer del pueblo que venía a hacer las faenas, Rosa Figueroa, la misma que me contaba cosas del difunto farero. Yo me puse de su parte en la riña. ¿Por qué reñían? La abuela estaba seria y a mi madre le dio un ataque de nervios. A partir de entonces, creo que nunca volvió por la Quinta Blanca.

–Pero tu madre qué tiene que ver –dice don Octavio–. Te pregunto por ti, por lo que pensabas tú, cómo se te ocurrió prescindir de esa casa, cuya existencia ahora vuelve a obsesionarte. No estábamos hablando de tu madre; por favor, no mezcles las cosas.

Pienso que dialogar con otro, meterse por los caminos que su discurso te va marcando, ya es una mezcla añadida al intríngulis que las cosas presentan de por sí. Pero no le digo nada, simplemente lo noto. Me doy cuenta de que hacer memoria teniendo a don Octavio sentado al otro lado de la mesa cuesta más que atar cabos a solas. No es que me produzca rechazo su presencia, incluso creo que valdría la pena hacer el esfuerzo, que sería como ampliar un panorama dotándolo de otra dimensión. Por ejemplo, ha nombrado a mi madre con cierta alteración, seguro que sabe cosas de ella que yo ignoro. Pero la verdad es que el diálogo requiere una gimnasia en la que me siento inseguro por haberla practicado poco. Llevo muchos días de labor solitaria haciendo memoria como quien hace crucigramas en su idioma. Y ahora aparecen las líneas verticales en latín.

–Tu padre, ya te digo, estaba seguro de que no se trataba fundamentalmente de una cuestión de dinero –prosigue don Octavio–; decía que era difícil encontrar una persona más desinteresada que tú. Y hoy me lo estás demostrando con creces. Parece como si te dejara frío enterarte de la inmensa fortuna que heredas, y solo te apeteciera recuperar lo que tú mismo despreciaste y malvendiste entonces.

Nos miramos y me dan ganas de pedirle ayuda, de confesarle que me resulta difícil seguir sus argumentos porque estoy entrando en trance de divagación. No sé adónde va a parar ese discurso suyo que ya lleva largo rato serpenteando por un paisaje extraño de títulos, documentos y cifras y se estanca, en cambio, al acercarse a la Quinta Blanca, convirtiéndola, apenas avistada, en un espejismo, en una meta utópica. Se desmorona delante de mis propios ojos en cuanto alargo el brazo, se diluye. Nunca la podré recuperar, porque tal vez no haya existido nunca. Me paso la mano por la frente y respiro hondo, como si me faltara el aire.

—¿Qué tienes, Leonardo? ¿Te encuentras mal? No te habré dicho algo que te haya herido, ¿verdad?

—No, no. Simplemente estaba haciendo memoria. Pero no sé muy bien sobre qué. Soy lento, ya lo sabe, y me pasa a veces que me quedo en blanco. Mejor será que vuelva otro día. Hoy ya hemos hablado de demasiadas cosas.

—Como quieras. Tendrás que volver, desde luego, porque la testamentaría va a ser larga, todavía quedan muchos cabos por atar y necesito tu ayuda. Pero hay tiempo. Lo importante es que hayas aparecido, no te puedes imaginar el peso que se me ha quitado de encima, hijo, de verdad. Tu padre me nombró su albacea, sabes cuánto le quise, y lo que más te agradecería es que me miraras como a un amigo, que acudas a mí para aclarar cualquier problema. Del tipo que sea, quiero que quede claro. Lo vas a hacer, ¿verdad?

—Naturalmente —digo—. ¿Y a quién voy a acudir, si no? Yo me fío de usted, de todo lo que haga. Pero tendrá que tener paciencia conmigo. Soy una absoluta calamidad.

A mí mismo me extraña el desfallecimiento de una voz que apenas reconozco. Desde que se despidió Mauricio, no había vuelto a probar esta zozobra ante la idea de quedarme solo, esta sensación de impotencia. Sigo paralizado en la butaca, mirándome las manos cruzadas, con tanto miedo a cambiar de postura como a reanudar una conversación que me angustia, consciente de que, si no me marcho, tendré que decir algo más. O echarme a llorar.

¿Cómo era llorar? Me acuerdo de mi último estallido de lágrimas en el entierro de la abuela. Pero más todavía de aquella inmovilidad luego, bajo la lluvia, sentado en el último banco del jardín, con los ojos —ya secos para siempre— clavados en la fachada trasera de la casa, cuando aún podía imaginar con toda precisión cómo era la voz aquella que me proponía acertijos y me llamaba para merendar.

Don Octavio se levanta y viene a sentarse en una butaca junto a la mía. La mesa de la Ley ha dejado de separarnos. Antes me contó que tiene una hija de veinte años, Fanny, que se ha ido de casa con un cantante de rock y hace meses que no saben nada de ella. Estaba haciendo la carrera de Medicina con muy buenas notas.

—Pero dime qué te pasa, Leonardo, por favor. ¿En qué estás pensando ahora, desde hace un rato?

—En cómo habrán dejado la Quinta Blanca —contesto sin dudar—. En las reformas que pueden haber hecho.

Y un suspiro profundo de alivio me ayuda a levantar la cabeza, como si saliera a flote tras haber estado a punto de ahogarme en un remolino de abstracciones y mentiras.

—Porque habrán hecho reformas —continúo mirándole como a un oráculo, deseando que desmienta mi sospecha—. No lo van a haber dejado todo igual, capaces son de haberse liado a tirar tabiques, de no haber respetado la disposición del jardín. Claro que estarían en su pleno derecho, ya lo sé —añado ante su silencio—. Pero no soporto la idea. En cuanto yo vuelva a comprar la Quinta Blanca, lo pienso dejar todo como antes, me cueste lo que me cueste, puede estar seguro. ¿Para qué quiero ser rico, si no es para eso?

Don Octavio sonríe.

—Bueno, tampoco lo veas tan fácil. No todo se puede arreglar tirando de talonario.

Percibo en su voz un matiz inquietante que no soy capaz de descifrar.

—¿Por qué dice eso? ¿Cree que se han encariñado mucho con el sitio? Yo pienso ofrecerles el doble de su precio actual. ¿Qué clase de gente es? ¿Usted los conoce? A los compradores, digo.

—Compradora; es una mujer. Claro que la conozco. Vino aquí con tu padre a firmar la escritura.

—¿Y cómo apareció? Porque apareció relativamente pronto, si mal no recuerdo. Y tampoco era tan fácil vender la Quinta Blanca, si bien se mira, con muebles incluidos, y en ese rincón del mundo. Solo un caprichoso. ¿De qué se ríe?

—De que cuando viniste a otorgarle el poder a tu padre, aquella tarde que pareces haber olvidado, decías justamente lo contrario. Que caprichosos es lo que sobra por el mundo, y que no sería difícil la venta, si se ponía un precio razonable.

—Yo siempre estoy diciendo cosas distintas, sí, no me lo recuerde, soy la contradicción en persona. Pero ella, ¿cómo es? Rica, por supuesto, ¿pero qué más? Supongo que habrá comprado aquello por pura ventolera y luego le habrá empezado a ver las pegas, es lo que suele pasar. A saber si irá siquiera por allí, igual tiene la casa cerrada la mayor parte del año, en manos de guardeses.

—Supones mal. Según mis noticias, le gusta muchísimo el sitio y se ha instalado definitivamente. De las reformas que haya podido hacer en la casa o en el jardín no sé nada, pero en todo caso las habrá llevado a cabo ya viviendo allí, porque creo recordar que se mudó enseguida. Por Madrid viene poco. Es escritora.

—¿Escritora? Y mi padre, ¿de qué la conocía?

—No te puedo decir. Solo sé que venía del Brasil y que cuando se formalizó la escritura de compraventa hacía poco que había enviudado. Tal vez tu padre fuera amigo del marido, es lo más probable. De todas maneras, Leonardo, ¿por qué no te diriges a ella y sales de dudas?

—Es lo que pienso hacer.

—Casilda Iriarte se llama... Pero si además, hombre, ahora que me acuerdo, se te mandó copia de la escritura y tú estabas encantado. Tengo la carta donde consta tu conformidad; me la trajo Eugenio para que la archivara con los demás papeles, ¿la quieres ver?

—No, no. Lo único que quiero es llegar a un acuerdo con esa señora, convencerla para que me vuelva a vender la Quinta Blanca. Le escribiré mañana mismo. ¿Tiene hijos?

–Creo que no. Pero desde ahora te advierto que tampoco creo que se trate de una persona dúctil, ni que vaya a ser fácil de convencer. En fin, no sé, solo la vi dos veces.

–¿Es antipática?

Don Octavio se queda mirando al vacío antes de responder, como si tratara de evocar una impresión fugitiva o difícil de resumir.

–Antipática no, pero especial. Muy educada, muy elegante. Desde luego no daba la impresión de inseguridad, sino todo lo contrario, de estar entusiasmada con aquella adquisición. Y no porque lo dijera mucho, simplemente se le notaba. Hay gente así, que en cuanto la miras, comprendes que no hace las cosas a tontas ni a locas, por lo menos desde su punto de vista. Yo es que de lidiar tanto con los clientes ya los conozco. Firmó la escritura sin regatear el precio, pagó a tocateja y el total, como sabes, se ingresó en una cuenta a tu nombre, de donde Eugenio iba sacando cantidades para ti, que por cierto...

–Bueno, eso ya lo sé, luego me lo dice –le interrumpo, con miedo de que volvamos a perder el hilo de lo que me interesa–. Pero entonces esa señora, ¿cuántos años lleva viviendo en la Quinta Blanca, vamos a ver? ¿Cinco?

–Pues sí, por lo menos. Si quieres lo miramos, debe estar ahí la fecha exacta –dice, señalando de nuevo hacia la mesa.

Me asalta un decaimiento profundo. Cinco años es mucho. Me pregunto, como entre nubes, lo que habría sido mi vida si hubiera sido capaz de aguantar tanto tiempo seguido en el mismo sitio. ¿Desde qué ciudad escribiría yo esa carta de conformidad? ¿Desde qué hotel, desde qué bar, desde qué tarde borrada para siempre? Todo me da vueltas, pero aún conservo reflejos suficientes como para detener con un gesto a don Octavio, que hace ademán de levantarse a buscar alguna carpeta con documentos. Ya me ha enseñado antes muchos, muchísimos. Y más que quedan por ver, según parece. Estos documentos, plagados de fechas descolocadas, de cifras, de menciones a terrenos desperdigados por un mapa impreciso y de palabras abstractas, forman un batallón que se espesa, cerca la Quinta Blanca y la oculta a mis ojos. Me niego a ver más papeles.

–Déjelo, por favor, da igual los años que lleve. Era una pregunta tonta. Si vive allí de quieto, será que no se aburre. Eso es lo malo. A mí me da mucha rabia, desde luego, pero hay que reconocer que tiene buen gusto.

–Pues sí. Parece que fue un flechazo. Dijo que era exactamente el sitio con el que siempre había soñado para retirarse a escribir.

Hago un gesto displicente.

–A saber lo que escribirá.

Y me disgusta el tono de rabieta infantil de mis palabras, apenas pronunciadas. Es mal perder, simplemente. Don Octavio se encoge de hombros con una media sonrisa más paternal que sarcástica.

–Pues mira –dice–, no sé los puntos que calzará en ese terreno, porque a mí me sacas del Derecho Civil y soy bastante zote, pero acaba de publicar un libro de ensayo que ha tenido mucho éxito. Lo estaba comentando el otro día mi nuera en la mesa, es de una autora nueva, dijo, aunque ya no muy joven, y me sonó el nombre. Que por cierto, tardé en localizar de qué me sonaba, y venga a darle vueltas, yo soy muy obsesivo, hasta que caí, ya a los postres. Claro, por Dios, Casilda Iriarte, la que compró la Quinta Blanca. Ni un mes hará de esa conversación, fíjate, y estuvimos hablando precisamente de tus padres, lo que son las cosas, quién me iba a mí a decir en ese momento lo poco que les quedaba de vida. Y ya te digo, mi nuera comentó que el libro está muy bien. Ella lee mucho y también escribe un poco; está casada con Miguel, el mayor. Te acuerdas de Miguel, ¿verdad?

Me da la impresión de que se ha puesto a hablar de su familia para hacerme olvidar la tragedia de la mía. Asiento sin mucha convicción, al tiempo que me esfuerzo por ocultar mi desinterés. Miguel Andrade, creo que fuimos al mismo colegio. La imaginación se me desvía intentando reproducir cómo sería esa conversación reciente sobre mis padres, cuando aún no habían muerto, y en qué términos saldría yo a relucir en ella. Lo que más me fatiga es disimular lo perdido y lo triste que me encuentro desde hace un rato, la pereza que me invade ante la idea de volver a encerrarme en casa.

—Miguel es catedrático de Ciencias Políticas en la Complutense —continúa su padre—. Ese me ha salido sensato. Tocaremos madera. Aunque, como decía santa Teresa, Dios escribe derecho en renglones torcidos. Yo se lo digo siempre a mi mujer, sobre todo desde lo de Fanny, que a ella la ha dejado deshecha, nunca se sabe dónde tiene cada cual su sino, es como tirar una moneda al aire, ¿no te parece?

—Pues sí.

—Ya ves, Fanny cuando colgó los estudios decía que nunca había sido ni la mitad de feliz investigando cómo funciona el cuerpo humano que al sentirlo vibrar con el rock and roll. Y si lo dice, será verdad.

—Pues claro, ¿por qué no va a ser verdad?

—Ahora creo que también canta ella. O hace letras, no sé. Su novio es batería. Mal de Muchos se llama el conjunto que han formado, ¿te suena?

Le digo que no, que no me suena, pero que como título me parece un verdadero hallazgo, y me levanto para irme. Creo que empezábamos a estar cansados uno de otro, o al menos a circular por raíles divergentes.

Me acompaña hasta la puerta, repite que nos tenemos que seguir viendo, que quedan muchas cosas por hablar y que cuente con él absolutamente para todo. Me parece que ha notado mi tristeza.

—Hay que tener valor, Leonardo —me dice—. Tú eres muy joven. Y eso es un gran privilegio, tener tanta vida por delante. Todo puede enderezarse. Has salido de lo peor.

Y me abraza, después de hacerme encarecidamente dos o tres advertencias que, por el tono, deben ser muy importantes, pero que una vez dentro del ascensor se borran por completo de mi mente. Porque no se referían a Casilda Iriarte.

Cuando salgo del portal ya ha anochecido. Hace un poco de frío. Me detengo unos instantes en la acera, sin saber qué dirección tomar. Lo único que sé es que no tengo ganas de volver a casa.

X. LA PUERTA DE ALCALÁ

Llueve en sueños. Entre otras siluetas movedizas de transeúntes, un escaparate refleja de espaldas la de alguien con gabardina oscura que se sube despacio las solapas y mira la luz roja del semáforo, como abstraído al borde de la acera. Es el protagonista de la película. El encargado de gobernar sus propios pensamientos.

–¿Qué piensas? –me preguntaba a veces mi compañero de celda, un hombre mayor que yo, ansioso de oír historias para olvidar la suya, un enredo sórdido de desfalco, buen tipo, he olvidado su nombre–. ¿En qué estás pensando? Di.

Me lo preguntaba con mucho afán, le inquietaba «verme pensando», como él decía. No se apaciguaba hasta recibir una respuesta, aunque mis palabras tomaran vuelo por su cuenta. Yo solía encogerme de hombros. Le decía que necesitaba limpiarme con la lluvia, que soy un ser lluvioso, y que me quería morir en París con aguacero. También le recitaba a Verlaine.

... pour un coeur qui s'ennuie,
oh le chant de la pluie!

Unas veces me veía a mí mismo echando a andar sin prisa ni rumbo, perdido entre gente anónima por calles mojadas de una ciudad extraña, a la que iban saliéndole poco a poco esquinas, estatuas y balcones conocidos, plazas que se coloreaban en mi memoria. Otras veces, en cambio, me imaginaba ante una mesa grande,

171

plagada de papeles, escribiendo sin tregua a la luz verdosa de una lámpara, mientras la lluvia azotaba los cristales de la habitación cálida e insonorizada.

Eran mis dos ensoñaciones predilectas cuando estaba en la cárcel, en trato tan estrecho con el absurdo que mis afanes fervorosos de evasión lograban a ratos anular el tiempo y el espacio. Ambos ensueños destilaban la urgencia por explayar las dotes de soledad ejercitadas y acendradas allí, por sacarles partido en escenario menos hostil.

El semáforo cambia a verde. Ha arreciado la lluvia. Sigo inmóvil.

Hasta ahora, la verdad, no he hecho otra cosa que dar pasto a la opción del encierro acolchado, a la lluvia distante, al agua que no moja. Y las letras picudas, voraces y afiladas han intensificado, en cambio, su pertinaz chaparrón y empiezan a convertirse –pensé– en inquilinas tiránicas de mi cuarto, a enrarecer el aire que se respira allí.

Lo pensé parado en la acera, y ese «allí» liberaba mi cuerpo de la condena a las cuatro paredes de un despacho heredado donde se enclaustra mi memoria reciente. Un escenario que súbitamente dio marcha atrás, transformándose en otro. Pensar «allí» disparaba a millas de distancia, al reducto del sueño, el chalet con jardín, sito en barrio lujoso y apartado, que Walter Scribner compró en 1951 por un precio hoy irrisorio para ofrecérselo a su hija Gertrud como regalo de boda. Acababa de enterarme de los detalles, y aquella cifra de cinco ceros, junto a palabras como dote, opción de venta, líquido imponible o bienes gananciales, giraba formando trombos que interrumpían el fluir de mi pensamiento, retrasando la decisión de tomar alguna.

Dejé pasar tres cambios de semáforo antes de cruzar a la otra acera. A veces andando se me ocurren cosas. Otras, parado. Y en la detención previa al movimiento se aglomeran los ingredientes que van a proliferar luego, como si su propia mezcla expansiva determinara la necesidad de ponerme en marcha. Entre esos ingredientes se imponía, con una fuerza centrífuga que impulsaba a los demás en torno suyo, la noción misma –escueta, cruda y saludable– de no encontrarme bajo techado sino recibiendo la caricia real de la lluvia, abierto a las posibles incitaciones de la calle.

La tentación de bajar al río revuelto de la calle por ver de pescar presente movedizo –expedición de ojeo acerca de lo que está pasando fuera mientras uno se mantiene en inmersión– se me venía insinuando desde días atrás, como anónima oferta condenada de inmediato, estrangulada sin más contemplaciones. No son solamente la obsesión por mi pesquisa personal y el placer recobrado de escribir las razones que me han mantenido apegado a la opción del encierro –me confesé al cruzar a la otra acera y echar a andar en dirección contraria a la de casa–; en el fondo laten también restos de recelo e incredulidad, lógica secuela de las componendas mentales que me vi precisado a urdir en la cárcel para desoír los cantos de sirena con que el espejismo de la libertad encandilaba y traía en jaque a los demás reclusos. Yo me había especializado en desmitificar esos cánticos, en poner sobre aviso de su daño y falacia, argumentando que envenenaban el presente y lo pudrían más de lo que ya estaba. Acudía, en apoyo de esa dialéctica, a toda clase de metáforas, y no solo conseguí grados bastante notables de autoconvicción, sino que llegué a reclutar incluso algún discípulo, aunque la mayoría se reían de mí y me tenían por loco. El mundo es un laberinto de esquinas, te zarandea, te aturde con preguntas y propuestas alevosas, te acorrala y presiona. Desplazarse de un lugar a otro no pasa de ser una noción ilusoria que, en sí misma, no tiene por qué llevar aparejada la libertad interior de ser tú quien decide ese traslado; tan perecedero y accidental resulta salir como quedarse, depende de cómo se mire, de un enfoque regido, en última instancia, por la mente. Esa sí que no se tiene que averiar, ¡ojo!, no hay mutilación peor que la del pensamiento, la única grave. Todo se reducía a cultivar tenazmente estos sofismas, lograr erigirlos en materia de fe, aun a sabiendas de que luego la fe se vuelve indispensable y difícil de erradicar: como residuo no deja más que miedo. Había llegado a temer más que el peso mismo de las circunstancias, la comprobación de que bajo aquel peso mis capacidades imaginativas perdían a ratos el poder de seguir levantando el vuelo por encima de la sórdida realidad, y que el tabique que separa a esta de las estancias del sueño no es más que una frágil bambalina cuarteada, amenazada de derrumbe. Por esa grieta se colaban toda suerte de alimañas y pájaros agoreros.

Y lo que ahora sentía, dejándome acariciar por la lluvia que moja de verdad, en los umbrales de una noche de otoño avanzado, era que poco a poco me iba despojando de aquellos montajes de supervivencia, ortopedia que había apuntalado, pero también escayolado, mi vida verdadera. Respiraba hondo y me dejaba invadir por el aire libre y frío, por las gotas de agua que lavaban mi rostro, limpiaban mi mirada y se dejaban lamer por una lengua sedienta y golosa. Era eso, sí, como un desentumecimiento de miembros ateridos, el «¿dónde estoy?» que debió asaltar a la Bella Durmiente antes de su paulatina instalación en la nueva realidad, regodeo en los pasos sincronizados con el ritmo de un cuerpo dejado a su merced, cuyos brazos a ratos se levantan como alas en los flancos de la gabardina negra, vislumbre furtivo resbalando, a medida que avanzaba Serrano abajo, por la pulida superficie de los escaparates. Y pisaba cautelosamente, como si temiera desaprender aquel raro equilibrio, aquella incipiente certeza, atento a los posibles zarpazos de la realidad, pero también presto a la sorpresa, a la intrusión de humores aún sin explorar, que prometían placenteros vértigos.

Al llegar a la Plaza de la Independencia, mi percepción de la lluvia había rebasado ese punto en que aún te concierne, en que piensas: «Tendré que guarecerme en un portal, coger el metro o entrar en un café.» Consideraba el agua como un elemento atmosférico independiente de mí, aunque capaz de provocar emociones y propósitos imprevisibles. Aguzaba mi alerta para registrarlos, eso desde luego, pero me daba igual estar como una sopa.

* * *

Crucé corriendo el centro de la plaza, en un arranque de envite al riesgo, sorteando ágilmente coches que se vieron obligados a frenar o hacer un esguince, y me resguardé bajo el arco central de la

Puerta de Alcalá, coronada en lo alto por cuatro angelitos sentados que custodian la memoria de Carlos III, ensalzada en leyenda romana. El que queda más cerca de Serrano se está mirando al espejo, o tal vez complaciéndose en ver cómo su superficie ovalada refleja los residuos de bien que aún floten esparcidos por el mundo; porque no solamente –pensé– van a ser los diablos quienes gocen el privilegio de congregar el mal en sus oscuros azogues, como imaginó Andersen. Y se me ocurrió también pensar, azotado por el viento bajo la bóveda de piedra, que si a ese ángel blanco sentado encima de mí en postura un tanto inestable el aire furioso le arrancaba el espejo de las manos y este venía a hacerse añicos a mis pies, bien pudiera una partícula impalpable de bien fragmentado metérseme por el ojo y bajar a luchar con su enemigo, el otro cristalito que me heló el corazón un día ya lejano, y lo volvió insensible; y tal vez consiguiera desplazarlo, liberar a mi alma atenazada y abrirle cauce al llanto retenido. ¡Aleluya, por fin, Hosanna en las alturas! Bienaventurados los que lloran porque ellos serán consolados. De repente, con la ingenuidad del niño que dibujara antaño a Gerda y Kay rodeados de flores color malva, veía aquella lucha del bien contra el mal en imágenes de cómic, cuyos recuadros se sucedían por dentro de mis vísceras. Una impresión muy rara, pero también estimulante, mezcla de humor negro, ternura y esperanza, aunque las lágrimas que parecían correrme por el rostro eran apócrifas, simple consecuencia de la reciente mojadura, como noté enseguida tras fugaz sobresalto en que la impresión contraria se me había insinuado a modo de espejismo. No brotaban del alma, me chorreaban del pelo. Saqué un pañuelo del bolsillo de la gabardina y me sequé las mejillas súbitamente divertido. Era un cuento que se me había colado sin saber por dónde en el jardín sombrío de mis disquisiciones; el aire libre ya empezaba a surtir sus mágicos efectos. Un cuento errabundo que desactivaba mi tendencia a las ideas negras simplemente posándose sobre ellas ingrávido y silencioso, cual mariposa en el lomo erizado de un dragón, que no de otra manera la luz vence a las sombras, un cuento ameno, inesperado y leve al que me complacía en dar albergue y que, por supuesto, le estaba brindando a la abuela, aún consciente de que no lo inventaba yo. Sonreí recordando lo mucho que a ella le gustaban las novelas con final feliz, y desde ese momento empecé a habitar la noche en clave de concordia y creció mi disposición a gozar del regalo de estar vivo y andar suelto por la calle. Por otra parte, la conquista de aquel lugar estratégico, que consideraba mío por haberlo tomado tras fulminante asalto, contribuía a aumentar la sensación de triunfo.

–¡Qué a gusto se está aquí! –exclamé levantando los brazos como si me desperezara de un largo sueño–. Estoy a salvo, pero lo domino todo, de aquí nadie va a venir a echarme. Me iré cuando yo quiera y solo entonces.

Mientras contemplaba los edificios que ahora rodean este islote urbano, las frondas oscuras del Retiro y los coches veloces de cuyo interior surgía a veces el dardo de una mirada clavada en mi figura como en una aparición estrafalaria, recordaba también al unísono con una nitidez despojada de estridencias un viejo grabado que había en la Quinta Blanca, donde este paraje se ofrece a la vista como un hito solemne y terminal, limítrofe con unos arrabales que no existen siquiera todavía. Cuando Madrid era un poblachón sin luz eléctrica ni alcantarillado.

A mi padre le interesaba mucho el siglo XVIII y hablaba con encomio de los ministros ilustrados de Carlos III, durante cuyo reinado se iniciaron en Madrid tantas reformas arquitectónicas. De pequeño, me lo explicaba algunas veces, trataba de hacerme entender la importancia de aquellos primeros adelantos, los tímidos conatos por dejarse de guerras y empezar a vivir mejor en el propio país, adornarlo un poco, dotarlo de comodidades. En ese tiempo, que ya nunca se evoca, se erigió este arco bajo el cual ya nunca se pasa, que ni siquiera puede servir de guarida provisional a un ciudadano empapado sin exponerse a que lo miren con escándalo. Hueco abierto de par en par al vacío, la Puerta de Alcalá, armonioso recordatorio de piedra que un día, sin necesidad de apelar a cerrojo alguno, insinuó los linderos entre lo de afuera y lo de dentro, metáfora, acertijo, disparate, puerta que no se hizo para llave y que nunca se cierra; este es mi refugio momentáneo, abuela, mi isla oculta a los ojos de quienes me hacen señas equívocas, escondite fugaz de las garras del tiempo. Porque ahora –con la pequeña diferencia de que yo me incluía como un bulto minúsculo en el escenario vacío–, la Puerta de Alcalá volvía a ser la del grabado aquel que mi padre me enseñaba de niño: por aquí se sale de una ciudad transitada por carruajes. Alguno pasa rozándome y tengo que apartarme contra la pared de piedra, resuenan las ruedas y los cascos de los caballos sobre las losas desiguales, camino de Alcalá de Henares.

–¡Por allí, en esa dirección! –grité exaltado, señalando con el brazo derecho hacia la estatua del Espartero, que en aquel tiempo, claro, no existía, como tampoco ningún militar del XIX de los que vinieron a armar una tremolina tras otra y cuyos apellidos invaden las calles de Madrid. Tenía por las bridas los carros del pasado y del presente, los podía acompasar a placer.

Y me imaginaba los actuales accesos al aeropuerto de Barajas, el poblado americano de Torrejón de Ardoz, los tesos y merenderos cercanos al río Jarama, camino de una ciudad con soportales y fachadas platerescas, la universidad más antigua de España, la cuna de Cervantes, no se muera vuesamerced sin que otras armas le maten más que las de la melancolía. Todo menos morirse.

Y de pronto empecé a soltar cuerda a la cometa de la fantasía, ¿quién me impide viajar, soñar, salir en busca de aventuras, ir tejiendo la noche con mis pasos, surcarla, poseerla? De la posibilidad de poner proa a cualquier rumbo no me separaban barrotes. Y me acordé de la canción de Moustaki, que tanto me consolaba canturrear en la cárcel.

Sans projets
et sans habitude
nous pourrons rêver
notre vie.
Viens, je suis là
je n'attends que toi,
tout est possible
tout est permis...

Todo posible, nada prohibido. Soñar, como Moustaki, una vida sin rutinas ni proyectos. Ver visiones, como don Quijote. Abiertas ante mí la ciudad y la noche. Tal vez me esperaba alguien, y si no, las aventuras se sueñan.

Al cabo de un rato, cuando amainaron la lluvia y el viento, abandoné mi isla provisional, dispuesto a coger el primer autobús que pasara.

XI. AVERÍAS DEL ALMA

Llevaba un rato notando que a mi humor eufórico se le escapaba el gas por alguna rendija, y sospechando además que ella pudiera estar empezando a notarlo. La segunda apreciación me inquietaba bastante más que la primera, no solo porque me obligaba al disimulo, sino por su carácter de obstáculo para ponerme a investigar las causas de la avería. En este tipo de pesquisas estorba cualquier presencia ajena, y más cuando no inspira suficiente confianza, cuando la persona desconocida no se nos ha revelado aún adornada –ni da muestras prometedoras de hacerlo– con los atributos del acompañante mágico, ese que surge providencialmente con la misión de encauzar al héroe en trances de extravío, avisarle de los peligros, darle consejo o recibir sus confidencias. En los cuentos, a poco de aparecer ese personaje, es reconocido como tal. Al menos por el lector, cuya atención no está enturbiada y contempla la trama desde fuera. Pero en mi caso, claro, hace ya mucho tiempo, demasiado, que el lector de cualquier situación catastrófica no soy más que yo mismo. Y por muy curtido que me crea en las lides del desdoblamiento, muchas veces me confundo y veo visiones.

«Necesitaría otro lector agregado, eso es lo que pasa, ni más ni menos, una persona que me leyera», pensé en un rapto de iluminación repentina. Y me pareció tan importante el hallazgo que lo apunté en una servilleta de papel, medio a escondidas. Le dije a ella que era un recado urgentísimo para el día siguiente, que menos mal que me había acordado de apuntarlo para que no se me olvidara.

–Si te lo metes arrugado en el bolsillo, se te olvida seguro, pues anda que no queda noche –dijo ella–. Yo pierdo la cuenta de los papelitos que me encuentro cuando ya no sirven de nada, la tira, teléfonos sobre todo, y que luego no sabes de quién eran, porque no has puesto el nombre. Lo mejor, desde luego, es una agenda. Yo antes tenía sin estrenar todas las que me regalaban, hasta que me convenció Mónica del buen resultado que da. Lo malo es que ahora las lleno por llenar, si no apunto algo me parece que he perdido el día, soy muy exagerada en todo, «o calvo o con tres pelucas», como dice mi madre. ¿No tienes una agenda tú?

–No.

–Pues en esa servilleta de papel, despídete. Es igual que echar agua en un cesto, cielo.

Me encogí de hombros. Me empezaba a escocer mi incapacidad para inhibirme de aquella presencia femenina tan cercana y turbadora. Y es que los deseos de huir chocaban con algo que me resistía a registrar por las buenas como ganas de acostarme con la primera mujer que se me había puesto a tiro. Esa imagen tópica del excarcelario desmadrado y ansioso me remitía además a conversaciones y bromas cuyo recuerdo me resultaba vomitivo. Del punto de fricción con esa zona tan rebelde al análisis es de donde procedía la molestia. Por otra parte, la ginebra y el *hash* incrementaban mi fatiga, tanto para hacer el esfuerzo de levantarme como para interpretar síntomas de motivación compleja. En una palabra, que estaba incapacitado para ser lector de mí mismo en aquella circunstancia. Me lie mentalmente, porque empecé a forzar la metáfora de la lectura y se salió de cauce. Veía mi vida como un libro del que brotaba un árbol frondoso, y en una de las ramas estaba colgado yo por los pies, tratando de distinguir boca abajo las letras del texto.

La chica me miraba fijamente, como esperando. Había más gente con nosotros, sobre todo a la derecha. Una línea ondulada de perfiles cambiantes, figuras superpuestas que a veces se desenlazaban, rostros de perezosa gesticulación, cabezas apoyadas en un almohadón común bastante duro sujeto a lo largo de la pared con argollas pequeñas, como respaldo del sofá, también común, donde todos estábamos sentados en posturas que oscilaban de la quietud estática al derrumbe. Un sofá corrido, color ala de mosca, que remataba el fondo del local a media luz, alargado y ligeramente húmedo, con trazas de hangar.

Ella había subido al asiento las piernas enfundadas en pantis a rayas y las había cruzado a estilo moruno, transversalmente, con lo cual su boca podía acercarse fácilmente a mi oído. Además debía resultarle más cómodo para vigilarme la expresión, porque yo parecía empezar a intrigarle. El caso es que así, atravesada a modo de barrera en el sofá, daba la espalda al grupo al que en principio debió pertenecer, pero que ya se había desentendido de ella y dejado de dirigirle la palabra, como si aquella torsión mediante la cual el asiento quedaba dividido en dos zonas y el cuerpo de ella formando ángulo recto con el mío significara indicio de trasvase a otro cauce, declaración abierta de una intimidad excluyente, que tal vez sin querer yo mismo había propiciado.

Uno de los integrantes de esa zona que su cuerpo me tapaba se llamaba Clemente, el que lindaba justo con su espalda. Antes del trasvase había estado hablando un poco conmigo, creo, y ella dijo su nombre, un nombre que también pronunciaban ahora los demás en un tono que sugería acatamiento y que llegaba a mis oídos con cierto crujido de rompehielos, como único dato inequívoco de aquel corral ajeno, Clemente, precaria garantía de realidad entre la marea discorde y fragmentaria de voces desconocidas. Lo invocaban como si encendieran una linterna movediza en la penumbra y allí estaba él, ese chico displicente y mordaz que opina siempre a contrapelo, que no se inmuta y cuyos silencios importan tanto como sus comentarios. Se nota hasta en el tono con que le piden lumbre o un papel de fumar, no me hacía falta verle la cara, así son siempre los que se saben ancla de grupo. Inconfundibles entre la confusión que muchas veces ellos mismos han generado, su polo aglutinante. He conocido a bastantes, alguno auténtico, pero la mayoría plagiarios. Y estos se caracterizan por el afán inmediato de echar un pulso con quien sospechan aspirante a ese mismo rango. Conozco el paño porque, unas veces queriendo y otras no, me he sentido yo también ancla de grupo o he permitido que los demás me considerasen con esa mezcla de respeto e inquietud que provoca el olor a bicho raro. Un sambenito que se consiente y luego se fomenta, hasta que empieza a hartar.

Se veía mucha gente de pie, moviéndose de un lado para otro sin designio preciso, aunque la barra del bar y una plataforma que hacía esquina en el extremo opuesto destacaban como los focos de mayor afluencia. A la tarima acababan de subir tres chicos delgaduchos, equipados con sendas guitarras eléctricas, y el público, que los recibió con silbidos de entusiasmo, se aglomeraba sentado en los escalones o por el suelo. El micrófono estaba mal ajustado, pitaba un poco y los artistas no acababan de dominarlo. Eran rockeros, pero también le daban al folk. Cantaban en un inglés pasable, entre contorsiones.

La barra también estaba concurridísima, pero era un personal en continua mutación. Se quedaban un rato allí, formando grupos ocasionales, saludaban a alguien y luego, más tarde o más temprano, se iban desplazando y empezaban a deambular lentamente con el vaso en la mano por todo el espacio que abarcaba mi vista, como buscando sin demasiada fe un utópico rincón de amparo. Pero no lo encontraban. Era un ámbito que hubiera podido definirse justamente por esa carencia: desprovisto de rincones. Ventanas no se veían y el aire estaba muy viciado.

–Se construye una cámara imaginaria alrededor de nuestro cuerpo. Para los grandes soñadores de rincones, de ángulos, de agujeros, nada está vacío –musité, como si rezara.

Pero ella me había visto mover los labios.

–Habla más alto –dijo–. No te entiendo.

–¿Conoces *La poética del espacio*? –pregunté.

–¿Es una de Sean Connery?

–No, mujer, es un libro de ensayo.

–A mí no me va eso. A la que le encantan los ensayos es a Mónica, mi compañera de piso. Y que se le queda todo, te caería genial. La voy a echar de menos. Ahora se va a vivir a Melbourne, pero definitivo, no creas, en plan de quemar las naves. Se ha enamorado de uno de allí, otro loco de los libros como ella. Yo por la foto lo encuentro un poco ave fría, pero qué le vamos a hacer, a ella le gusta. Le manda versos y eso. Perdona... ¿De qué trata ese libro que decías?

Hice un gesto de rechazo con la mano y volví a sumirme en un silencio aún más hermético. La sola idea de intentar hacer un extracto de las teorías de Bachelard en aquel espacio y para semejante interlocutora reforzaba mis ansias de aislamiento, la sensación de discurso interrumpido y mi nostalgia de un mundo plagado de rincones, de cuevas y escondites. Miraba desdibujarse entre el humo que ascendía de la planicie aquellas figuras abstractas que cambiaban caprichosamente como las espirales de un caleidoscopio, humo ellas mismas. El humo que dejan tras de sí las vidas a medio quemar. Y me daban pena. Pero también los sentía actores de una función cuyo argumento me resultaba muy familiar. Son como yo –pensé–, son la juventud a la que pertenezco. Era como descubrir el Mediterráneo, pero me producía una mezcla de agobio y sorpresa.

La chica alargó el brazo para coger su vaso mediado de whisky y el otro, después de echarse para atrás un mechón de pelo, lo metió por el hueco que quedaba entre mi cuello y el respaldo del sofá. Una intrusión furtiva pero deliberada, como enseguida se vio. Primero dio un trago largo y volvió a dejar el vaso en su sitio. Luego intensificó la presión de los dedos sobre mi hombro.

–¿Qué pasa, a ver? –preguntó–. Te has quedado mudo. ¿Tan importante era el recado ese del que te tienes que acordar mañana?

Se había inclinado para hablarme al oído con una voz tan llena de sobreentendidos como el roce de su cuerpo, como su olor. Las palabras apuntadas en la servilleta se diluyeron en mi conciencia, captadas por aquella cercanía que atenuaba todo discernimiento. Traté aún de rescatar, con escasa fe, la meditación a que aludían, mientras con la mano metida en el bolsillo de la chaqueta iba arrugando el papel de seda hasta convertirlo en una bolita manoseada mecánicamente entre los dedos pulgar y corazón. Algo así como «lector agregado», pero no me sonaba a expediente universitario, ¿de qué pretendía ponerme en guardia a mí mismo?, un recado de humo escapándose por la ranura de mi bolsillo a espesar el humo del local, cualquiera sabe.

–Perdona, no sé qué decirte –confesé sin atreverme a mirarla–. Pero no por lo del recado. En general.

–Ya –continuó con voz todavía más insinuante–, pues de eso me quejo. De que la dejas a una con sed. Eres un rato raro tú, no te catalogo.

–No soy ningún coleóptero.

–Eso ya.

–Pues entonces, ¿a qué te refieres?

–Chico, no sé, ibas como un avión, que ni te seguía. Y de repente echas el freno sin saber por qué, con lo embalado que estabas. ¿Te pasa mucho? Bueno, si no quieres, no contestes.

–¿Embalado?

Lo verdaderamente molesto era sentirme obligado a dar cuentas de un comportamiento fantasma, mientras se intensificaban unas caricias que ahora se centraban de preferencia en la región del cogote, intentar reproducir los derroteros que llevaba mi discurso antes de que el silencio iniciara su hinchazón a expensas del gas que iba perdiendo el alma. Ella se echó a reír.

–Embalado pero en buen plan, oye, no me mires con esa cara de susto. Que me gusta cómo te enrollas, quiero decir.

–¿Y cómo me enrollo, a ver?

La pregunta tal vez fue formulada en un tono demasiado abrupto. Necesitaba saberlo, entender hasta qué punto había dado pie a unas caricias que se hicieron tenues, hasta cesar. La miré. Parecía cohibida. Y su expresión no daba aliento a la esperanza de que fuera a lograr ceñirse al tema.

–Yo soy mala para los resúmenes –dijo–, y cuanto más bonito es lo que he visto o lo que he oído, peor. Falta de retentiva, ya me pasaba en el colegio. Y además es que tú hablas muy bien, pero saltando mucho de una cosa a otra. Así que, claro, cuando te callas como un muerto, aparte de que se olvida una de lo anterior, es que piensa: seguramente se habrá dado cuenta de que no estoy a la altura, y dirá «buena gana de andar echando margaritas a los puercos». Normalmente no vale mucho la pena acordarse de lo que te hablan en sitios como este de tanto ruido, y por eso se desconecta. Pero contigo lo siento. Me gustaría acordarme ce por be de lo que me has dicho desde que llegaste, sobre todo para poder contárselo a Mónica, te parecerá una tontería.

–¿Qué pasa? ¿Te toma la lección?

–No. Pero es que a ella siempre le dicen cosas súper los chicos, la eligen para soltarle rollos como de película. Y me da envidia.

–Igual se lo inventa, mujer; hay mucha mitómana –dije compasivo y parcialmente resignado a olvidar mi pesquisa inicial.

–Puede. Porque con el novio de ahora, por ejemplo, después de una conferencia larga sin verse las caras, acordarse de todo ya es raro. Y que encima se hablan en inglés, no te lo pierdas, porque él no ha pasado de «tortilla de patata» y «olé caramba». Pero bueno, si Mónica es capaz de inventarse conversaciones tan bien traídas, que yo también alguna vez me malicio que se las inventa, pues qué quieres que te diga, más envidia me da. Yo a la gente que conozco mucho ya le tengo cogido el tranquillo y me distraigo porque no espero sorpresas, y con la gente nueva, sobre todo si es algo rara, no sé, me pierdo, porque por un lado gusta oír cosas nuevas, aunque sean difíciles de seguir, pero por otro te pones a pensar, yo por lo menos, ¿de qué irá este?, que es lo que me ha pasado contigo, un vicio, lo comprendo, pero se te va la atención. Según Mónica es cuestión de fijarse, porque si no, nunca aprendes nada y se te escapa lo mejor de la vida. Ella es que atiende, ¿sabes?, puede atender a muchas cosas al mismo tiempo. Yo soy incapaz.

Los chicos de las guitarras eléctricas habían cambiado de estilo. Tras retroceder un poco, uno de ellos anunció un nombre femenino que provocó aplausos y le cedió el micrófono a una chica rubia de pelo liso que atacó, con bastante acierto, una canción de Patsy Cline de los años sesenta: «I fall to pieces» Ahora me resultaba menos trabajoso atender a la retahíla de mi vecina, abandonarme a su vaivén de marea recurrente.

–La voy a echar de menos un montón –proseguía–. No creas que no la quiero por eso que te he dicho de que le tengo envidia. Más bien es que la admiro, que querría ser como ella. Yo todo lo estropeo por hablar tanto, y además sin ton ni son. Hay que tener gracia para enrollarse, eso es lo que pasa. Que unos la tenéis y otros no la tenemos. ¿Te aburro?

–No especialmente.

–Dime qué piensas.

–Que cada uno tiene que sacarle partido a cómo es. No sirve darle vueltas. Y también en lo bonita que es esa canción, olvídate de Mónica por un momento y atiende a lo que dice. *I go to pieces each time someone speaks your name...*

Se encogió de hombros. Parecía, abrumada, incapaz de desterrar –pensé– el espectro de su amiga.

–No sé inglés –confesó–. ¿Por qué no me lo traduces?

–A ver. Dame esa agenda que llevas siempre contigo.

Abrió el bolso, que tenía estrujado contra la pared, y me la alargó muy contenta. Estaba forrada de piel gris. También sacó un boli.

–¿Aquí? Esto es diciembre.

–No, espera. Mejor en esas hojas rayadas del final...

> Me quedo hecha polvo
> cada vez que alguien
> pronuncia tu nombre,
> no soporto que me consideres
> simplemente tu amiga.

–¡Qué bonita letra te sale! Y tan aprisa.

–¡Cállate, por favor, que me confundes!

> Quieres que me comporte
> como si nunca
> nos hubiéramos besado,
> me pides que salga,
> que conozca a chicos nuevos,
> y yo lo intento
> una vez y otra y otra,
> pero como si nada,
> es volverte a ver,
> y cuando te vas,
> me quedo hecha polvo.

–Bueno, más o menos dice eso –resumí, devolviéndole la agenda, cuando ya habían sonado aplausos y la rubia estaba cantando el «Always», otra de Patsy.

La oíamos en el estudio de Enrique Williams, un compañero mío de cuando yo empezaba a ser «el extranjero» y Patsy Cline se había estrellado en un trayecto de avión pocos años antes, definitivamente «fallen to pieces», convertida en polvo. Enrique me contó la historia de la cantante, a quien su padre, un militar de la base de Torrejón, admiraba mucho. Tenía un tocadiscos bastante bueno. Un chico alto, de ojos azules. Precisamente me presentó a Patsy (ahora caigo en la cuenta) la misma tarde en que yo oí por última vez, a través del teléfono, la voz de la abuela. Es curioso con qué pureza afloran, inesperadamente, tramos perdidos de la memoria, objetos, gestos, luces. Y conexiones que pudieron tenerse por banales. Yo en esa época aún era capaz de emocionarme si veía triste a una chica, si escuchaba una canción desgarrada. No se me había metido el cristalito en el ojo. Me pregunto si era feliz.

–¡Qué cosa tan preciosa! –exclamó admirativamente la muchacha de los pantis a rayas–. Gracias. Eres un sol. Procuraré aceptarme a mí misma.

Guardó la agenda en el bolso, se terminó lo que le quedaba de whisky y volvió a meter el brazo entre el almohadón y mi cogote.

Yo guardaba silencio, embebido en las imágenes resucitadas por la música de Patsy Cline. Me preguntaba a cuántas mujeres habré hecho daño sin querer, al tiempo que intentaba ponerme en guardia contra el deseo a secas despertado por alguien que no inspira curiosidad ni interés. Por muy necesitado que estuviera mi cuerpo, no podía desear algo que no aportara cierta dosis de contraste o no contribuyera a elevarme por encima de las aristas de la realidad pasada y presente, a desvanecer el miedo, a aplacar otra clase de sed. Y con la misma nitidez que veía las mesas, la plataforma donde cantaba la chica rubia y las figuras moviéndose por aquel local sin esquinas, veía también y hasta casi palpaba el horrible vacío posterior al posible apareamiento con aquella chica, las goteras en el techo de alguna habitación desconocida, los dos quietos, desnudos, tendidos boca arriba, y tal vez ella preguntándome: «¿Qué piensas?, ¿lo has pasado bien?»

—No me importa que estés callado –dijo de pronto–. Callado también me gustas. Y tienes un pelo precioso, además. Yo tengo muy buen conformar en casi todo, pero por ejemplo a un casposo no lo aguanto, ni a un pelo pincho, ni a un calvo vergonzante. Y eso por mencionar solo tres modalidades, que Mónica me dice que podía hacer un master. Su novio el de Melbourne es tipo despeluchado, amenazando coronilla de cura. Es raro, ya te digo, encontrar a un tío que te erotice por el pelo, lo tengo experimentadísimo. Lo tuyo, guapo, es de cine. Te lo habrán dicho un montón de veces, supongo.

Cambié ligeramente de postura. Sentía como un vacío en el estómago.

—No sé, no me acuerdo. ¿Puedo pedirte un favor?

—Sí, claro, ¿cuál?

—Que hagas un esfuerzo, si quieres que me sienta cómodo, por enlazar con lo que te pregunté antes, te lo ruego, estoy perdiendo el hilo, ¿cómo me he enrollado contigo?, no pienses en contárselo a Mónica ni nada de eso, simplemente haz memoria, ¿de qué te hablé?, me basta con un ejemplo, los temas más importantes, algo se te quedaría.

Me miró desconcertada.

—¿Pero cuándo?

—No sé. Antes. Cuando llegué a este sitio. Cuando me conocieras, cuando sea. Porque yo toda una vida aquí sentado supongo que no llevaré. Y si no, invéntatelo. Improvisa. Es fundamental para mí.

—¡Qué cosas más raras pides!

Pero sonreía complacida. Luego intentó concentrarse, mirando hacia la barra. Se mordisqueaba la uña del dedo pulgar.

—Pues, por ejemplo, te pones a contar que por la Gran Vía está lloviendo a cántaros y de verdad te digo, parecía que llegabas de Bombay en helicóptero, y todo se vuelve distinto, la calle, la gente, la tormenta, todo. De eso que dices: ¿pero este de dónde sale? Yo es que te estaba oyendo y alucinaba. A lo mejor fue el *hash*.

Con la mano izquierda palpé sobre el sofá una prenda mojada, la gabardina negra que me había quitado al entrar allí. Y antes, claro, el notario, la Puerta de Alcalá, y el deseo abstracto pero devorador de surcar la ciudad en busca de algún fósil valiosísimo oculto en los repliegues de su alcantarillado. Y me vi empapado, sacudiéndome el agua como un perro de lanas bajo la marquesina de cristales sucios, mientras la cortina oblicua del chaparrón adquiría un fulgor rojo e intermitente. Se bajaba por una escalera que daba muchas vueltas y tenía los peldaños iluminados, era largo el descenso, y apenas iniciado afloraba el olor, el humo y el gorgoteo de un recinto subterráneo y olvidado donde pudimos haber dejado perdido algo. No es la primera vez que entraba en este sitio ni me había topado casualmente con él. Quedaba por los aledaños de la Telefónica. Mis pasos, divorciados de toda fantasía de aventura, habían obedecido a la rutina de lo malo conocido. Y allí seguía el local con su letrero de neón en rojo: PONTE A CIEN. Necesitaba *hash*, es lo que iba buscando.

–No serás homosexual –dijo de repente la chica–, lo digo más que nada por saber.

Había apartado un poco el cuerpo para mirarme más intensamente, lo cual me permitió a mí moverme y no sentirme tan encajonado. Por primera vez me fijé en la desconexión y candidez de aquella mirada a la deriva, girando en torno a la luz momentánea que pudo haber creído atisbar en la mía, y tuve miedo a la mentira piadosa con que se consuela a otro náufrago. Le hice una caricia fugaz en el pelo y aproveché para levantarme.

–Mi abuela decía que los acertijos se tienen que resolver sin ayuda. Era una mujer muy sabia. Voy a por otra copa. ¿Quieres algo tú?

–Sí, un whisky. Pero vuelve.

–Descuida, guapa. Te dejo en prenda la gabardina, ¿no?

XII. VIEJOS CONOCIDOS

Levantarme y estirar las piernas me alivió mucho. Además, según me iba abriendo camino hacia la barra, me daba cuenta de que desaparecía la sensación de extrañeza con que había oteado aquel punto desde lejos. La escena de mi llegada y la conversación con un camarero de pelo crespo, que había dado muestras de conocerme en cuanto me vio entrar, se me repitieron con todo detalle, añadidas ahora a otras representaciones anteriores, como cuando se alza el telón para insuflar verosimilitud a una función conocida.

–¡Vaya, hombre, qué elegancia! Dichosos los ojos. ¿Y esa gabardina tan Bogart? –fue la risueña bienvenida del camarero.

–Pues ya ves, como para dejarla a escurrir –dije, mientras me la quitaba–. Ponme un *gin-tonic*. Porque secador de pelo no tendrás.

Se rió. Que qué tal iba todo, que cuánto tiempo sin caer por allí. Pillé un taburete y le dije que bien, que ahora vivía en otro barrio. Se me notaba, dijo, que había ido a más. Medrar es siempre bueno. Me llamaba Leopoldo.

–Pues me alegro de verte, hombre, Leopoldo. Aquí cada dos meses o tres, ya sabes, cambia la clientela. Abren tantos locales por esta zona que ya es plaga. El que también hace mucho que no se deja ver el pelo es Javier, el Pluma. Creo que tuvo algún lío ese chico, ¿no?

Me encogí de hombros.

–Pero tú vivías en su casa –insistió él–, ¿o me equivoco?

–Todos nos equivocamos. Tú por creer que era su casa y yo por pagar la primera entrada de aquel piso a fondo perdido. Bueno, y por más cosas. Pero da igual. No quiero saber nada de esa gente.

–Entonces, ¿se portaron mal contigo?

–Creo recordar. Y seguramente yo con ellos. No lo llevo por cuenta. Ponme ese trago, anda.

Esperé todavía un tiempo, hasta acabar aquel *gin-tonic* y el siguiente, porque en general hacer barra me gusta. Pero estaba incómodo, tratando de conjurar la intromisión de fantasmas del pasado, nubarrones cargados de posible pedrisco, y atento al mismo tiempo desde mi taburete al incesante burbujeo de los grupos, por si descubría en su actitud algún signo de conciliábulo o trapicheo que me resultara esperanzador para mi negocio. Por otra parte me sentía observado y como a la intemperie, mucho más que en la calle. La falsa seguridad que me habían inyectado la visión de la noche al salir del portal de don Octavio y el impulso de lanzarme a surcar de incógnito la ciudad lluviosa se estaba cuarteando para dar paso a la suspicacia neurótica del excarcelario, que atisba por doquier miradas al acecho. Y sin embargo no era capaz de irme. Llegó un momento en que solo me sentía respaldado y un poco más seguro cuando el camarero del pelo crespo se acercaba de nuevo por mi banda y me sonreía. Había sacado en limpio que se llamaba Fabi, que tenía la risa fácil y que era bastante más popular que sus compañeros de tarea. Pero andaba ocupadísimo, porque lo llamaban de todas partes.

A la tercera copa, se quedó otra vez un ratito conmigo. Se ve que tenía ganas de seguirse enrollando con el tema de mis antiguos colegas.

–Pero lo de la pelirroja sí lo sabrás –dijo de pronto.

–Yo no, ¿qué le ha pasado?

–Tuvo un parto prematuro y le nació el chico muerto. Ella ha estado que a poco la lía. Lo comentó aquí el domingo Esteban, el alto ese de los rizos. Ha sido cosa reciente, ella sigue en el hospital.

–No sabía nada.

–Claro, si no los ves. Una chica maja, la Ángela. Y que lleva mucha mili con el Pluma, ¿no crees?, cien veces mejor cabeza ella. Dónde va a parar. Y menudo aguante.

–Puede. Pero para mí, ya te digo, son prehistoria.

–No está tan claro eso, Leopoldo –sentenció Fabi–. Siempre se queda rezagado algún mamut y sale a embestir cuando menos lo esperamos.

–Buen símil, oye –asentí riendo.

Pero la prueba de que tenía razón es que el síndrome de abstinencia se me había disparado. Quedarme bruscamente sin la referencia de aquel hijo de humo que tal vez fuera mío me provocaba una mezcla de liberación, vacío y mala conciencia. Revivía a mi pesar la mirada ansiosa y agobiante de la muchacha que vino a visitarme alguna vez a la cárcel y no sabía qué decir, acaso porque también ella tenía mala conciencia. Me traía ropa o comida, como si fuera mi novia, una especie de novia clandestina, irreal y ojerosa, a quien continuamente estaban a punto de saltársele las lágrimas. Y yo quieto y callado, mirándola allí enfrente, como si la cosa no fuera conmigo. Una secuencia tras otra de primeros planos mudos, lentos y minuciosos, a través del plástico agujereado de un locutorio. ¿De qué argumento formaban parte? No quería indagar los motivos de nada. Pero allí estaba el mamut, adivinaba su bulto negro como una sombra inmensa y amenazadora a mis espaldas. Necesitaba fumarme un canuto con toda urgencia.

Vi en torno mío algunos rostros vagamente familiares. Pero de ninguno me fiaba, y menos todavía de mi memoria, la única brújula que puede impedir dar algún paso en falso o meterse en atolladeros. Así que opté por consultar con Fabi, antes de que se me fuera otra vez, el asunto que me había llevado allí. Él miró alrededor como oteando. Una mirada rápida y experta. Luego se inclinó hacia mí.

–Fetén, fetén, los del sofá del fondo –dijo en voz baja acompañada de un gesto con el mentón–. No sé si les quedará mucho para vender, pero ese es un costo como Dios manda. ¿Conoces a Clemente?

–No me acuerdo.

–Seguro que sí, hombre. Pero además da lo mismo. Tú preguntas por él, es el segundo por la derecha, que te manda Fabi le dices. Basta con eso. Es un tío legal.

Y así es como había llegado, con mi nuevo *gin-tonic* en la mano, al sofá del fondo. Y después de fumarme un par de canutos, me había enrollado, brillantemente al parecer, con la chica de los pantis a rayas, de la que ahora venía huyendo.

«Pero es una forma muy especial la que tienes de huir de ella», me quedé pensando absorto, tras una bajada a los servicios para desbeber todo lo que había bebido, mojarme la cara y mirármela un momento reflejada en un espejo anónimo, como el que toma tierra. «Tú siempre has huido de una forma rara. Huir o quedarse, he ahí el dilema.»

Era una enunciación estática y pegadiza, como el estribillo de una copla vieja, que pugnaba titubeante por abrirse camino hacia un análisis más saludable y eficaz de la situación.

Atrincherado ahora en un extremo de la barra, donde ni siquiera a Fabi le iba a ser fácil reparar en mi presencia, me mantenía en segunda fila, y poco a poco fui reculando hasta acabar apoyado contra un ángulo de la pared, no lejos de la escalera iluminada, que seguía vomitando clientes, inmóvil, mareado por la música y el humo, totalmente descartado de mis propósitos el de pedir más bebida. Además, las canciones de Patsy habían cesado, y aumentaba el fragor de rock mediocre. ¿Pues por qué no me iba? ¿Qué diablos pintaba arrinconado allí, merodeando la zona por donde bien pudiera –y ya estaba avisado– saltarme al cuello en repentino ataque la sombra gigantesca de algún negro mamut?

Pensaba vagamente en todos los hombres y mujeres que a aquellas horas se escondían de algo, como yo, entre la masa anónima que hormiguea en locales subterráneos de ciudades sin cuento, acogotados por el miedo de volver a la superficie para arrostrar sin ganas ni designio una noche de capa caída, ya exenta de ese iris momentáneo que embelleció sus alas cuando alzó el primer vuelo, de retirada, solos, con el rumbo a merced de cualquier zigzagueo. Tras una mueca impenetrable, todos esconden sus intenciones, aunque pocos recuerdan –y menos ya a estas horas– cuáles eran, si acaso las tuvieron, cómo fueron cambiando, a qué se han reducido sino al miedo. El miedo no se quiere recordar, porque ahí es donde anidan los mamuts. Todos huyen, huimos, de lo mismo, de lo que hemos creído ir dejando enterrado a las espaldas, según nos adentramos por caminos sin dirección.

¿Y por qué no te marchas a casa de una vez, si ya está todo visto, todo impulso agotado? Atrévete a mirar la cáscara amarilla que sobas todavía del limón exprimido de la noche, tírala a la basura de una cochina vez, porque no da más zumo, y lo sabes de sobra.

Tuve que reconocer que era la querencia del sofá color ala de mosca, que acababa de abandonar, lo que me retenía aún allí, a despecho de mis deshilvanadas filosofías, y me inducía a rectificar sigilosamente posiciones en busca de un punto de mira estratégico para seguir enfocándolo desde lejos. Y, dentro de aquella referencia espacial, la chica de los pantis a rayas cobraba un protagonismo inusitado. Su figura –diana central de mi vigilancia– aparecía y desaparecía, oculta a intervalos por los distintos estratos de cabezas que se iban interponiendo entre nosotros, igual que las ramas de los árboles, al balancearse, tapan la lucecita esperanzadora pero tal vez peligrosa de esa casa desconocida que ha creído atisbar, parado en medio del bosque, el niño extraviado de los cuentos.

Al apartarme de ella, con la pretensión de huir, había apetecido borrarme de un plumazo de su flaca y dubitativa memoria, poseer el don de la invisibilidad, suprema añoranza en trances espinosos, de tal manera que ella no hubiera visto cómo me levantaba ni oído cómo me despedía, y solamente al intentar dirigirse a mí de nuevo y no encontrarme al lado, hubiera puesto en cuestión mi entidad real y experimentado, junto con la perplejidad de la ausencia, los estragos del repentino espejismo. Pero ahora, al espiarla sin ser visto (porque eso y no otra cosa es lo que estaba haciendo desde mi precaria torre vigía), buscaba en vano algún indicio de ese trastorno y lo echaba de menos, porque ninguno de sus gestos lo dejaba traslucir. No miró hacia la barra ni una sola vez, pero tampoco se mostraba pensativa o absorta, como sería lógico esperar de quien se cree víctima de una alucinación y apetece reconstruir con los ojos entrecerrados la imagen vista en sueños, rumiar las deslumbrantes palabras escuchadas, dirigidas a ella, para poder contárselo más tarde a la amiga íntima y sentirse envidiada: «Era un hombre especial, de los que a ti te encantarían. No sé de dónde pudo haber salido. Y de pronto desapareció. ¿Sabes lo que me decía?»

No, no lo sé, ¿qué te decía?, porque si no te acuerdas tú ni lo añoras siquiera, yo dejo de existir. Necesito que mires para acá, que me des pie para hablarte de mi vivencia de lo transitorio, de mi viejo dilema entre huir o quedarse, necesito oírme decir frases en voz alta para que otro las guarde, aunque luego no sepa yo mismo lo que he dicho y me pese en el alma haberlo dicho y me quede vacío; te necesito, niña olvidadiza de los pantis a rayas, llevo demasiado tiempo solo, eres mi contrapeso de esta noche, mi geometría, recoge, por favor, el hilo que lanzo al azar, con tantas posibilidades de enredarse como riesgo de perderse por entre una maraña de señales de humo, parpadea un poquito, déjame adivinar algo de mi presente a través de tu interés por mi paradero y por el proceso que me trajo a naufragar a estas costas, ¿quién sería?, ¿de qué puerto salió?, ¿qué ha sido de él ahora?, ¿por qué no lo vislumbro? Dame un poco de tregua para que recomponga mi figura, para que tome alientos, puedo contarte mentiras maravillosas, ya verás como sí, porque no me conoces, un extranjero soy y nunca mis mamuts serán los tuyos. El acertijo empieza con ele, como la flor de lis, vuelve hacia acá los ojos, búscame, oh jovencita de la memoria flaca. El extranjero de pelo suave quiere jugar contigo.

Pero no me buscaba, ni sacaba su agenda, ni acariciaba con ojos soñadores la gabardina negra que en prenda le dejé. Sencillamente había bajado las piernas del asiento y, de nuevo incorporada a su pandilla, se dejaba abrazar estrechamente por su compañero de la derecha, Clemente, el que me había vendido el chocolate.

La distancia no me dejaba comprobar si admitía aquel abrazo rutinariamente o con entusiasmo. Pero lo admitía, igual que las caricias cada vez más intensas que empezaron a derivarse de él. Y esa evidencia me llevó a una conclusión esclarecedora, que se confirmó cuando, habiendo retirado los ojos de aquel punto, los paseé demoradamente por otros del local, donde se estaban desarrollando con total naturalidad escenas parecidas. Para bien o para mal, yo llevaba más tiempo en huelga de sexo que la chica de los pantis a rayas y probablemente que cualquiera de las jovencitas que se veían por allí y a quienes habría podido dirigirme con ánimo de ligar. No significaba una inferioridad de condiciones, pero sí un dato a tener en cuenta, y que teñiría la aventura amorosa, caso de querer emprenderla, de un matiz ignorado, mezcla de hambre y cautela. Evoqué etapas anteriores de mi vida en que me dejaba invadir sin cortapisas por la ebriedad instantánea de estarle gustando a una mujer, cuando el amor se presentaba como un estado implacable de violencia y éxtasis, un incendio que ni toleraba ser aplazado ni pedía perdón, cuando entre la apetencia y la consecución de un deseo las treguas eran mínimas.

Pero esta evocación no me provocó nostalgia, como podría esperarse, sino curiosidad, una sed de análisis que me espoleaba. Sin duda existiría un proceso de desencanto, pero también de madurez, a través del cual el deslumbramiento ante la nueva experiencia amorosa habría ido girando poco a poco hasta llegar a brotar simultáneamente con la constancia de su caducidad. Y también con el entendimiento de que las personas conviven con uno como emisarios de otra cosa. Me preguntaba cuándo o cómo nacería la aspiración a alejar de mí cualquier objeto de deseo para convertirlo en algo más controlable, en objeto de meditación, pedacito de hielo buscando su acomodo en el rompecabezas de la Razón Fría, aquel juego que congeló los recuerdos y las emociones de Kay durante su cautiverio en el castillo de la Reina de las Nieves.

Recuperé una playa perdida en Tánger, cuando estaba empezando a meterme en el lío de las drogas. Habíamos hecho una barbacoa de pescado, éramos mucha gente, entre ellos Javi y Ángela. Llevamos mantas y dormimos en la playa, todos arrebujados. Me desperté cuando estaban empezando a asomar los primeros resplandores del sol, y la vi a ella, de espaldas, bañándose desnuda. Eché a andar a paso vivo por la arena, en dirección contraria.

«Si te pones a rastrear los orígenes de tu extrañeza ante la realidad, te puede salir más de un mamut y más de dos», me dije a mí mismo intentando bromear.

Pues sí, la cosa tenía que venir de atrás, de antes de que me cogieran preso. Pero la cárcel, desde luego, me había deparado un campo idóneo para sublimar la abstinencia forzosa en fantasías de infinito. Romper las fronteras entre lo real y lo soñado, transformar, por ejemplo, una celda en mar abierto. Un verdadero experto había llegado a ser en tales ejercicios de prestidigitación, difíciles de definir, por cierto, y escasamente rentables.

«Pura virguería, guapa, me podían dar un master, como a ti en especialista de pelo masculino», pensé mientras dirigía una última mirada hacia el sofá color ala de mosca, donde la figura de mi utópica interlocutora había quedado casi sepultada por la de Clemente, cuyo pelo tupido, negro y rizoso no sé qué nota merecería para ella. «Adiós, chica. La tendencia a la ruptura parece ser un cáncer natural de las cosas. Bonita frase, si la recordaras, para tu amiga Mónica. Pero la memoria no es tu fuerte. Adiós y gracias, de todas maneras. Que te diviertas.»

No estaba dispuesto a convertirme en un *voyeur* de vía estrecha, ni a consentir que se me acelerara la respiración, para eso te metes a ver una película porno. Así que me despegué de la pared con el gesto más displicente que pude y me dirigí despacio hacia el arranque de la escalera, aunque mis propósitos fueran todavía vacilantes. Pero sentía la cabeza despejada, como después de una ducha fría. Era reconfortante haber cambiado de rumbo y apetecer caminos para explayar a solas la nueva divagación.

En el hueco de la escalera, antes de la bajada a los lavabos, había un ensanchamiento para el guardarropa. Tenía una especie de tejadillo y, tras el mostrador, la chica que lo atendía vendía también tabaco y cintas de casete. Estaba hablando con un cliente canoso que debía de ser amigo, porque se reían mucho. Me acerqué allí, y apoyé el codo en un extremo del mostrador. Era como una tiendecita de juguete. Menos mal, por fin la poética del espacio me brindaba un ejemplo aquella noche, un rincón donde resguardarme.

A Bachelard lo había leído muchísimo en la cárcel, tanto que llegué a aprenderme párrafos de memoria. Me servía de guía para mis acrobacias.

Todo rincón de un cuarto, todo espacio reducido donde nos gusta acurrucarnos sobre nosotros mismos, es para la imaginación una soledad, es decir, el germen de una casa. En el fondo de su rincón, el soñador se acuerda de todos los objetos de soledad, de los objetos que son recuerdo de soledad. Vuelve a ver una casa más vieja, la casa de otro país. El rincón se convierte en un armario de recuerdos.

Eso me había pasado a mí allí, en aquella celda donde me agazapaba a leer palabras que servían de escalera de cuerda por entre los barrotes, de columpio bajo la luna. Y el soñador volvía a ver una casa vieja, siempre la misma, se llenaba su calabozo de olor a mar, a comida casera, a libros antiguos. Y de un cuadro que estuvo colgado encima de cierto piano bajaba una señora con sombrero de velo, y se paseaba desafiante por mis sueños, se sentaba en mi catre, mucho más presente e indiscutible que la muchacha pelirroja que a veces me miraba a través del plástico agujereado del locutorio, como si ella tampoco estuviera muy segura de existir.

Por cierto, ¿qué habrá sido de aquel grabado que estuvo siempre en la Quinta Blanca encima del piano? Me asaltó la pregunta de repente, la primera cuchillada acuciante desde que salí de casa del notario. No le había preguntado qué pasó con los muebles, si la nueva dueña se había deshecho de ellos o no. Claro que se encogería de hombros, me recordaría una vez más, y con toda razón, que fui yo quien se empeñó en venderlo todo, y que solamente había querido conservar la cama de la abuela. Pero, de todas maneras, me quedaban muchas cosas por hablar con él, muchísimas, tenía que ponerme a apuntarlas en serio. Ya estaba bien de perder el tiempo.

–¿Quieres algo? –me preguntó la chica del guardarropa. Era bajita y llevaba el pelo teñido de rojo tirando a caoba, con unas puntas muy tiesas, que le daban cierto aire de puercoespín. Debía de llevar un rato mirándome sin que yo, embebido en mis obsesiones, me hubiera dado cuenta. Su amigo ya se había ido.

–No tendrás un boli.

–Oye, eso es fácil. Lo pides como si fuera un cóctel molotov.

–Pero para vender, digo, es que me hace mucha falta. Mucha.

–Toma, hombre. El alquiler es gratis –dijo tendiéndome un punta bic amarillo.

–Gracias. ¿Y algo para apuntar?

–Pero algo, ¿cómo? Pues anda que no pides tú. ¿Te sirve esta tarjeta?

–Es un poco chica. ¿Por qué no me vendes esa libretita que tienes ahí?

–¡Anda, qué listo! Porque la tengo yo para hacer mis cuentas. Pero bueno, te arrancaré dos hojitas. ¿Basta? ¿O es que quieres escribir una novela?

–Sí, eso quiero. Pero de momento me vale, gracias.

Siguió mirándome mientras yo, apoyado en el extremo del mostrador, apuntaba recados urgentes para don Octavio y para aquella Casilda Iriarte, cuyo nombre acababa de conocer pero que ya llevaba marcado a fuego como un tatuaje.

De pronto, la idea de largarme a casa empezó a presentárseme como una liberación. Me guardé las hojas escritas en el bolsillo de la chaqueta, le devolví el bic a aquella chica, y al mirarla para darle las gracias sorprendí en sus ojos una sonrisa cómplice. Me pareció, con su aspecto tan simpático y estrafalario, un duendecillo burlón resguardado en el tronco agujereado de un árbol.

–Gracias, Puck. Te pareces a Puck –le dije–. Aunque tienes las orejas más bonitas. ¿Sabes quién era Puck?

–Sí, claro. Igual me pides ahora que si tengo las obras completas de Shakespeare.

Me eché a reír.

–No, bonita. Pero dame una cajetilla de camel.

Desde el arranque de la escalera, le dije adiós con la mano. Quedábamos amigos.

Al llegar a la superficie, me quedé unos instantes resguardado bajo la marquesina, que dejaba filtrar el resplandor rojizo e intermitente del letrero luminoso. Respiré hondo. Desde luego, la cabeza sí se me había puesto a cien, con tantos retazos de historias como habían afluido a ella. Soñaba con un cuaderno sin estrenar a la luz tamizada de la lámpara verde. En la calle había charcos, aunque no llovía ya, y enseguida el recuerdo de la gabardina olvidada en las profundidades de la gruta se interpuso en mi fuga casi consumada a modo de inesperado obstáculo que paralizaba la acción. ¡Cuántas veces lo mismo en mitos y leyendas, en cuentos infantiles! Volver la mirada hacia atrás o seguir descubriendo rutas a la intemperie, registrar los detalles del camino, decidir ante las encrucijadas. Al héroe del cuento le toca siempre la iniciativa –en la que nadie le puede sustituir– de resolver por sí mismo los dilemas. Y ha de obrar al mismo tiempo con arrojo y prudencia.

Y me acordé de Gerda como de una amiga perdida por mi culpa, de aquel trecho de la historia en que yo me abrazaba a su espalda, mientras el trineo que conducía a Kay a la perdición resbalaba velozmente por la calle en cuesta. Era una escena tan real como la barbacoa de pescado en una playa de Tánger, los esfuerzos por conversar a través de un locutorio o las reuniones en casa de Enrique para poner discos de Patsy Cline. Gerda había estado muy cerca de mí en aquel trayecto anterior a la llegada de la Reina de las Nieves, tanto que pude sentir el temblor de sus hombros. Pero al llegar a la plaza, la desatendí para sumirme en mis propias conjeturas, y cuando quise recordar era de noche y ella se había ido; no conseguí abrazar más que una racha de copos de nieve que se despeinaban sobre un fondo negro: el hueco del arco por donde había desaparecido el trineo de Kay uncido al de la conductora vestida de blanco. Y fue entonces cuando intuí cómo la distancia puede unir a dos seres desgraciados de forma más indisoluble que la cercanía de sus cuerpos. Nos unía –y nos sigue uniendo– la desesperación de nuestras respectivas pesquisas divergentes, ella en busca de Kay y yo, sin saberlo, en busca de alguien tan valiente como ella. Nuestras voces se cruzan aún sin encontrarse. Pero tenía razón la abuela. En la tenaz pesquisa de Gerda que tanto me molestaba aceptar, en su resistencia a escuchar los cantos de sirena que pretendían disuadirla y torcer su camino, ahí es donde está la aventura, la razón de ser del cuento, la verdadera lección de rebeldía contra el destino. Y sonreí al recuerdo de aquella voz, rotunda, indiscutible: «Es una parte muy larga y tú te empeñas en que te aburre, por impaciencia, que te mata la impaciencia; pero si lo miras bien, niño, tiene mucha miga, ya lo creo que la tiene. Una buena Gerda es lo que tú necesitas.» Por cierto, ¿qué habrá sido de aquel libro gris?... Dios mío, ¡cuántas cosas se me han quedado olvidadas en los repliegues de la Quinta Blanca! No sé si tendrá arreglo.

–¿Necesita usted un taxi? –me preguntó el portero del local, que debía de llevar un rato mirándome intrigado–. Se encuentran mejor saliendo a la Gran Vía.

Estuve a punto de decirle que lo que necesitaba era hacer un inventario de objetos perdidos y reclamárselos cuanto antes a una señora a quien nunca he visto.

–Gracias, pero tengo que volver a entrar. Me he dejado la gabardina.

Cuando estaba bajando los primeros peldaños iluminados, le oí decir:

–Pues no está la noche para andar sin gabardina. Ya se barrunta el invierno.

Mi paso era ahora rítmico y decidido. No solo entraba de otra manera sino que también el local era distinto, más transitable y sobre todo más inocuo. Los músicos estaban haciendo un descanso. Me fijé en que la rubia que imitaba a Patsy Cline estaba sentada en el último escalón de la tarima, respondiendo con visibles muestras de ardor a las caricias de un joven moreno de pelo espeso y rizado. Era Clemente. Pasé de largo y, según avanzaba hacia el sofá, pude comprobar que eran espiados con gesto reconcentrado y torvo por la chica de los pantis a rayas, tan abstraída que no dio muestras de registrar mi aparición. Continuó inmóvil mientras yo recuperaba silenciosamente la gabardina negra, a pesar de que tuve que tirar un poco, porque el cinturón había quedado pillado bajo su cuerpo. No sabía si decirle algo o no. Pero ella resolvió mi titubeo.

–¿Te vas ya? –preguntó de repente, sin mirarme.

–Sí. Pero ¿qué te pasa?

Vista de cerca tenía los ojos llorosos.

–Nada –dijo–. Es mejor que me calle; se ve que en cuanto hablo no hago más que meter la pata. ¡Qué asco de vida, de verdad! No sabe una cómo acertar. Mi madre me dice que antes cada cual se conformaba con lo que le había tocado, y que ahora en cambio, por quererlo todo, no sabemos lo que queremos. En fin –concluyó levantándose–, yo también me voy. ¿Te importa que salgamos juntos?

–No, mujer. ¿Por qué me iba a importar?

Se emparejó conmigo y al llegar al sitio donde Clemente estaba besando a la rubia, miró hacia otro lado y me cogió del brazo. Me pareció que él se había percatado de la maniobra, pero no tuvo ninguna reacción.

Ya en la calle se abrochó la cazadora. Era una niebla baja lo que empapaba ahora el aire.

–Me ha gustado mucho conocerte –dijo–. ¿Te acerco a algún sitio? O..., no sé. Igual te apetece venirte a tomar la última copa a casa. Tengo allí la moto. Es aquella.

Hablaba en un tono apagado y triste, como si todo le diera igual. Me sorprendí aceptando su invitación inmediatamente.

–De acuerdo. ¿Vives lejos?

–No mucho.

–Pues vamos. Pero alegra esa cara, mujer.

Y luego, Gran Vía abajo, agarrado a su cintura, con la cara mojada de lágrimas de niebla, volvió a estremecerme el recuerdo de Gerda. Íbamos muy callados.

En uno de los semáforos se detuvo la moto bruscamente, y ella giró un poco la cabeza.

–¿Vas bien?

–Sí, mucho, me encanta ir en moto.

–Me alegro. Si quieres, damos un rodeo.

–Hace bastante frío, ¿no? Pero como tú veas...

–Yo veo poco, soy mala para decidir.

–Pues ya somos dos.

Por el espejo retrovisor vi que me sonreía.

—Por cierto, ¿cómo te llamas?

—Leonardo.

—Yo Almu. Diminutivo de Almudena. Mucho gusto. Agárrate, que arranco.

El aire nos despeinaba. Volví a paladear el regalo de haber salido de la cárcel, el intenso sabor de la libertad. En el Pompeya ponían *Manhattan,* de Woody Allen.

XIII. EL EQUIPAJE DE MÓNICA

Era un cuarto piso sin ascensor, con escalera estrecha y pina, de madera gastada. La puerta abría a un pasillo no muy ancho de baldosín rojo, rematado en sus dos extremos por habitaciones. Las de la derecha estaban a oscuras, las otras no. Yo esperé detrás de Almu, y vi que se dirigía a paso vivo y airado hacia aquel punto de luz, de donde también venían ráfagas de música, sin pararse a mirar si la seguía o no, como si se hubiera olvidado de mi presencia. Cerré la puerta y me quedé apoyado contra la pared a la expectativa. Lo que sonaba era el adagio de Albinoni. Por todo el pasillo había bultos, libros y montones de ropa en desorden. Un perrito blanco con manchas negras salió al encuentro de Almu y trató de encaramarse a sus piernas, mientras movía el rabo muy nervioso. Aquello pareció enfadarla desproporcionadamente.

–¡Quita, Rosco! –gritó–. ¿Se puede saber lo que hace aquí este animal todavía? ¿No decías que se lo iba a llevar tu primo?

Había llegado a la habitación de la izquierda y se paró unos instantes antes de entrar. La puerta era de esas de doble hoja, con cristales esmerilados. Empujó hacia dentro la que estaba entreabierta. La pintura color ocre se descascarillaba sobre la madera y por el borde corría todo a lo largo un herraje fino y dorado. El pestillo de pomo redondo que lo interrumpía en la mitad era idéntico a uno que había en el salón de la Quinta Blanca. Nunca había vuelto a ver un pestillo así. A través de los cristales esmerilados vi moverse una silueta de mujer, que luego cruzó por el hueco abierto, miró fugazmente hacia Almu y desapareció dentro. Era una morena de pelo largo liso y andares armoniosos. El reconocimiento del pestillo y mi tendencia a enamorarme de lo fugazmente entrevisto a través de puertas desconocidas me otorgaban el papel de detective apasionado, que tanto me gusta interpretar. Vi una silla de lona negra plegada contra la pared, entre los bultos, la abrí cuidadosamente y me senté en ella sin hacer ruido. Quedaba medio oculto por un perchero alargado. Ojalá se olvidaran de mí.

Almu seguía de espaldas, asomada a aquel escenario que yo aún no conocía. El tono de la música había descendido hasta convertirse casi en un murmullo. El perro volvió a entrar corriendo en el cuarto, rozando al pasar las piernas de la recién llegada, cuya agresividad iba notablemente en aumento.

–¡Conmigo no se va a quedar ni un día, ni uno, ya lo has oído! Te lo vengo avisando hace mucho, y tú como si nada. Si no viene tu primo, lo planto en la calle y allá penas. ¿Te crees que no? Pues no me conoces. Joder, Mónica, y además, ¿por qué me has invadido el cuarto de esta manera? ¿No tienes el tuyo? Eres el colmo, de verdad.

–Perdona, pero habías dicho que te quedabas a dormir en casa de Clemente –se oyó decir a la otra con una voz serena y bien timbrada–. Te lo pensaba dejar todo recogido en cuanto acabara, palabra. Además no te cabrees, porque te pedí permiso.

–¿Me pediste permiso?

–Sí, cuando salías de la ducha, y me dijiste que muy bien, tu frase de siempre «no hay problema»; pero como luego nunca te acuerdas de nada...

–Sí, claro, ese es el problema –dijo Almu con voz súbitamente desfallecida–. Y que no atiendo, que no me concentro, así me va a mí el pelo, ya lo sé...

–No empecemos, por favor, en plan Jeremías, que llevo un día de prueba. Hasta he estado llorando.

La voz de Almu se dulcificó.

–Pobrecita, lo siento... ¿Es por culpa de tu madre? ¿No habéis hecho las paces?

–No –fue la respuesta seca–, pero deja eso ahora. Se me ha echado el tiempo encima y tengo un follón bíblico con las cosas que me sirven y las que no, eso es lo malo, que estoy en pie de guerra desde ayer. A ver qué te parece. En mi cuarto voy dejando los libros que no me llevo, y también ropa que te puede valer a ti. Hay un montón. Mejor dicho dos. En uno las cosas de invierno y en otro las de verano. Luego lo vemos. Por ejemplo, el famoso chaquetón verde.

–¿El chaquetón verde? Eres un sol. ¿Para mí?

Almu había entrado en el cuarto, pero se seguían oyendo distintamente sus voces, la de Mónica de tono más grave.

–Sí, claro, y muchas más cosas. Zapatos también. Y bolsos. Si es que hay que ver lo que se almacena en una casa. Venga, ayúdame un poco a seleccionar, ¿o estás muy cansada? Ya total mañana te dejo definitivamente en paz.

–¿Mañana te vas? Jolines, es verdad, ¡qué palo, tú! Lo que te voy a extrañar...

–Pues, hija, nadie lo diría.

–A quién se le ocurre irse tan lejos.

–Y por Rosco no te preocupes. Gerardo me acompaña mañana a Barajas en el coche y se lo lleva seguro, ya hemos quedado en eso. Échame una mano, anda, para bajar esta maleta de la cama, que pesa muchísimo.

Sonó el teléfono allí dentro. Volvió a cruzar Mónica y quitó definitivamente la música.

–Debe de ser Clemente –dijo–. Antes te ha llamado, ¿lo cojo yo?

–¿Que me ha llamado? ¿Cuándo? ¿Cuándo? ¡Dímelo enseguida!

–Hace cinco minutos. Chica, estás como una pila eléctrica.

–¿Y cómo no me lo has dicho? Déjame sola ahora, anda.

–Te lo pensaba decir cuando me dieras tiempo. Tranquila, que sí, mujer, que ya salgo. No es ningún plato de gusto oíros reñir. ¡Vamos, Rosco, sal!

El teléfono dejó de sonar y se oyó un «diga» entre sensual y quejumbroso. Luego ya no se oyó nada más, porque Mónica salió al pasillo precedida por el perro y cerró la puerta. Traía en brazos una bolsa de deporte rebosante de libros. Cuando me descubrió allí sentado detrás del perchero, se sobrecogió tanto que algunos se le cayeron en cascada, porque los de arriba venían en equilibrio bastante inestable. Me vi arrodillado en el suelo recogiéndolos.

–¡Madre mía, qué susto, oye! Pero ¿quién eres tú? ¿Has venido con Almu por casualidad?

–Sí, por pura casualidad. Pero deja, no te agaches, que se te van a caer los demás. Ya te los llevo yo, tranquila. ¡Hombre, *El miedo a la libertad,* mira por dónde!

–¿Lo quieres? Es de los que dejo. Me voy de viaje para mucho tiempo, ¿sabes?

–Sí y no –contesté.

Me había puesto de pie con los libros en brazos, y nos miramos. Tenía los ojos color avellana y me exploraba con una curiosidad complaciente.

–¿Cómo que sí y no? Parece un acertijo.

–Bueno, de los que empiezan por el final. Sí a que sabía que te vas de viaje, que era lo último, y no a lo primero, porque el libro de Fromm ya lo he leído muchas veces. Gracias. Sonrió y echó a andar hacia la derecha, no sin antes hacerme una seña para que la siguiera. Obedecí. El perro iba delante de nosotros.

–Yo también –dijo–. Demasiadas, y además ahora creo que voy a perder un poco la libertad. Por eso lo dejo. Y muchos más que a lo mejor te interesan. Ven. Estoy en plan almoneda. ¿Quieres dar esa luz, por favor?

Me señaló un interruptor que había delante de una puerta de doble hoja, idéntica a la de enfrente. Encendí y entramos.

La habitación, que era bastante espaciosa, tenía dos balcones a la calle y, a la derecha de la puerta, una alcoba con cortinilla a medio correr. Mónica dejó la bolsa de deporte apoyada en el suelo contra la pared. Luego entró en la alcoba, y desde allí siguió hablando conmigo, mientras se movía a la luz sonámbula de una bombilla de pocos voltios. El perro jugueteaba en torno suyo.

–Siéntate si encuentras dónde –dijo–, que ahora salgo. Y tómatelo con calma.

El mobiliario era escaso y desparejado y estaba todo muy revuelto. Dejé los libros encima de una mesa, donde había otros muchos objetos, y me senté en un sillón antiguo de oficina, de esos que dan vueltas y se atornillan para tomar diferentes alturas. Del Rastro, sin duda. Me encontraba a gusto. Unas veces dirigía mis ojos al resplandor fantasmal de las farolas rodeadas de niebla fuera, en la calle, y otras al espacio semiencubierto donde aquella chica se afanaba por ordenar un caos cuyas referencias se me escapaban por completo.

–Lo digo –continuó–, porque cuando Almu se pone a hablar por teléfono con Clemente, ya la conoces.

Miré hacia allá. Mónica estaba de espaldas, inclinada sobre la cama doblando unas prendas de ropa. Tenía unas piernas muy bonitas.

–No –dije–, no la conozco de nada.

Se volvió a mirarme.

–Muy suyo, eso de traer a casa gente que no conoce de nada. Pues bueno, horrible. Yo no he visto en mi vida otra pareja igual, solo tienen cosas que decirse cuando hablan por teléfono. Los ves juntos y parece una película de Antonioni, primeros planos, mutismo y cada cual mirando para un lado. Pero luego, las cuentas del teléfono, oye, suben a la luna. Lo que se digan, no sé. Pero, en general, más bien cultivan el insulto.

Había vuelto a sus tareas y hubo un breve silencio.

–Perdona –pregunté–, ¿puedo encender esta lámpara?

–No faltaba más. Por ahora el cuarto es mío.

Lo hice y me puse a hurgar en los libros esparcidos sobre la gran mesa. Tal vez pertenecieran al lote que estaba dispuesta a regalar. Los había en inglés y francés y abundaba la crítica literaria. También mucho ensayo. Como no había síntomas de que nadie tuviera prisa, acerqué el sillón a la mesa y me entretuve en hojear al azar alguno de aquellos textos. Me resultaba un menester muy placentero, como si me encontrara en una librería de viejo de un país extranjero, cuyo dueño dormita indiferente. Mónica, como si hubiera dado por agotados sus informes acerca de la posible tardanza de Almu, guardaba ahora un silencio solamente interrumpido por las carreritas de Rosco y por el ruido de algún objeto al ser desplazado. Unos ruidos amortiguados y gratos, evocadores de una familiaridad olvidada.

Pasó bastante rato y yo disfrutaba del placer de estar leyendo cerca de alguien que no te molesta. Una paz compartida, sin estridencias, como si nos conociéramos de toda la vida.

Algo semejante a ponerse a bailar con una persona que acaban de presentarte y notar ese acoplamiento inmediato y sin tropiezos que suele conseguirse en general tras esforzadas horas de ensayo.

Mónica tenía la costumbre de subrayar algunos párrafos con lápiz, cuidadosamente, y también de apuntar reflexiones al margen. No tardé en reconocer su letra esmerada y pequeña. Porque era la misma que se repetía siempre. Y contrastaba ese gusto por tomar notas de lectura con el desprendimiento que se traslucía en la disponibilidad de regalar sus libros. Me llamó la atención una frase cruzada en el ángulo superior de un capítulo: «Los recuerdos son tiempo sagrado. El peregrinaje por los lugares que evocan recuerdos (sobre todo si se lleva a cabo a solas) tiene una riqueza purificadora para el alma, re-nueva.»

Había papeles en blanco por entre el maremágnum de la mesa, y también apareció un bolígrafo. Copié aquella frase, y después otras que venían subrayadas en el texto. El libro era *Lo sagrado y lo profano* de Mircea Eliade. Me lo regaló, en traducción italiana, aquella chica de Verona, Clara, a quien fatigaba el desorden de las fechas. ¡Cómo se anudan las cosas a veces! Y siempre, como ella decía, a través del hilo de la palabra. No tenemos otro hilo, cuando ya se ha perdido todo. Aquel libro lo perdí, siempre he ido dejando regadas mis pertenencias por diferentes países, en mi afán neurótico por viajar ligero de equipaje. Pero esos empeños de diáspora siempre acaban pasando factura, como compruebo cada día con mayor inquietud. Y naturalmente, volvió a aflorar, quebrando el bienestar de aquel momento, el recuerdo de tantos objetos huérfanos de mí, abandonados desconsideradamente en la Quinta Blanca. Me volví a sumergir en las palabras de Eliade.

«Instalarse en un territorio viene a ser, en última instancia, consagrarlo. Situarse.»

Estaba apuntando eso, cuando sentí de repente la presencia de Mónica detrás de mí. Pero seguí escribiendo, sin violencia alguna, como si estuviera solo.

–Tienes una letra muy bonita –comentó ella.

–También tú. Porque supongo que será tuya la letra de estas notas, ¿no?

–Sí. Pero no te molestes en copiar nada. Los libros de ese montón son para el que se los quiera llevar. Y también los de la bolsa que traía, ¿donde la he dejado?... ¡Ah sí, allí!, mira, contra la pared. O sea que escoge el que quieras. *Ad libitum.*

–Me encanta que seas tan poco posesiva. No se da mucho. ¿También en el amor?

–En el amor, depende –sonrió–. Pero los libros son para leerlos, no para atesorarlos y que críen polvo. La gente que más los guarda y recuenta no es la que más apego tiene a lo que dicen. ¿Estás de acuerdo?

–Completamente. Lo que tienes que hacer tuyo y entretejer con tu vida es lo que dicen. Cuando vale la pena, claro. Se llegan a crear unas simbiosis entre lo que has leído y lo que vas viviendo y pensando que a veces da miedo. El libro luego es como la sepultura de un ser querido. Le vas a poner flores, pero no sirve de nada. Su alma no está allí, revolotea por los lugares donde dejó su semilla. O sea, dentro de nosotros.

Me había quedado mirando al balcón. La niebla se había espesado. Desde que me puse a evocar el entierro de la abuela Inés en la antesala del notario, ¿cuántas horas habrían podido pasar? Me resultaba incalculable, ¡qué viaje tan largo y complicado! Pero al fin había encontrado una posada acogedora.

Mónica puso las manos en mis hombros.

–A mí también me gustaría mucho apuntar eso que has dicho. Lástima que esté tan cansada. ¿Dónde te ha encontrado Almu, si no es indiscreción?

–Por la Gran Vía. En un subterráneo que se llama «Ponte a cien». Lo siento, el título no lo he inventado yo.

Se echó a reír.

–Me lo figuro. Desde luego, con ese nombre no es de suponer que encontraras allí territorio sagrado, de los que le gustan a Eliade.

–Más bien no. Pero no creas, con buena voluntad a todo se le puede sacar partido. Al final me resguardé bajo una especie de tejadillo, junto a una cerillera que había leído a Shakespeare, y se me disparó a cien la cabeza. Lo peor es que no tenía cuaderno. Por cierto... –añadí palpándome los bolsillos–. ¡Ah, claro, que no llevaba puesta la gabardina! Bueno, me la voy a quitar, si no te importa.

–A mí no. ¿Qué buscas?

–Nada, unos papeles. Los tengo aquí en la chaqueta. Las cosas recién apuntadas siempre parecen importantísimas. ¿No te pasa a ti?

–A veces –dijo Mónica.

Y se le escapó un bostezo. Vi que paseaba por el desorden de la gran mesa una mirada repentinamente ausente y fatigada.

–¿Tienes hora? –preguntó.

–Sí, la una y cuarto.

–Chico, estoy rota. Me voy a tumbar media horita, aunque solo sea, porque el cuerpo no me da más de sí. Pero no te vayas, si no quieres. Me haces compañía.

Me extrañó que se refiriera al futuro de mi estancia en aquella casa sin sacar a relucir el nombre de Almu, como si esa referencia hubiera desaparecido, y yo pasara a ser un invitado suyo.

–¿De verdad no te molesto?

–Al contrario, me dulcificas el trance de la despedida, que lo estoy llevando todo el día muy a palo seco. Ante un viaje largo siempre entran miedos, dudas, cavilaciones que te amargan la decisión. En fin, no te voy a contar mi batallita, pero es como morir un poco, ya se sabe. Resumiendo, que estoy mejor contigo ahí. Además es posible que ni siquiera me duerma, ya veremos. Y me encanta que hurgues en mis libros. Si te apetece, prueba a hablarme de vez en cuando. ¿Tú no tienes sueño?

–No. Pero me gusta velar el tuyo.

No había quitado las manos de mis hombros, y yo llevaba un rato familiarizándome con su cercanía y su olor. Volvía de vez en cuando la mirada hacia ella, pero sin atreverme a pedirle que cambiara de postura ni hacerlo yo, por miedo a que algo, no sé qué, se quebrara.

Hubo un silencio, y se inclinó hacia mi oído.

—Parece como si cayeras del cielo —murmuró.

Luego se separó de mí, arrancó una hoja de un cuadernito rosa y se puso a hacer un dibujo. Yo me levanté del sillón rotatorio y le cedí el sitio, que aceptó con una sonrisa. Me quedé de pie, observándola de cerca, con las manos apoyadas en la mesa, un poco inclinado. Sus dedos blancos y finos, rematados por unas uñas muy cortas, manejaban el lápiz con destreza y decisión. Poco a poco fue apareciendo la silueta de un ángel leyendo un libro. Se detuvo con especial cuidado en las nervaduras de las alas y en las rayitas que imitaban las palabras del texto. Puso debajo: «*The farewell's angel.*» Se quedó mirándolo un momento y luego me lo tendió.

—Toma. Guárdalo con tus papelitos —dijo—. Supongo que entiendes el inglés.

En ese momento se abrió la puerta bruscamente y apareció Almu.

Evidentemente, ella no venía del cielo. En el rostro crispado acusaba, por el contrario, síntomas inequívocos de su infierno particular. Con una voz quebrada por las lágrimas, y casi sin mirarnos, avisó desde la puerta:

—Me voy a casa de Clemente. No tengo más remedio.

Mónica se levantó, avanzó hacia ella y le pasó un brazo por los hombros.

—Pero vamos a ver, calamidad, ¿qué te pasa? —preguntó en tono afectuoso—. ¿No tienes más remedio, por qué? Siempre estamos en las mismas. ¿Habéis vuelto a tener bronca?

Almu asintió mirando para el suelo, con gesto abrumado.

—¿Entonces para qué vas? —insistió Mónica—. Es que me desesperas. Parece que te gusta sufrir. Mándalo al diablo.

—No me riñas. Me ha colgado el teléfono, y no me gusta que quede encima. Precisamente voy para eso. Para decirle que me deje en paz, que es un chulo.

–Sí, y para quedarte a dormir allí. Que ya nos conocemos.

Almu, que se había calmado un poco, miró el reloj.

–Bueno, eso ya se verá. Según la hora que se me haga. ¿Cuándo te vas tú?

–¿Otra vez? Ya sabes de sobra que mañana al mediodía.

–No te preocupes, que vengo antes seguro. No faltaba más.

–Si no me preocupo. Lo que te estoy diciendo es que os dejéis en paz uno a otro, en vez de tanto pedir «déjame en paz». Se corta por lo sano, no hay otra manera. Y además, que si te ha colgado, será que no te quiere ver. Igual te recibe de uñas.

–No, eso no. Yo lo conozco, y sé que me está esperando. Las cosas no son tan fáciles, Mónica, yo también me he puesto hecha una fiera. Necesito verlo, hablando nos entendemos mejor.

–¡Pero si nunca habláis! En fin, allá tú. Yo no te pienso insistir, porque no puedo con mi alma. Tus historias, Almu, ya no me caben. Cajón lleno. Frágil, frágil, frágil.

–Es verdad, pobrecita. ¡Qué tranquila te vas a quedar sin mí! Siempre te estoy metiendo en líos, y luego, a la hora de la verdad, nunca te echo una mano.

Mónica se restregó los ojos y volvió a bostezar.

–Vale, Almu, monsergas no. Si te tienes que ir, vete cuanto antes. Pero despídete de tu amigo, por lo menos, ¿no te parece?

De pronto Almu se quedó mirando por primera vez hacia la mesa sobre la que yo me apoyaba, como si atara cabos. Luego volvió los ojos a Mónica. Parecía desconcertada.

–Oye –le preguntó–, ¿tú a este lo conocías de antes?

–Sí, nos había presentado Mircea Eliade.

–¿Quién dices?

–No es de tu grupo. Un profesor rumano.

A Almu la voz se le coloreó de repente.

–Pues fíjate qué casualidad, yo se lo venía diciendo a él, ¿a que sí?, tengo una amiga que te va a caer genial. ¿Te lo dije o no? –remató, mirándome.

–Sí, es verdad, y además acertaste.

Emitió un suspiro teatral de satisfacción.

–¡Uf! Menos mal, oye, porque es que quedo siempre fatal con la gente. ¿No te importa que te deje con ella, entonces? Porque si no, te acerco a donde sea con la moto.

–No te preocupes, en serio. Estoy muy bien.

Vino hasta la mesa y me dio un beso en la mejilla.

–Pues hasta otro día. Y perdona.

–Nada, mujer, que tengas suerte y se te den bien las cosas.

–Ya, ya. Tenía que volver a nacer. Y ni aun así.

–Venga, no seas plasta –intervino Mónica, empujándola hacia el pasillo.

Salieron juntas y se quedaron cuchicheando un rato allí fuera, mientras yo miraba con detalle el ángel de las despedidas dibujado en aquella hojita color rosa. Escribí debajo la fecha. No sé para qué. Tal vez como homenaje a mi amiga Clara, a tantas cosas olvidadas y perdidas, a todo lo mezclado, lo roto, lo incomprensible, a la noche de Madrid, a los jeroglíficos.

Cuando oí cerrarse la puerta de la calle, me levanté y salí al encuentro de Mónica. Estaba apoyada en la pared del pasillo con los ojos cerrados, como si todo le diera vueltas. Me acerqué y vi que estaba llorando.

–¿Te mareas?

Se echó el pelo hacia atrás, y se despegó de la pared, mientras se secaba las lágrimas de un manotazo.

–Un poco. Pobre Almu. ¡Qué desquiciada está! Y en general –suspiró–, qué desquiciados andamos todos. Vive uno como montado en una noria que cada vez gira más deprisa. Da miedo. Y vértigo. Sobre todo, vértigo. Nos vamos a estrellar.

La cogí de la mano y entramos en la habitación. Se dejaba conducir como si realmente estuviera al límite de sus fuerzas.

–Mejor no pensar en eso. Anda, acuéstate un rato, que estabas muy cansada. ¿Te puedo ayudar en algo?

–No sé. Me he desinflado de repente. ¡Y me ha entrado un frío!

Nos habíamos parado delante de la cortina que tapaba a medias la alcoba. Ahora se percibía con más detalle el batiburrillo que imperaba en aquel recinto. Miré a Mónica y comprendí la depresión que se pintaba en su rostro.

—Es horrible —dijo—. Te invaden los objetos. Cuantos más quitas, más nacen, y todos reivindicando sus derechos, exigiendo atención. Me dan ganas de prenderle fuego a todo. De verdad, no se sabe por dónde empezar.

—¿Empezamos por dejar la cama libre? A mí me parece que eso es lo primero, si te vas a tumbar un rato.

—Ya, pero lo malo es dónde pones las cosas. Tú mismo ves el lío que hay. Y el cuarto de Almu está igual. A tope.

—Venga, no te agobies, lo que estorbe se tira al suelo y en paz. Del suelo no pasa.

Entré con ella y la ayudé a despejar la cama de ropas y paquetes. Inmediatamente se dejó caer sobre la colcha arrugada, lanzó un profundo suspiro y se tapó la cara con un brazo. No se movía ni decía nada. Le quité los zapatos y luego la cubrí con una manta de cuadros que había visto sobre una butaca. Era casi imposible dar un paso sin tropezarse con algo. Rosco se subió de un salto y se echó a sus pies.

—¿Quieres que te apague la luz? —pregunté tras una breve pausa.

Como no contestaba, me acerqué despacito, aunque me parecía raro que se hubiera dormido tan inmediatamente. Una especie de tormenta seca recorría su cuerpo en breves sacudidas, sin acabar de estallar. Me senté a su lado, y enseguida puso su mano sobre la mía. Me la apretó.

—Tengo miedo —dijo con voz entrecortada.

—¿De irte?

—Sí, y también de quedarme. Cada miedo tira de un lado. Es difícil de explicar.

—No hace falta. A mí siempre me ha pasado eso cuando me tengo que ir de un sitio. Desde pequeño. Pero luego, cuando creces, más. Precisamente porque quieres explicártelo, y le das vueltas, en vez de dejar que se pase solo. Limitarse a dormir. O a llorar. El que pueda, claro.

Suspiró, rematando con un bostezo, y cesaron las sacudidas de su cuerpo. Hubo un silencio largo. Seguíamos con las manos cogidas.

Me fijé en un póster que había en la pared de enfrente. Representaba dos cabezas de mujer con gorro de baño. Estaban de perfil y en realidad eran la misma mujer, una mirando hacia otra. Entre sus bocas hinchaban un globo gigante como de chicle color rosa.

–Yo es que además me voy muy lejos y para mucho tiempo –dijo Mónica–. Y mi madre se ha enfadado conmigo, dice que me voy a arrepentir. Antes la he llamado para despedirme y me ha colgado el teléfono.

–De eso sería ella la que se tendría que arrepentir. Pero, además, lo importante es que tú te vayas a gusto. ¿Te vas a gusto?

–Es que no sé. ¿Conoces *El hombre que perdió su sombra?*

–Sí.

–Pues así estoy, como el personaje de Chamisso. Mi sombra está en la infancia, en unos árboles que se movían mientras cantaba mi madre. Es una historia de las que no tienen arreglo, por mucho que se lo busques. Andar sin sombra da vértigo.

Se había hecho un ovillo debajo de la manta y hablaba muy bajito, como para ella misma.

–Pero el vértigo solo dura algunos ratos, mujer. Se cura durmiendo. No pienses en nada, anda, no te desveles más. ¿Quieres que te recite un poema?

Asintió con los ojos cerrados. Su respiración era ahora más regular y acompasada, como la de un niño a punto de dormirse.

Me concentré, procurando hacer memoria. Me lo había recitado Clara, aquella tarde, delante de la iglesia de San Zeno. Venía en un libro que compré luego, cuando empecé a añorarla, y que también se perdió. Aunque no del todo sus palabras. Es un poema de Cavafis. Lo empecé a recitar despacito, en aquel cuarto revuelto y mal iluminado a modo de nana para el recuerdo. Y no sabía a quién se lo estaba dedicando. Seguramente a mí mismo, como siempre. Me desdoblaba en dos perfiles enfrentados que trataban de inflar el globo de la noche, de ponerle un remiendo más.

Cuando el viaje emprendas hacia Ítaca
haz votos porque sea larga la jornada.

217

>   Llegar allí es tu vocación. No debes,
>   sin embargo, forzar la travesía.

Hice una pausa, sospechando que me había saltado alguna estrofa. No me acordaba de más. Mónica emitió un gemido de placer.

—¿Ya no tienes ganas de llorar?

Negó con la cabeza. Sonreía adormilada.

—¿Y tú? —preguntó después de un rato, sin abrir los ojos, en una voz tan confusa que casi no se le entendía.

—¿Yo? No, mujer. Los ángeles de las despedidas nunca lloran. Ni duermen. Me voy a quedar ahí fuera, cosiendo con tus sueños viejos una silueta de sombra para que te acompañe en el viaje a Ítaca. Te la coseré a los pies. Y así el cuento acabará bien. Un remiendo que tal vez dure poco, porque nada en este mundo dura mucho, pero también se puede disfrutar de lo efímero, ¿no te parece?

No contestó. Se había dormido.

Me quedé mirando el desorden del cuarto con una sensación muy aguda de irrealidad. Pero totalmente seguro, por otra parte, de estar después de mucho tiempo en el sitio que me correspondía y haber dicho lo que tenía que decir. Es algo que pasa muy pocas veces. Y suspiré complacido. A mí mismo me extrañaba haber sido capaz de inyectar consuelo y dulzura a un ser desesperanzado, y más aún que me hubiera salido de forma tan natural. Estuve todavía un rato mirándola dormir con el perro a los pies y esperé bastante antes de atreverme a retirar mi mano que había quedado aprisionada bajo la suya. Rebulló ligeramente y dijo «Petern», ya entre sueños. Entonces apagué la luz y salí de puntillas a la habitación de los libros. Eran las dos y diez de la madrugada.

Encendí un pitillo. Me sentía traspasado por una energía nueva, mucho más sereno y lúcido que en ningún momento de aquella noche tan larga y peregrina. Porque verdaderamente, ¡qué largo había sido su peregrinaje! Me puse a revivir uno por uno —como si quisiera descifrarlos— todos sus episodios y remolinos, que ahora se engarzaban armoniosamente en mi memoria como las cuentas de un collar.

Pero lo que no sabía es que me faltaba aún el diamante para abrocharlo. Porque poco después, revolviendo en la bolsa de deporte en busca de algún libro interesante para llevármelo como recuerdo de aquel rato con Mónica, se me apareció uno rodeado de lenguas de fuego, cuya sola visión me produjo un ataque de taquicardia tan fuerte que me asusté. Estaba en cuclillas y me tuve que sentar en el suelo, respirar hondo y buscar apoyo contra la pared. «No puede ser», murmuraba, «no puede ser.» Había cerrado los ojos, pero seguía teniendo el libro en la mano, y cuando se me pasó un poco la sensación de mareo, volví a abrirlos para mirarlo otra vez. Temía haber sido víctima de una alucinación. Pero no.

En la portada tenía una reproducción de «Caminante sobre un mar de niebla», uno de los cuadros de Friedrich que yo prefiero. Se titulaba *Ensayos sobre el vértigo,* y estaba firmado por Casilda Iriarte. Sin duda era algo que la noche me debía. Lo cogí, le dejé a Mónica una nota de despedida, me puse la gabardina y me largué a la calle.

XIV. RÁFAGAS DE VÉRTIGO

El paso de la normalidad al deterioro puede producirse en un aparente abrir y cerrar de ojos. Lo he aprendido en algunas novelas. Precisamente en las que más me gustan: que la ruina no avisa, que el que tiene que estar perpetuamente sobre aviso es uno mismo, al menos para no llevarse un susto cuando eso pase. Es decir, cuando los recintos amanezcan invadidos por roedores y coleópteros, cuando las palabras suenen a disparo, cuando ya nadie tenga ánimos para levantar una persiana, quitar de en medio platos sucios, recoger vidrios rotos, dar posada al peregrino, llamar a la policía o impedir que los libros, apenas hojeados, se vayan apilando por el suelo y obturando poco a poco los pasillos que los separan por fuera y los comunican por dentro, hasta llegar a configurar una geografía tan caprichosa e inaccesible como la de algunas cordilleras.

Pero darse cuenta de ese peligro acarrea también la noción del contrario y de sus servidumbres. Porque, si bien se mira, ¿merece la pena, como antídoto de males futuros, habituarse a montar guardia con la tenaz obsesión de un centinela para defender nuestro metro cúbico de identidad frente al acoso de objetos, lugares y accidentes meteorológicos?

Yo, por de pronto, he despedido a Pilar hace varios días, y ya empieza a notarse que todo está más sucio, que hace más frío, que en esta casa sobra mucho espacio, y que por esas estancias cerradas, que antes dejaba tácitamente a su cuidado, es por donde se cuela subrepticiamente la angustia y se propaga a través de ignotas tuberías, como un aire que enrarece el de las demás habitaciones.

A mi madre le hubiera gustado Pilar. Es más, creo que le gusta y considera un desperdicio, una metedura de pata de las mías, haber prescindido de ella así, sin más ni más. Porque motivos, la verdad, no me ha dado ninguno.

«Es fina. Es una mujer fina y discreta. Debías procurar que se quedara fija, has tenido la suerte que nunca tuve yo. ¿Te has dado cuenta de cómo deja la cocina? ¿De que nunca la llaman por teléfono y de que come poco? Y luego, iniciativas. Lo más importante, que tiene iniciativas. Acuérdate de cómo lo encontró todo. Eso sí, debías comprarle un uniforme. Mejor dicho, dos. Uno para limpiezas, y otro negro con delantal de raso y cuello de encaje. Para cuando abra la puerta. Porque algún día, digo yo, tendrás que empezar a recibir a gente. Además, en el baúl del cuarto de armarios hay mucha ropa de servicio. Algo tiene que sentarle bien, ya sabes que por aquí ha pasado mucho personal y yo no soy amiga de tirar nada. Facha, la verdad, tiene muy buena facha. Y de una edad perfecta, cuarenta y cinco o así le echo yo. A mí me recuerda en los andares y en el empaque a aquella Andrea que mandaron de Burgos, que entró de cocinera y luego se quedó como doncella mía, ¿te acuerdas, Leo?»

Casi siempre es después de apagar la luz y extender el cuerpo buscando un acomodo para convocar el sueño, cuando me habla mi madre de problemas domésticos. Nunca le contesto. De hacerlo, me vería obligado a recordarle que Andrea duró en casa menos de un año y que el principal cargo contra ella, según su confesión, vino a resumirse en el exceso de iniciativas, «ya ves, hijo, que se me ocurren muchas cosas, dice, como si eso fuera un pecado», porque a partir de cierta edad algunas criadas de casa me contaban sus agravios y nos tuteábamos a espaldas de mi madre. Y tendría que hablarle también –que no es ningún plato de gusto– del fracaso que acompañó, en general, a todos sus intentos de moldear al servidor ideal, desmontando, de paso, la falacia de sus presuntas dotes como ama de casa, ya que, según su código, rodearse de un servicio eficaz y «bien tenido» era la base para empuñar las riendas del hogar.

Cierro los ojos y me hago el dormido, hasta que desiste y voy dejando de oír su voz. No me gusta humillar a los muertos. Y además, aunque la convenciera de algo, que lo dudo, ya no tiene remedio.

Pero puede que haya influido su opinión en la incomodidad creciente que llegó a provocarme la presencia silenciosa de Pilar, manejando resortes invisibles que iban devolviendo un brillo apagado al chalet que compró Walter Scribner. Pilar estaba al servicio de la hija de Walter Scribner, era a ella a quien consultaba y quería tener contenta, para ella hacía las cuentas y llevaba colchas y cortinas al tinte. Yo no podía hacer nada para evitarlo, solamente pedirle que se fuera.

Mi incompetencia doméstica despoja ahora a la casa de vanas pretensiones hogareñas y, descascarillado ese barniz, le devuelve a ratos el aire de refugio provisional que me la hizo habitar de otra manera durante aquella escena, ya lejana, de mi llegada por el jardín y el encuentro con Mauricio Brito. Un personaje bastante misterioso, ciertamente, sobre todo por lo que cuesta imaginar que mi madre pudiera aguantarlo tres años, según creo que dijo. Claro que igual era un mitómano. Y sin embargo, yo le estoy francamente agradecido. De la conversación con él aquella noche arrancan mis deseos vehementes de escritura. Que, por cierto, se marchó diciendo: «A lo más oscuro, amanece Dios» Buena entradilla para un cuento de hadas.

Pilar era una ayuda, pero también un dique, que desaparece antes de empezar a resultar indispensable. He tenido la suerte de verlo a tiempo.

Le he dicho que me voy a hacer un viaje. Que a mi regreso tal vez vuelva a llamarla. Se encogió de hombros.

—Le sentará bien cambiar de aires —dijo—. Eso siempre sienta bien.

Un comentario que no revela afecto, reproche ni siquiera curiosidad. Ninguno de los dos se ha acercado al otro como a un ser humano, y estaba claro que iba a seguir siendo así. Le he pagado con esplendidez. Nos hemos despedido con un aséptico apretón de manos. Y estoy seguro de que hubiera llegado a desempeñar a la perfección el papel de doncella de casa fina que mi madre tanto admiraba en los argumentos de alta comedia. Es curioso lo que voy a decir, y a mí mismo me suena raro, pero estoy convencido. Pilar y mi madre se entendían y se complementaban, estaban hechas la una para la otra. Por no haberse tenido que tratar de verdad. Como cuando te enamoras de un personaje de novela. Eso es todo. Yo me he negado a aprovecharme de un resultado que me ponían en bandeja.

¿La echo de menos? Creo que no. Y, sin embargo, tengo que reconocer que me quitaba el miedo y me aplacaba la desazón. Desaparecida ella, va tomando cuerpo el desacuerdo entre actor y decorado y predomina la sensación de equívoco, de inutilidad. Se impone, sobre todo, la evidencia de que esta casa nunca ha sido mía ni la voy a hacer mía a golpe de decreto. Aunque, por el momento, siga guarecido en ella, aprisionado, como si fuera víctima de un bloqueo morboso.

Llevo varias noches sin dormir, y me han vuelto las alucinaciones. Pero soy yo mismo quien les da pábulo, tengo que confesarlo. Y también que me gusta asistir otra vez al derribo estruendoso de tabiques entre la ficción y la realidad. El pensamiento, consciente más que nunca de sus propios límites, no los acepta, sino que se lanza a quebrarlos, aun a sabiendas de los descalabros que entraña tal intento. Y es como la recaída en una antigua y devoradora enfermedad, de la que estaba mejorando mucho, y ahora se recrudece por contagio.

Esta vez, además, el contagio sé perfectamente de dónde viene. Sin dejar de saber, al mismo tiempo y con igual certeza, que ese «dónde» no es propiamente espacial ni temporal, ni falso ni verosímil, sino una mezcla de todo eso y más. De muchas cosas más. Todas las que caben en un libro que ya he leído tres veces, que se me ha injertado en la cabeza y que trata del vértigo. Porque el «dónde» coincide con la geografía de este libro y con los inestables puntos cardinales a que apuntan sus vientos y mareas. El rumor de lo que exhiben y de lo que ocultan es el que acuna mi delirio. Hace un rato lo he escrito en uno de sus márgenes: «¡Al fin un libro alcanzado por el mar!»

Me paso horas enteras de la noche dibujando paisajes irreales que acaba de sacudir un terremoto. El mar invade los bosques, trepa por los edificios, anega a los habitantes estables de la zona, los desahucia. Animales antiguos con cola de sirena o colmillos de morsa se asoman por rendijas y balcones, barcos de guerra andan varados por las azoteas junto a tiestos de boj, y los pasillos de los rascacielos se vuelven navegables, estallan y vomitan cascadas de agua y barro. El escombro arrastrado por cada catarata agrieta las paredes, las deja parcheadas de metralla. Y desde una terraza reventada del Chrysler Building alguien lanza panfletos en elogio del vértigo. Es un personaje que aparece de espaldas, y en otras versiones se desvanece, porque se ha arrojado al vacío. Lleva una casaca. Trato de copiarlo (aunque distorsionado a propósito) del «Caminante sobre un mar de niebla» de Friedrich.

Hace mucho que no me dedicaba a dibujar de modo tan convulso y continuado. Algunos de los esbozos mejores los coloreo con acuarela. Y todos llevan arriba, abajo o en el centro, en forma de serpentina, bandera, nube u oleaje, fragmentos del texto de Casilda Iriarte, copiados con letra pequeña y cuidadosa entre el caos reinante. Es una labor que me absorbe, como algo necesario y de mi total incumbencia. Antes hablaba del injerto del libro en mi cabeza. Creo que está mal expresado. Se trata más bien de semillas dispersas que me piden que las fecunde, algo más parecido a lo que siento cuando intento escribir que cuando me pongo a leer. No es solo que me identifique con un texto ajeno, que eso ya me ha pasado muchas veces, es que es mío, es que siento estarle dando forma yo, lo escribo al leerlo, y me doy cuenta de todo lo que he tenido que quitar para que quede así. Provisional, porque no está cerrado, porque cambia y pregunta y ruge, como el mar. Se ha llevado por delante todo lo iniciado, me sustituye. Y por otra parte, tiene que ver inmensamente con el que he venido siendo desde que nací.

Una cosa muy rara, desde luego, y que produce vértigo. Tanto como arrimarse a un edificio altísimo en calle aglomerada y mirar para arriba con la cabeza bien echada hacia atrás, aguantando el viaje de las lejanas nubes allá sobre la cima picuda, que también navega, y sentir al mismo tiempo el roce de la gente a tus espaldas, que te empuja en distintas direcciones. Y acabas por no saber quién se mueve y quién no, ni desde dónde empieza a contar lo de fuera con relación a lo de dentro, ni adónde va nadie. Y mucho menos uno mismo. A mí me pasó una vez en Brasilia, lo estaba intentando en plan experimento, y me tuvieron que recoger del suelo. Bueno, yo no he estado nunca en Brasilia. Debe ser a Casilda Iriarte a quien le pasó. Pero el vértigo es mío.

Y voy dejando pasar el tiempo como rachas de mar sobre mi cuerpo inmóvil, iluminado, absorto, sin decidir nada, preguntándome solo de vez en cuando, como entre sueños: ¿Cuándo he escrito esto yo? ¿Cómo no me acordaba de haberlo escrito? De ahí, posiblemente, el afán por mirarlo copiado con mi letra, a ver si hago memoria.

El uso de la acuarela ha añadido un elemento extra de confusión y pringue a la mesa del despacho, donde empiezan a verse, junto a los pinceles, cáscaras de fruta y tarros de yogur vacíos. Ayer se presentó también alguna hormiga.

Hoy ha amanecido nevando. Lo supe antes de mirar por la ventana; se nota en ese silencio especial que deja la nieve en torno suyo cuando ha caído por la noche en abundancia. Tal vez no tarde en llegar Gerda a rescatar a Kay montada en un reno. Kay está en el vestíbulo del enorme castillo, intentando combinar piezas de hielo planas y de aristas simétricas, en busca de un resultado que no acierta a salir: la palabra «eternidad». La Reina de las Nieves le ha dicho, antes de partir en visita de inspección hacia los países volcánicos: «Si consigues formar esa palabra, serás dueño de ti mismo y te daré todo el mundo. Además te compraré un par de patines nuevos.» Y él se ha quedado solo y pensativo, condenado a jugar al Juego de la Razón Fría, que se juega siempre sin compañero visible, obsesionado por sus helados cálculos. Gerda va a llegar montada en un reno. Pero él no lo sabe. ¿Cómo puede saberlo si ha perdido por completo la memoria de sus orígenes? Lo dibujo de rodillas, con una mano en la frente y la otra revolviendo las fichas de hielo de su rompecabezas. Tiene el pelo alborotado y una mirada seca de desvarío. Como es muy difícil de plasmar, le coloco delante de los ojos un antifaz negro que relleno con tinta china. Las mejillas se las coloreo de azul.

Hay un rumor casi imperceptible, como de cortina que se mueve, y siento una presencia a mis espaldas. Igual que cuando estaba copiando frases del libro de Mircea Eliade y se me acercó Mónica y nos pusimos a hablar sin mirarnos. Es Mónica, aunque esta vez no haya apoyado las mano en mis hombros. Contengo la respiración. Me dice que también yo dibujo muy bien, como si me quisiera devolver un cumplido al cabo de los días o descubrir otra afinidad entre nosotros. De momento, no le hago decir nada más, porque me acuerdo muy inexactamente del timbre de su voz. Y no quiero que suene a falso nada de lo que salga de su boca. Tal vez esté mirando alternativamente al Kay con antifaz que sale de mi lápiz y a su «Ángel de las despedidas». Lo he encontrado en el bolsillo de la chaqueta que me planchó Pilar para ir a casa del notario, sepultada ahora bajo el revoltijo de ropas, papeles y objetos varios que ocupan por entero la butaca grande. El ángel apareció arrugadísimo, el pobre, junto a una cajetilla de tabaco medio vacía, y tuve que estirar con cuidado el papelito rosa hasta que fue perdiendo la cara de desenterrado. Ahora lo tengo pinchado en un lugar bien visible de la pared con tres dibujos míos de rascacielos reventados, los que me parece que van quedando mejor. Otros los meto en una carpeta, donde he escrito «Ráfagas de vértigo», y los peores los lanzo directamente, hechos una bola, a la papelera colocada al otro lado de la mesa. Mejor dicho, directamente no, porque está muy atiborrada y no siempre atinan a encontrar hueco. Vendría bien vaciarla. A veces pasan rasantes sobre el copete, igual que aviones de guerra, y arrastran en su caída a los bultos que sobresalen. Total, que el pavimento va quedando sembrado de bolas de papel. Algunas se abren al caer, como seres heridos que se retorcieran, y por entre sus pliegues asoman las fauces de monstruos marinos.

—Este cuarto está empezando a parecerse al tuyo —le digo a Mónica—. Te invaden los objetos, como muy bien decías. A veces las escenas se repiten, ¿verdad? No sé ni cómo has logrado pasar hasta aquí, haciendo tan poco ruido además. Debe de ser que la nieve amortigua los sonidos.

Hablo con precaución, tanteando. Me detengo. No puedo forzarla a decir cualquier cosa. Solamente lo esencial. Intuyo que, si pretendo convocar una respuesta que coloree aquella voz perdida, me tengo que atrever a decirle algo más cálido, como cuando intentaba ayudarla a conciliar el sueño, que me salió tan bien. Claro que el principal aliciente era la petición de cobijo por parte de la propia Mónica, su cercanía física y su tacto. Me concentro en evocar aquel gesto de alargarme la mano y estrechármela, aquellos sollozos de niña desvalida arrebujada en una manta. «Tengo miedo», decía. «Tengo frío. Tengo vértigo.»

–Y tú y yo –añado– también nos parecemos cada vez más. No sabes cuánto te echo de menos. A mí mismo me extraña.

–Sí, es raro –dice–. Con el poco rato que estuvimos juntos. Yo, cuando me desperté, creía que había sido un sueño.

Y esta vez ha sonado mejor, algo más acorde con lo que buscaba, a tientas, mi añoranza. Incluso me he regodeado en la expresión «estuvimos juntos», porque se presta a la ambigüedad. Quizá, en efecto, al despertar, cuando yo ya me había ido, Mónica me buscase en la cama a su lado, creyendo que me había acostado con ella. ¡Qué sospecha tan turbadora, caso de que exista! No la quiero disipar porque, desde aquella noche, ha alimentado muchas de mis ensoñaciones más placenteras.

–No es tan raro, si lo piensas bien –digo–. No te he visto a ti, pero he seguido viendo tu letra, que ya me resulta familiar, leyendo tus comentarios, a veces tan afines a los míos. Eso une mucho, contribuye a que no se rompa una amistad, ¿no te parece?

Mi voz hace volutas solitarias que se pierden aire arriba. Soy como Kay, mirando enajenado las fichas de hielo que no encajan. Y mientras dibujo sus manos ateridas, pienso que cuánto me gustaría sentir las de Mónica acariciando mi cuello, tapando mis ojos, tirando de mí dulcemente hacia el sofá, del que previamente tendría que desplazar los papeles y cuadernos que estorban. Y yo la dejaría hacer.

–¿Viendo mi letra? –se extraña–. ¿Dónde? No recuerdo haberte escrito.

–En el libro. Lo tienes tan lleno de anotaciones que a veces no caben las mías, y se entrelazan. Le tengo que abrir camino a mi letra en espirales que emborronan la tuya. Ya sé que no es lo mismo que sentir unos brazos cuando te estrechan, pero puede parecerse algo. Proliferan abrazadas mi letra y la tuya, como ramas infinitas que invaden todo el espacio y se desbordan fuera de él, porque el texto da tanto pie y tiene tanta fuerza que hace de ti lo que quiere, es un puro manantial. Precisamente de la falta de sitio me ha venido la inspiración de los dibujos que estoy haciendo. El tema es casi siempre un mar que estalla y no cabe en los recintos cerrados. Bueno, el de ahora no tiene que ver. Hoy la nieve me ha hecho olvidar esa historia y acordarme de otra, un cuento de Andersen que me contaba mi abuela. Este chico es Kay. No ha quedado mal del todo. El antifaz se lo he puesto porque ha perdido la memoria.

–¿Pero a qué libro te referías antes? –pregunta Mónica–. Me estoy haciendo un lío. No entiendo nada.

–A uno que cogí de tu casa, de aquella bolsa de plástico que habías dejado contra la pared. Ahora te lo enseño.

Me pongo a buscar el libro de Casilda Iriarte entre el desorden de la mesa, descubro algo que me pone nervioso y un movimiento torpe de la mano provoca el vuelco de un tintero destapado sobre el dibujo de Kay. La figura queda enteramente sumergida bajo un lago negro y espeso. Era tinta china. Me levanto a buscar una gamuza o algo por el estilo y, naturalmente, Mónica no está. Pero yo sigo hablando en voz alta, esta vez con Kay, mientras seco el dibujo con unos trapos viejos, que enseguida se tiñen de negro. La silueta del niño se adivina confusamente como un feto debajo del borrón.

–La pobre Gerda no te va a encontrar, aunque venga. Seguramente no era su día, ni el tuyo, ni el mío; ¡qué le vamos a hacer!

Hago un revoltijo con los trapos y el papel emborronado y lo lanzo todo a la papelera. Como era de esperar, cae al suelo y supongo que lo estará manchando. Pero me da igual. El libro de Casilda Iriarte estaba oculto por una serie de cartas y papeles que proceden de la caja de caudales. Dan pistas que le ponen a uno la carne de gallina. De esto no quería hablar ahora, pero se me ha sobresaltado el corazón al volver a verlos; por eso tiré el tintero y me distraje de mi propósito. ¿Cuál era? ¡Son tantos a la vez! Ah, sí, mis afinidades con Mónica. Precisamente en la misma página por donde aparece abierto el libro, se puede ver su letra apretada llenando uno de los márgenes.

–¿Te acuerdas ahora del libro que te decía? Vamos a leer lo que pone aquí. Sueles hablar mucho del Romanticismo. Perdona que me salga una voz tan triste. Es porque sé que ya no me vas a contestar.

» "Da igual lo que haga ahora o las decisiones que tome", dice la nota. "Porque aunque no entienda de dónde, esas decisiones vienen de antes, de otra vida. Se despliega el mar infinito y ese agua ha estallado resonando en otras grutas. Acertar a crear un mundo en que pueda dilatarse el yo desgastado y herido por el continuo trato con la realidad. Vivir otra vida. Es el primer movimiento del alma romántica."

»A ti también te impresiona el mar, por lo que veo. Me encantaría estarlo mirando contigo en una de esas costas bravías del Norte. Y con ella. Los tres juntos. Aunque de ella empiezo a tener miedo. No me preguntes por qué. Es una historia difícil de contar, yo tampoco la tengo muy clara. En fin, déjalo.

Cojo el libro y un cuaderno y me dirijo al sofá. Quito, suspirando, los impedimentos que lo invadían y me arropo con una manta, dispuesto a seguir tomando apuntes. El descalabro del dibujo de Kay me invita a cambiar de dedicación.

Apunto en el cuaderno: «Dificultad para seguirme creyendo que Mónica ha venido y me ha hablado. No me sale bien. Desisto. Se me cruzan los otros papeles sobre el vértigo que guarda mi padre del puño y letra de Sila. Mejor dicho, de Casilda, porque son la misma. Ese era el secreto. Contar cómo lo adiviné. Todavía no consigo que me entre en la cabeza, pero es tan evidente como sobrecogedor. Ha saltado por el aire la nieta del farero y se ha superpuesto a la otra, a la que me usurpa la Quinta Blanca y escribe libros que se me ocurren a mí. Me han invadido las dos a la vez como una marea irresistible. Juntas, convertidas en la misma. Desarrollar el tema de las

metamorfosis. Hasta ahora eso de que una persona se transforme en otra solamente me había pasado en los sueños. Es como de película de terror, como lidiar con un animal de dos cabezas. Literariamente podría dar mucho juego. Me tengo que serenar.»
Cierro los ojos y empiezo a dar diente con diente.
—Tengo vértigo, tengo frío —digo—. No sé qué hacer con tanta angustia. Nos vamos a estrellar, Mónica, tú lo dijiste. Nos vamos a estrellar, si sigue este galope. ¡Qué dolor de cabeza!
Pero me doy cuenta de que no se lo estoy diciendo a nadie. Solo me rodea el silencio de la nieve. Me arrebujo en la manta y, poco a poco, me va venciendo el sueño.

El libro lleva una entradilla: «Lo que tienta y atrae, lo que arrastra hacia el enigma, esa es la fuerza del mar. Nunca, Wangel, podrás aprisionar mi alma ni mis deseos, orientados hacia el misterio, en búsqueda perpetua de lo ignoto. Para lo ignoto nací» (Henrik Ibsen, *La dama del mar*).
Aunque tardé en relacionar a Ibsen con la nieta del farero (venía yo con la cabeza demasiado llena de casualidades recientes), esa cita de *La dama del mar* ya me sobresaltó en el taxi que me traía aquella noche de casa de Mónica. Era como la ranura inquietante que se abre ante los ojos del niño extraviado de los cuentos, y que tal vez conduzca a la cueva definitiva del saber: «Atrévete a entrar por aquí y serás dueño de tu destino.» Estaba muy oscuro y tenía que esperar a los tramos mejor iluminados o a las paradas en algún semáforo para que las palabras de Casilda Iriarte, «orientadas hacia el misterio» como los deseos de la dama del mar, me sirvieran de linterna en aquella primera zambullida en el vértigo, con la que se remataba una noche de por sí bastante vertiginosa. Porque el libro lo abrí nada más sentarme, y lo empecé a mirar por distintos sitios con aprensión e intriga crecientes, como inspeccionando un artilugio peligroso. Una inspección que me aislaba de cualquier otro recuerdo o designio, hasta tal punto que al llegar a casa llevábamos unos momentos parados y yo sin enterarme.

–Era aquí, ¿no? –preguntó el taxista.

Olía a ambientador de violetas. Todo me daba vueltas. «Sensación engañosa de movimientos giratorios, unas veces del cuerpo alrededor de los objetos y otras al revés: son los objetos los que bailan. En todo caso, el aparato de orientación se perturba.» Levanté los ojos de la página mal iluminada, y vi en los del hombre esa expresión entre desconfiada, guasona y condescendiente de quien está acostumbrado a portear pasajeros nocturnos en mal estado, mercancía averiada. Miré a través de la ventanilla. Había una niebla muy densa.

–¿No conoce la casa? –continuó–. El número, desde luego, se ve mal. Pero como dijo usted que era pasada la gasolinera...

–Sí, sí, perdone.

Volví los ojos al libro antes de cerrarlo, y una frase subrayada por Mónica («confusión entre lo exterior y lo interior») encontró su broche en la portada. El caminante sobre un mar de niebla se nos había metido en el taxi. Quedaban derribadas las fronteras que separan lo de fuera de lo de dentro. Sonreí. Y el taxista se dio cuenta, porque estaba mirándome de plano. Le alargué el dinero.

–Es que a veces pasan cosas tan raras... –se me escapó decir.

Y yo mismo no sabía si estaba pidiendo disculpas o buscando un cómplice. Se encogió de hombros.

–Pues sí, cada día más raras, dígamelo a mí que llevo treinta años en este oficio, y con cómo se está poniendo Madrid, mayormente por la noche. ¿Conoce la casa o no?

Al hacer la última pregunta, en tono cortante, había vuelto a mirarme. Se le puso cara de policía. Y me llevé un susto. Hay emociones que nunca se entierran del todo. Tuve que acudir al recuerdo de don Octavio Andrade para tranquilizarme. Se imprimió un pequeño *flashback* a la película, se disipó la niebla y de aquella casa, que ahora apenas se veía, salió un Leonardo Villalba que caminaba con paso seguro hacia su identidad de heredero respetable y a quien no hubiera alterado la mirada torva de ningún taxista. Llevaba en la cartera la tarjeta del notario con su teléfono. Por muy incorrecto que resultara sacarlo de la cama, era una garantía, si las cosas se ponían feas, saber que podía contar incondicionalmente con él. «Perdone,

don Octavio, le llamo desde la calle..., ¿qué calle es esta, por favor?»
Y el fantasma de una comisaría de barrio donde podría toparme con
viejos conocidos me hizo reaccionar compulsivamente.

–¿Cómo no la voy a conocer? ¡Es mi casa! –proclamé en un
tono que a mí mismo me sonó engolado y artificial–. Puede quedarse con el cambio.

Ni me dio las gracias, ni arrancó hasta que subí los cuatro peldaños de la entrada principal y metí la llave en la cerradura. Sentía
a mis espaldas su mirada de sospecha, y las manos me temblaron.
Ha visto uno demasiadas películas. Y luego los propios mamuts,
que brotan de su escondrijo cuando menos se espera, la chatarra a
traición de esa vida anterior, como latas viejas atadas al rabo de un
perro callejero, resonantes, perturbadoras.

«Pero yo hoy no he hecho nada malo», me decía. «Al contrario, he acunado dulcemente a una chica triste. Y además vengo bien
vestido. Como cuando salí, hace menos de un día, mucho menos.
Un poco más arrugado quizá. Pero no tengo pinta de delincuente.
Aunque la verdad es que desde la visita a casa del notario han pasado tantas cosas que se me tiene que notar algún cambio. Por dentro, eso es verdad, son cambios por dentro, pero me aflorarán
también inevitablemente a la cara, porque lo exterior, en casos límite, invade lo interior, y también al contrario, lo dice ella, es uno
de los síntomas del vértigo.»

La nombré así por primera vez, «ella», aunque luego a lo largo de estos días se me haya hecho habitual. Como si guardáramos
juntos un secreto. Por una parte, ese pronombre femenino tiene
resonancias de las primeras novelas de amor que leí siendo niño,
folletines desencuadernados que le encantaban a la abuela y donde
los protagonistas tardaban mucho en conocerse y más aún en comprender que estaban enamorándose uno de otro, llamarse por su
nombre con voz encendida era algo que pasaba solamente al final;
y si el enamorado miraba una puesta de sol suspiraba «¡cómo me
gustaría estar con ella!», buscaba en una fiesta, entre varias siluetas
femeninas, la de ella, «ella no está, ella no ha venido», y soñaba
con ella. «Ella» era como el alma, el genérico de la ausencia, una

garantía de amor clandestino. Pero también, en mi caso, digo «ella» porque no me atrevo a aceptar que su nombre coincida con el de esa señora a quien tengo que pedir cuentas sobre la Quinta Blanca, ni a imaginármela escribiendo el libro que ahora devoro de codos sobre la mesa del abuelo Leonardo, al cual, según dicen, se le daba tan mal pedir cuentas. A mí también. Pero a partir de ahora, peor, mucho más difícil.

Lo pensé en cuanto entré en el vestíbulo y di la luz, allí apoyado contra la pared, respirando hondo, como si acabara de sortear un peligro. Comprendí que el libro, que apretaba contra el pecho, se interponía como un nuevo obstáculo entre mis intereses y los de aquella inquilina un tanto «especial», según versión del notario. Por cierto, la contraportada no aclaraba demasiado las cosas. Ni traía foto de ella, ni apenas aportaba datos biográficos.

«Casilda Iriarte, de cincuenta años, vivió de joven en Londres y posteriormente en Brasil, donde ha publicado tres libros de poemas. *Ensayos sobre el vértigo* es su primera obra en prosa. Tiene también una novela inédita, *El periplo,* en cuya reelaboración está trabajando ahora. Desde hace algunos años vive retirada en un pueblo del norte de España.»

Me miré en el gran espejo del perchero y me vi una cara desencajada. Pero el experimento no estaba haciendo más que empezar. Y subí a toda prisa la escalera, totalmente espabilado, casi febril. Intuía con una mezcla de avidez y miedo, como el doctor Jeckill cuando se encerraba en su laboratorio, que si fuera necesario redoblar la dosis, tendría que afrontar las consecuencias. Porque con ella, con aquella señora especial, el mar se me estaba metiendo en casa, y de nada iba a servir ponerle diques de cartón piedra.

La asociación de ideas entre la noción de vértigo y el salto al vacío sobre los acantilados de una adolescente que escribía cartas raras a mi padre y cuya inicial está en la combinación de la caja de caudales, estalló de pronto, como el primer golpe bravo de oleaje, sin que yo mismo me diera cuenta.

Los esfuerzos por fortalecer y resguardar mi propia escritura me habían mantenido alejado, durante un tiempo que no puedo calcular, de aquella otra historia de amor desvelada a medias a través de algunos papeles hallados en la caja de caudales. Una inmersión somera en ellos me había parecido suficiente, y enseguida saqué la cabeza para respirar. Alarmado, porque había detectado gérmenes infecciosos. Eran aguas turbias. «Ya seguiré explorando por ahí en otra ocasión», había decidido, mientras los recogía y volvía a esconderlos tras el cuadro que representa un faro en noche de tormenta. Corté con aquella historia porque no me consideraba, de momento, con ganas ni valor para asomarme a más abismos. Un ataque de miedo, sin más.

Lo que no sabía cuando logré frenarlo es que a los abismos te empujan fuerzas que no dependen de tu propia capacidad de resistencia. Bueno, tal vez lo sabía, pero lo olvidé. Posiblemente pasaron muchos días. El arte de enhebrar armoniosamente episodios fragmentarios, aunque fueran crueles, me serenó y otorgó –con presunción de duraderas– unas dotes de control que restauraban, a través de la escritura, mi propia identidad malparada. Ante síntomas graves de amenaza, era yo el primero en escuchar la señal de alarma y acudir a vacunarme contra la locura. Y conseguí que no me fuera mal. En mis cuadernos queda constancia de ello.

Pero aquella madrugada, antes de agotar una primera lectura tumultuosa de *Ensayos sobre el vértigo,* ya había acudido a descorrer nuevamente el cuadro que oculta la caja de caudales y había arrojado sobre la mesa todo su contenido con ademanes descompuestos, obedeciendo a un impulso insondable y ajeno a mí, algo que me arrastraba con ímpetu de huracán. Estaba amaneciendo. Fue cuando cerré con llave la puerta del despacho y comprendí que no podía existir ningún testigo de lo que fuera a pasar en adelante. Que Pilar me estorbaba. Necesitaba atrincherarme.

El primer resultado de mi frenética pesquisa, comparable a la del detective ante una pista que sospecha que le puede implicar, fue el barrunto de que Sila pudiera funcionar como diminutivo de Casilda. Hipótesis pronto confirmada por el acoplamiento progresivo de una mujer con otra, a través de las coincidencias textuales que delatan sin sombra de duda un estilo único. Me invadía una excitación rara, a medida que iban apareciendo nuevas pruebas. Era como hacer coincidir con toda seguridad los rasgos de un rostro desconocido con los de otro, desconocido también, casi palparlos, vivir la expectativa ansiosa de su inminente aparición, rostros de mujer huidizos, agazapados tras la enramada del texto, burlándose de quien los acecha, cambiando de escondite. Pero es una, es la misma, a mí no me engaña, habla igual, se enfada igual, se encoge de hombros igual. Porque, efectivamente, en el libro y en las cartas a mi padre aparecen metáforas casi idénticas, quiebros de ritmo semejantes, estallidos de rebeldía y de sensualidad tan solo comparables al afán a contrapelo –que también comparten ambas– por reconstruir sobre bases inéditas la percepción del mundo. Y es precisamente en eso donde yo más me reconozco, la brasa que intensifica mi delirio. Añoro lo mismo que añora ella, escribo, sueño, muero y resucito como ella y con ella, a su compás. Y además compartimos un secreto, un terrible secreto. Me da igual que se esconda. Ya sabe que lo sé.

Después de un repaso febril a los papeles de Sila, donde ya tanto sale a relucir el vértigo, padecí un espejismo. Las vi fundirse a la una con la otra dentro de un hexágono que contiene todo el zumo rosado y gris de los atardeceres precipitados desde que el mundo es mundo sobre la isla de las gaviotas, la C abrazándose a la S, los ojos de la niña que mira al mar y sueña con viajes imposibles desembocando en los de la mujer que retorna de esos viajes, los mismos ojos que se sustituyen y confunden, la misma cosecha de mirada, la misma mujer, el mismo faro. Y yo no soy ajeno tampoco a la metamorfosis contemplada, eso es lo terrible. Yo también tengo un sitio dentro de ese prisma de colores cambiantes, me hace sitio ella, me presta sus ojos. Ven, mira desde aquí, fúndete con nosotras. Y todo se vuelve refracción de iris, disolución total de los proyectos individuales.

Pero es que, además, ha aparecido otra prueba de la simbiosis entre Sila y Casilda, un testimonio irrefutable que sobrepasa el terreno de las conjeturas. Entre los papeles de la caja de caudales, hay un texto a máquina de cincuenta folios grapados, a los que acompaña una carta manuscrita, que da noticia de su elaboración. Se trata del primer borrador de *El periplo,* la novela mencionada en la solapa de *Ensayos sobre el vértigo.* He calculado que ella tenía dieciocho años cuando pergeñó este esbozo, de un tirón, según informa. Me lo he tragado yo también de un tirón, y reconozco que tiene mucho gancho. No sé cómo lo estará cambiando ahora. Se narran, en clave fantástica, las aventuras de Silveria, una adolescente a quien en su pueblo algunos creen dotada de poderes mágicos, y que un buen día se escapa como polizón de un barco mercante en busca de su padre, un capitán inglés que no la conoce, pero con quien ha logrado entablar correspondencia clandestina. La serie de prodigios, casualidades, sucesos inverosímiles, apariciones providenciales y animales parlantes que jalonan la trama de *El periplo* disimulan una posible raíz autobiográfica. Aunque se trate de un relato en primera persona, a Sila no le pudo pasar todo lo que cuenta Silveria, más cercana a un personaje de novela bizantina que a un alquimista de vivencias propias. Y, sin embargo, aquella chica que saltaba por los acantilados se escapó a Londres y encontró a su padre. Por lo menos es lo que le cuenta al mío. No se lo dice de forma contundente, sino bajo el envoltorio de ambigüedades y metáforas típicas de un estilo que ya va empezando a serme familiar. Y que me hace sonreír, porque no me resulta tan distante tampoco de aquellos acertijos famosos de la abuela. Me entrego voluptuosamente a su cosquilleo.

«Igual no te crees nada de lo que te cuento», dice en el folio manuscrito, «pero ya te he dicho muchas veces que lo que más me gusta es que mis cosas solo te las creas a medias. Porque solo me pasan a medias. Y a ti también. Y a todos. ¿Es que nos pasa algo por completo? Pronto conseguiré devolverte tu prestamo. Aunque solo sea a medias. Por ahora, simplemente te pido una opinión sincera sobre *El periplo.* Lo he escrito a borbotones, en una semana. No es más que un borrador. Pero al capitán le gusta. Claro que no domina a la perfección el castellano, cosa que ya sabía por sus cartas. Por ejemplo dice, que me hace mucha gracia: "estoy hambriente" y "estoy sediente". Pero es persona culta. Y estoy logrando que me tome cariño, porque acierto a halagar sus bajos instintos. Es guapísimo,

¿sabes? Algo de lo que cuenta Silveria de la primera entrevista con su padre en Plymouth también es verdad a medias. Dime qué te parece la cita de Cervantes.»

La pone al principio, a mano. Es un fragmento de *Los trabajos de Persiles y Sigismunda*, y me llama la atención que este libro tan enredoso pudiera haberlo leído una chica de pueblo a los dieciocho años. Aunque ya no sé de qué me extraño, la verdad. De ella puede esperarse todo.

«Nuestro camino a Roma cuanto más le procuramos más se dificulta y alarga. Mi intención no se muda, pero tiembla, y no querría que entre temores y peligros me saltase la muerte.»

Y, sin embargo, desde un punto de vista argumental –me refiero a la novela amorosa de mi padre– lo más raro de todo es que este esbozo literario viajase de Londres a Chicago, como atestigua el sobre que se conserva. Eso quiere decir que mi padre, aunque posiblemente ya hubiera conocido a Gertrud Scribner, seguía manteniendo relaciones epistolares con la nieta del farero. Hija, además, por lo que parece, de un capitán inglés. O tal vez eso sean inventos de Silveria.

Total, que ahora se ha presentado también Silveria. Un nombre que triplica el espejismo y que empieza a refractarse dentro del prisma, junto a los que ya había. Tenemos dos eses y una ce. Y también mi ele picuda a la que a veces franquean la entrada, aun sabiendo que es un cuchillo que hiere sus curvas y hace brotar de ellas espuma roja. Se forman unas combinaciones caleidoscópicas muy bellas, sobre todo al atardecer. Yo sigo aquí, mientras tanto, procurando mantener la cabeza fría, jugando con los pedacitos del rompecabezas, a ver si compongo la palabra clave. Y a medida que se bifurcan las pistas, se desdibujan los rostros y se superponen las fechas, el cerco de papeles multiplica el desorden de mi cuarto y mi adicción ya contumaz al vértigo. Algo tendré que hacer.

Avanzo entre indicios, como si necesitara a cada momento un apoyo, por precario que sea, para no tambalearme y dar definitivamente en tierra. «Mi intención no se muda, pero tiembla», como dice Cervantes, nada menos. Que también él ha querido terciar en este pleito. Y cuanto más dudo de mí mismo y de unas historias que invaden y ofuscan mi razón, es cuando más intuyo, al mismo tiempo, estar rozando el filo de la verdad. «Y no querría que entre temores y peligros me saltase la muerte.»

No, todavía no. No me puedo morir sin conocerla a ella. Sin escuchar su voz, por lo menos.

XV. CONEXIÓN CON LA QUINTA BLANCA

Desde que despedí a Pilar, aparte de la lectura de los textos de Sila, Casilda y Silveria y de mi dedicación al dibujo, he hecho varias tentativas fallidas de acercarme al teléfono para marcar el número de la Quinta Blanca, que me sabía de memoria y que, según me ha confirmado una llamada a Información, sigue siendo el mismo, aunque ahora no viene por la G. de Guitián sino por la I. de Iriarte. También he empezado muchas cartas, que han pasado luego a engrosar el reguero de bolas de papel esparcidas por el suelo.

Los intentos epistolares, aun resultando a la postre insatisfactorios, consiguen sacarme momentáneamente de la desazón provocada por mis recientes descubrimientos y limpiar la maraña que ha venido proliferando en torno al nombre de Casilda Iriarte. Al encabezar mis borradores con las palabras «Estimada señora» o «Muy señora mía», procuro prescindir de cualquier informe que se superponga a los proporcionados por don Octavio Andrade. Autora o no de éxito, amiga o no de mi padre, se trata de una persona a quien tengo que dirigirme para entablar tratos sobre el negocio que realmente me interesa: la recuperación de la casa de mis mayores. Mejor dicho, mi casa, porque el carácter de pensión venida a menos que va tomando esta, se acentúa por días. Estoy dispuesto a ofrecerle, de entrada, el doble de lo que pagó, calculando la subida que pueda haber sufrido en estos años la cotización de inmuebles y terrenos, incluyendo los gastos que haya hecho ella para mejorar la finca, corriendo con el pago de escrituración, todo al contado.

No sé si será tan rica o tan desinteresada como para no estar dispuesta a discutir una oferta de este tipo. Tal vez tampoco me conviniera ir al grano enseguida ni mostrar un desaforado interés, no sé, nunca he sido nada diplomático. Si desisto antes de llenar un folio por entero, es en parte a causa de esa torpeza para dar con el tono adecuado, que unas veces me parece demasiado distante y otras artificiosamente desenvuelto. Pero hay además otra razón. Me considero incapaz de quedarme esperando, durante un período que se me antoja eterno, la respuesta a esa misiva ideal, caso de que lograra rematarla y darle el visto bueno. Suposición improbable, ya digo, teniendo en cuenta la inconstancia actual de mis criterios.

Con respecto a una posible conversación telefónica, las ventajas serían indiscutibles, al proporcionar el apoyo concreto de una voz que contesta inmediatamente a la recepción del mensaje. En casos de tanteo, cuenta mucho la simultaneidad en el tiempo, y el tono de voz supone una valiosa orientación para marcar el terreno que debe pisarse. Además, yo soy particularmente sensible a este tipo de señales acústicas; siempre me he creído bien dotado para interpretar lo que encubren, ofrecen o presagian. Pero precisamente también por eso me da miedo, un miedo cerval, la sola idea de oír la voz de Casilda Iriarte, a quien bastará con pronunciar «diga» para abrirme una puerta o clavarme un puñal. Y es, al mismo tiempo, lo que más deseo, el único remedio que vislumbro para salir de este círculo infernal. Un remedio que dejo en reserva, aplazado. De momento, desconfío de mi agilidad para improvisar respuestas sensatas, irónicas o ambiguas al hilo de sus argumentos. Todo consistiría en librarme de prejuicios, si lo que pretendo de ella –como insistentemente me repito a mí mismo– es que se interese por mi oferta. ¿Y cómo no se va a interesar? ¡Que imponga ella sus condiciones, caso de que le parezca baja! Estoy dispuesto a aceptarlas todas, sin discutir, usted no se preocupe que eso no es problema, no regatearé ni un céntimo. Soy muy rico, señora Iriarte, y no me importa decirlo, ¿entiende? No, así no. Sonaría a chulería. Más dulcemente, que no se sienta presionada. Además vayamos por partes, todavía no se trata de eso. Antes tengo que estar seguro yo mismo de que este asunto de la compraventa constituye el motivo principal, por no decir el único, que me impulsa a telefonear a quien tanto me obsesiona. Si estuviera seguro, ¿por qué se me iba a hacer una montaña la idea de disimular, a lo largo de una conversación con ese ser abstracto, todo lo que en concreto he venido sabiendo acerca de su vida? ¿No será, por el contrario, el anhelo de adquirir nuevos datos lo que se me presenta como un placer diabólico, que tan pronto me incita como me hace retroceder?

Aunque zarandeado por semejantes dudas, conservo el seso suficiente para entender que, si en uno de mis trances de desvarío hubiera cedido a la tentación de llamar a la Quinta Blanca, se habría tratado de una decisión espasmódica, regida por la imposibilidad de retener a solas cuanto sé; algo así como vomitar cuando se ha comido demasiado. Atizaría mis peores instintos y quién sabe si también los suyos. Un gesto comparable al de abrir alborotadamente ventanas en noche de huracán cuando en el interior de casa se ha declarado un formidable incendio.

Y lo mío es incendio, qué duda cabe ya, incendio de amor como el de los folletines que guardaba la abuela en el armario del pasillo, aunque ninguna de las «ellas» que salían del libro para pasearse por mis sueños juveniles fueran tan novelescas como esta Casilda Iriarte a quien ardo en deseos de conocer. Sí, a qué darle más vueltas, me trae loco perdido la nieta del farero, la novia de mi padre, la que tal vez en este mismo momento esté inventando mentiras para redondear aquel periplo de juventud que la convirtió en Silveria, experta en mutaciones, poetisa en Brasil, bruja y dama del mar; todas ellas al tiempo me están sorbiendo el seso y ya no aguanto más. O no es verdad ninguna, o todas son verdad. Necesito saberlo.

–Pero antes necesitas otra cosa, Leonardo. Necesitas dormir –dice la abuela–. Una cura de sueño, y luego haz lo que quieras. Tienes unas ojeras que te las pisas y la cara de loco de tus peores trances. No puedes enfrentarte a ella en semejantes condiciones. ¡Nada! ¡Ni por teléfono! ¿O crees que no se nota por la voz cuando está uno hecho un guiñapo? ¡Pues buenas somos las mujeres para eso! Se te subiría al lomo. No te dejo. Te tomas un somnífero, ¿entendido?, y mañana será otro día. ¡Que te ha sorbido el seso!, vaya una simpleza. Te lo sorbes tú solo, de tanto darle coba a la literatura, que es lo que te envenena, como a todos los hombres que se encierran con libros. Fíjate don Quijote: por muy en bronces que lo representen, a mí de las que me da pena es del ama y la sobrina que lo tuvieron que aguantar. Anda, hijo, basta ya de palique; yo te canto una nana, verás como todo sale bien. Ella siempre estuvo loca. Pero no es mala. No te dejes pisar el terreno.

En el armario del baño de mi madre había varias marcas de ansiolíticos. He dormido muy bien dos noches seguidas. Y he tenido sueños apacibles, de esos que apenas se recuerdan y dejan al despertar una leve nostalgia, como la sensación de habernos despedido de alguien a quien pronto volveremos a encontrar. Casi todos tenían luz de playa.

Hoy por la tarde he salido a comprarme ropa, que lo estaba necesitando mucho, más que nada camisas y jerséis. Dos de las prendas recién compradas las saqué puestas de la tienda, y la sensación de estreno, siempre vivificadora, aumentó cuando me acerqué a una papelera de la calle y tiré la camisa y el jersey viejos. Los había llevado mucho en la cárcel.

Hacía frío pero estaba despejado, y eché a andar por la Gran Vía, complaciéndome en mi paseo, imaginando de pronto como una aventura incitante el proyecto de telefonear a la Quinta Blanca. ¿Y por qué no lo va a ser? Depende de ti, lo puedes convertir en lo que quieras, simplemente con concentrarte, estar atento a los datos que ella vaya dejando caer, interpretarlos y darles la vuelta, porque a todo se le puede dar la vuelta. ¿Es que de la noche a la mañana has perdido el poder de embaucar y transformar que tanto parentesco tiene con tus dotes fabuladoras? Ponlas a rentar. Ese es tu fuerte, recuérdalo, lo heredas de la abuela, siempre son los demás los que acaban pidiéndote que les cuentes algo, pendientes de una narración que se hace desear y suena a exótica, sigue, ¿por qué te callas?, como aquel compañero de celda, lo tenías atrapado con los cuentos. Julián se llamaba... ¡Qué lejos! Es como si hubieran pasado siglos, ¿cómo podías aguantar allí? Piensa lo que sería volver a estar preso. Imagínate cómo se habría ampliado tu horizonte una de aquellas tardes interminables simplemente con saber la mitad de lo que ahora sabes y tener un teléfono a tu disposición. De novela, ¿no? ¡Pues vive tu novela! Puede ser divertido conquistar a Casilda Iriarte. Y no tan difícil. Está visto. Salir a la calle te sube la moral.

Me iba parando en algunos escaparates. Y me veía guapo, asomando entre mercancía de postín en la luna del fondo, con gesto displicente, como un extranjero que ha venido a Madrid y callejea haciendo tiempo antes de acudir a la cita más excitante de su vida.

Y luego las mujeres. ¿Cuándo te han asustado a ti las mujeres? ¡Di la verdad, Leonardo, venga ya! Incluso sin proponértelo, las intrigas, te encuentran interesante. Mira la propia Almu, sin ir más lejos. Luego se dispersó por culpa del novio o por lo que fuera, pero al principio bien que subió las piernas al asiento, y venga a mirarte, «yo es que contigo alucino, ¿de dónde sales?». Que tú, acuérdate, estabas distraído, pensando en otra cosa. Es fundamental eso, no mostrar ansiedad, estar como pensando en otra cosa. Claro que fingirlo se te puede dar peor, y más por teléfono, sin ver el rostro que te contesta. Tienes, en cambio, la ventaja de que el tuyo también queda en la sombra.

Me metí por callejuelas laterales, en busca de una barbería donde afeitarme y cortarme el pelo, porque las miradas furtivas a la superficie bruñida de las tiendas de lujo me habían hecho entender que mi imagen admite mejora. Si pudiera ser de las antiguas, mejor, de aquellas donde daban un masaje con loción Floid, la que usaba papá de joven. A una cita de amor hay que ir impecable. Y según continuaba andando sin prisa ni rumbo, dejándome rozar por otros transeúntes perezosos de la media tarde, se me iban configurando réplicas ideales para el coloquio pendiente con la señora de mis pensamientos. E imaginaba también pausas intercaladas a propósito, silencios desconcertantes. Y tal vez alguna sonrisa o suspiro apenas esbozados. Pero, sobre todo, no perder la serenidad ni el dominio de la propia voz, aunque se disparen los imprevistos. Que se dispararán. Eso sí, capacidad de reflejos, de matices, de puntería.

Una frase, cuando ella menos se lo espere, que llega intempestivamente a su destino y se clava, convertida en mirada de fuego.

Parte de estas fantasías de estrategia las seguí elaborando luego con los ojos entrecerrados, mientras me abandonaba en manos de un viejo artesano, que afortunadamente no salió charlatán, como suelen ser los de su gremio. El sillón era de cuero negro con soportes metálicos y en el espejo de enfrente se reflejaban un rostro enjabonado y una mirada cómplice. Ya quedan pocas barberías antiguas en Madrid, y por eso había tardado en encontrarla. Ni siquiera la iba buscando; pensaba, más bien, que si aparecía podría tomarse como premio al penoso cautiverio de obsesiones que estaba empezando a quebrarse.

De tal manera que el paseo no solo se alargó sino que se convirtió en un zigzag entretenido y sedante que me iba alejando cada vez más de las vías concurridas y abriendo las espirales de mi laberinto interior.

Cuando salí de la barbería, la noche se había echado encima y las tiendas habían cerrado sus puertas o estaban a punto de hacerlo.

Me quedé parado en la acera, y el fulgor de las farolas recién encendidas provocó en mí esa emoción confusa que precede al reconocimiento de un lugar. La calle era corta y desembocaba en una plazuela pequeña con árboles raquíticos en el centro. Eché a andar hacia allí. Se trataba de un rectángulo no precisamente equilátero. La pared de enfrente la ocupaban un solar con marcas interiores del edificio derruido, una valla llena de anuncios y una casa antigua con balcones de hierro. Tenía cuatro pisos y delante, montada en la acera, estaba aparcada una moto. Era la casa de Almu.

Me acerqué despacio, como cuando se teme espantar una mariposa. Había un ocho encima del portal y a la derecha de la fachada, que hacía esquina con otra calle, aparecía estampado el nombre de la plaza en letras blancas sobre esmalte azul. Lo apunté todo en mi memoria. El apellido de Mónica viene escrito al principio de *Ensayos sobre el vértigo*. Ahora ya puedo escribirle cuando quiera, y no será mentira, le remitirán la carta a Melbourne. Una carta larga y bonita, seguro que le gustará, firmada por «el ángel de las despedidas». Sonreirá al acordarse, la adaptación a una vida nueva siempre es ingrata y ella iba indecisa. Fue una situación tan peculiar la de aquella noche que se presta a idealizaciones. «Tengo muchas cosas que contarte», murmuré dulcemente mirando hacia arriba. «Y mucho que agradecerte también. Me parece un regalo haber encontrado una amiga como tú. Somos cómplices. Ahí pasó todo, detrás de esa pared. Todo. Es mucho, ¿sabes?» Reinaba un silencio irreal y no pasaba nadie. De uno de los balcones del cuarto piso se descolgó una figura de espaldas. Bajaba de un piso a otro con la ligereza de un ave estrafalaria, posándose en las barandillas sin que se alterasen los contornos de su cabellera rojiza ni de su casaca verde, centrado, silencioso y exacto. Nada más poner el pie en el suelo, a pocos metros de mí, echó a andar aprisa hacia la izquierda y se metió por entre las ruinas del solar, que tenía un boquete al fondo, residuo de alguna puerta trasera. Era el caminante sobre un mar de niebla de Friedrich.

En cuanto él desapareció, yo también me alejé del lugar a paso furtivo, aunque en dirección contraria. Ahora ya estaba seguro de que iba a telefonear a Casilda Iriarte.

He esperado a que sean las diez. Mis dudas se centran ahora en la elección de escenario. Por fin, después de darle bastantes vueltas, descarto el despacho y me decido por el dormitorio de mi madre, a quien últimamente he tomado la costumbre de llamar Gertrud, o simplemente Trud, como él hacía. Es un espacio menos cargado de referencias y puede favorecer el distanciamiento. Además, a la izquierda de la cama hay un espejo de cuerpo entero, que me permitirá supervisar actitudes y gestos desmandados. Me he entretenido también en ciertos detalles de decoración y luminotecnia. La innovación más importante consiste en que he traído la foto de Sila saltando por los acantilados y la he metido en el marco de carey donde Trud tenía una pequeña de su padre. Son más o menos del mismo tamaño. La de Walter Scribner, al sacarla, se dobla un poco y cruje. La miro unos instantes y luego la rompo en cuatro pedazos. Me ha dado tiempo a percibir la fría desaprobación de unos ojos demasiado claros. Tiro los trozos a la papelera. Era un testigo molesto.

Completo la transgresión encendiendo una vela en la palmatoria de plata y colocándola junto a la foto de los acantilados. Apago el resto de las luces, menos la de una lámpara baja, y busco en la radio música clásica. Mozart. Está bien. Bajo el volumen y me acerco al espejo, donde mi figura se difumina. Me favorece el color avellana, con las puntas de la camisa blanca asomando. Me acaricio el pelo, muy suave al tacto. Procuraré que tampoco resulte áspero el tono de mi voz.

Me tumbo en la cama, y tirando del hilo, traigo el teléfono sobre la colcha. Lo palpo un rato, voluptuosamente. Cuando por fin me decido a marcar el número de la Quinta Blanca, son las once menos cuarto. Tal vez un poco tarde para una primera incursión, pero mejor así, más excitante. Los dedos me tiemblan. ¿Excitante? Llama a las cosas por su nombre, lo que tienes es miedo. Porque se acabaron los subterfugios y el torear sin toro. Ahora estás en conexión real con la Quinta Blanca. Lo tomas o lo dejas, tú verás.

Los tres primeros timbrazos resonando allí, bajo las altas bóvedas, me provocan un vacío tan intenso en el estómago que anula los proyectos y las bravuconadas. Vértigo, sí, vértigo en estado puro. Cierro los ojos y me clavo las uñas en la palma de la mano izquierda. Es el pavor infantil ante los espacios siderales: la simple consideración de la telefonía sin hilos lo puede a veces desencadenar, por muy científicamente que quieran explicártelo. De niño me asustaba que pudieran llegar las voces de tan lejos a filtrarse en la casa. Con la radio me pasaba también un poco, pero me resbalaba de otra manera, porque al fin y al cabo se trataba de voces desconocidas. Pero en cuanto oía sonar el teléfono en el pasillo, me quedaba parado en posición de alerta, como esperando el trueno que, indefectible y colosal, sigue al dibujo de un relámpago en noche de tormenta. Porque además llegaban noticias que podían ser malas o al menos inquietantes. La abuela me alargaba aquel mango negro de baquelita después de haber hablado ella un rato con total naturalidad, dando paseítos circulares por el pasillo, en cuyo tramo final aparecía mi cara asomando detrás de la cortina verde. «Sí, está aquí conmigo. Ahora se pone. Ven, Leo, toma, no te quedes ahí. Son ellos. Son tus padres.» Y yo cogía el auricular con aprensión, me lo acercaba a la mejilla, aún tibio del tacto de la abuela, y no era capaz de decir nada como respuesta a aquellas voces emitidas desde lejos («tele» = lejos, «phone» = sonido), me apoyaba contra la pared encogido y desconfiado. «Leo, hijo, ¿estás ahí?», se impacientaba mi padre. «Di algo.» Pero a mí me parecía que me estaban engañando, que era víctima de un encantamiento. «No lo entiendo, no lo puedo entender, abuela, con tanto mar por medio», decía luego, con los ojos incrédulos clavados en el mapa. «Yo tampoco lo entiendo muy bien, niño, qué quieres que te diga. Pero es que no se puede entender todo.» «¿Pues sabes una cosa? ¡Para eso prefiero los cuentos de hadas!» «¡Anda, y yo! Pero mira, déjate de bobadas, a cada cual lo suyo. Yo por ese señor Bell siempre que me acuerdo rezo un padrenuestro. Y también por el que inventó la cama, otro sabio, que ese tiene todavía más mérito porque no ha dejado ni el nombre. Habría que levantarle una estatua como al soldado desconocido.»

Hasta que tuve cuatro años no instalaron el teléfono dentro de casa, porque se trataba de una aldea demasiado perdida, «el culo del mundo», según mi padre. Solamente existía en la tienda una centralita atendida por Benigna, la mujer del tabernero, y era ella quien transmitía los recados. Pero enseguida la abuela, que tenía amigos influyentes en la cabeza de partido, removió Roma con Santiago para lograr que san Alejandro Bell nos concediera sus favores. Y así llegó la línea directa antes que a otros pueblos de mayor censo de vecinos. «Cacicadas», decían. «Cosas de doña Inés.» Recuerdo muy bien cuando vinieron unos hombres con mono azul a instalar el aparato. Era una tarde de agosto de mucho calor y dejaron la camioneta fuera de la verja. Lo colgaron muy alto en el pasillo, tanto que yo me tenía que subir en un taburete para llegar. Era negro con dos timbres niquelados a modo de corona, y aunque más adelante se pusieron otros dos aparatos supletorios más modernos, de mesa, aquel nunca se quitó. «Sería como renegar de los orígenes –decía la abuela–, ese significa más que ninguno. Es el padre, es el rey. Las cosas llevan todas su símbolo. Mientras yo viva, ahí seguirá.»

Lo malo es imaginar a tientas, como jugando al escondite, el sitio donde repercuten ahora los timbrazos que excavan este pozo en mi estómago, sin atreverme a colocar con certeza las cosas como estaban, es casi irresistible. Las llamadas oscilan fantasmales por los pasillos de mi cuerpo y de la Quinta Blanca, rebotan sin designio como palos de ciego. Van seis. La casa es grande, ya lo sé, pero también puede ella haber salido un rato en busca de inspiración, aunque sería raro porque el Norte ha dado unas temperaturas bajísimas, lo dijo antes la radio..., siete..., me repercuten en los riñones, me pisotean el corazón, dos más y cuelgo..., ocho...

–¿Quién es?

–¿Casilda Iriarte?

Respiro hondo y el pulso desbocado se me apacigua.

–Sí. Pero está acostada. No se encuentra muy bien. Por favor, ¿quién la llama?

Es una voz de hombre. Me suena un poco. ¿De qué me suena? Y me concentro ahora en la nueva pesquisa.

–Da lo mismo. Un amigo. No la moleste entonces. ¿Cuándo podré llamarla? ¿Mañana?

–Espere usted un momento. Voy a ver si se quiere poner. Porque igual le apetece. Un momentito solo. No cuelgue.

Ahí, en el «momentito», asomó el acento portugués. ¡Ya lo tengo! Es Mauricio... ¡Que no se me escape!

–¡Oiga usted, por favor!... ¡Oiga!... ¡Oye, Mauricio!

Pero ya no contesta. Se ha marchado. Si el teléfono sigue en el pasillo, lo habrá dejado colgando para ir a avisar a su señora. «Mi señora dice que a lo más oscuro amanece Dios...»

¡Vaya, quién se lo iba a figurar! ¡Conque esta era su señora! Tal vez me haya reconocido por la voz, lo mismo que yo a él. Hablamos mucho rato aquella noche. Es una conjetura inquietante la de que haya ido a avisarla porque me ha conocido. Pero no conviene disparatar. También puedo haberme equivocado, a pesar de presumir de oído fino. Hace falta paciencia y sangre fría.

De todas maneras, si es Mauricio, ¿cómo estar seguro de que no vuelve a enredarme la telaraña de otra ensoñación? Mauricio Brito era ya un personaje de novela, de mi propia novela. ¿Hasta qué punto van a entrecruzarse mis narraciones con las de Casilda Iriarte? Y me invade una sorda indignación. ¿También quiere apropiarse de Mauricio? ¡Es el colmo! ¿O son dos? Y en ese caso, aquel de mi novela ¿qué relación guarda con este que ha cogido el recado y ahora tarda en volver? En decir «señora, que la llama un amigo» no se demora uno tanto. Le estará diciendo más cosas, hablándole de mí, puesto que me conoce. No, no puede tratarse de dos, sino de uno, al que a veces desplaza su fantasma. Y si el Mauricio Brito de la Quinta Blanca es un fantasma, también será mentira todo lo que vaya a pasar a partir de ahora. Lo estaré inventando. Sangre fría, Leonardo, por favor, aguarda y no te líes, que desde pequeño tu mayor enemigo eran los silogismos, se salían de madre, te quitaban hasta las ganas de comer.

–A continuación escucharán ustedes la sinfonía número 2 en Re mayor de Brahms, interpretada por la Orquesta Filarmónica de Londres, bajo la dirección de...

Me levanto a quitar la radio, porque me estaba poniendo muy nervioso. Al volver a la cama, ya no soy capaz de encontrar una postura cómoda. Y sigue sin oírse nada al otro lado del hilo. Podría colgar, salirme de este atolladero. Pero no lo hago.

¿De qué te quejas? –me avisa una voz sumergida–. ¿No diste por derribadas las tapias que separan la alucinación de la vigilia? ¿Pretendías haber recompuesto el estrago simplemente por tomar unas píldoras, comprarte ropa nueva y disfrazarte de chico sano y normal? Desconfía de ese tipo de milagros. Lo de Gerda fue otra cosa. Ella se lo trabajó, se tiró al mundo y le echó mucha fe.

Me encojo de hombros. Además de la fe –que nunca tuve mucha–, he perdido todo rastro de serenidad. Y mi capacidad de reacción ante lo inesperado está bajo mínimos. Tardo en enterarme de que alguien, tras un leve chasquido, como de cambio de clavija, ha preguntado «¿quién es?» con una voz que me pilla demasiado tenso como para dejarla entrar y analizarla, aunque no queda registrada como «voz de Mauricio». Y tardo más todavía en relacionar esa pregunta con los propósitos, súbitamente borrosos, que me trajeron al teléfono. Miro los números negros sobre fondo blanco y el hilo retorcido que finge conexiones inverosímiles. Al fin y al cabo, no ocurriría nada del otro mundo si no existiéramos de verdad ni yo ni la desconocida inquilina de la Quinta Blanca, a quien posiblemente pertenezca la voz que ahora vuelve –más rotunda, metálica e impaciente– a preguntar «¿quién es?» con un asomo de autoridad. No, nada cambiaría. Las estrellas seguirían brillando por la noche y los perros aullando quejumbrosos, la primavera fundiría los hielos más reacios y sobre los acantilados del faro revolotearían las nuevas remesas de gaviotas antes de bajar a ocupar su puesto en el islote ancestral.

Mis ojos se dirigen a la imagen enmarcada en carey que salta por los aires, una mancha blanca sobre negro desdibujada a la luz de una vela, y de repente me invade el temor de haber llegado demasiado lejos. ¡Basta! Necesito pedir socorro, como cuando se quiere salir de una pesadilla. Necesito conjurar el vacío, escapar de este sueño o dirigirlo yo, y saber lo que digo al decir «yo», agarrar por las solapas a ese yo huidizo que se esfuma pegándose trompicones contra las paredes de una casa extraña. Basta. No se puede aguantar más.

–¡Soy Leonardo! –grito–. ¡Leonardo! ¿Y tú quién eres? ¿Dónde estás alojada? ¿Qué hace Mauricio ahí?

Y he logrado lo que quería. Despertar. Que todo sea real. Provocar la respuesta afilada que rasga el maleficio.

–Yo soy Casilda Iriarte, la persona a quien llamas, según creo –dice una voz de mujer que se apodera de todos mis sentidos–. Y tú un maleducado. ¡Pues vaya una forma de presentarse! No tengo por qué dar explicaciones de las personas que están a mi servicio. ¡Faltaría más! ¿O es que necesito pedirle permiso a alguien, a ti por ejemplo, para que Mauricio viva conmigo?

Me gusta su voz, me gusta muchísimo. Dulcifico la mía.

–No, por supuesto, le pido mil perdones. Es que... Estoy muy alterado en este momento. Pero, por favor, no cuelgue.

–¿Y quién te ha dicho que vaya a colgar? Estamos empezando, supongo.

Se me acelera la respiración. Primera frase intempestiva que se clava a traición, a modo de mirada de fuego. Pero la ha dicho ella. Costará trabajo superar esta desventaja. Y además me está tuteando, cosa que yo ya no soy capaz de hacer.

–Verá, es que ha sido como un revulsivo llamar a ese número y que alguien coja el teléfono, ya iba a colgar, porque en mis sueños nunca lo coge nadie. Y para colmo, Mauricio, eso ya ha sido el colmo. De pronto, no sé, se me ha ido la cabeza. Sería muy difícil de explicar para que usted lo entendiera.

–¿Por qué no lo intentas? –pregunta ella.

–Porque no lo entiendo yo mismo, no pertenece al terreno de la lógica. Y además no son horas, ni la llamaba para eso.

–Las únicas cuestiones que me interesan –dice– son las que no pertenecen al terreno de la lógica. Aunque cuesta más transmitirlas, en eso estoy de acuerdo. En fin, tú dirás.

–No puedo decir nada hasta que disculpe mi estallido de antes. No era mi intención dirigirme a usted en ese tono, todo lo contrario. Es que a veces las intenciones se mezclan unas con otras, se superponen, dan vueltas, y acaba uno hecho un lío, sobre todo si llevas muchos días metido solo en casa y sin hablar con nadie, pasando de un libro a otro, de una divagación a otra. No sé, por lo menos a mí me pasa.

–A mí también me pasa.

Es como si me hubiera tendido una mano para que me levantara del suelo. Pero adivino que sigue con la espada desenvainada. No se ha acabado ni mucho menos la lección de esgrima.

–¡Qué alivio! –digo, tras un suspiro hondo–. Entonces, ¿me perdona?

–¡Naturalmente, qué tontería! Pero, vamos a ver, ¿te acuerdas, por lo menos, de qué asunto y en qué tono me querías hablar? Porque siempre se hace como una especie de borrador, ¿no?, antes de llamar a una persona desconocida.

Me quedo de piedra. ¿Será capaz de estar viendo a distancia no solo esta habitación presidida por la foto de Sila, sino también el despacho de mi padre sembrado de bolitas de papel? La creo capaz.

–... ¿O es que yo te conozco? –pregunta, en vista de mi silencio.

–Perdone, es verdad. Estoy tan aturdido que no me he presentado todavía. Me llamo Leonardo Villalba Scribner. Usted no me conoce.

Hay una breve pausa, muy tensa.

–No te conozco, no... –dice al otro lado del hilo una voz que sobrecoge de puro reconcentrada, que asusta como un despeñadero.

No sé qué podría decirle yo ahora. La conversación discurre por andurriales peligrosos. Y las riendas las lleva ella, es evidente. Estoy perdiendo pie. Y pulso. Sobre todo, pulso.

–Para ser más precisos –añade lentamente–, digamos que no te he visto nunca.

Me ladeo hacia el espejo en busca de alianza y me encuentro con una figura atenuada e indolente, a punto de disiparse. No me puedo dejar anular de esta manera. Porque ella no me haya visto nunca no voy a claudicar de mi identidad. Reacciono cambiando de postura. ¡Guerra a la horizontal! La abuela decía que para leer o para hablar con las personas es ventajoso tener la espalda apoyada, formando ángulo recto con el resto del cuerpo. Que se entienden mejor las cosas y se conjura el peligro de caer en divagaciones inútiles. La cabecera guateada de la cama de Trud me proporciona un buen respaldo.

–Entiendo lo que quiere decir. Mi nombre, claro está, tiene que sonarle, porque hace unos años me compró usted la Quinta Blanca, aunque mediante persona interpuesta. Y precisamente es de ese asunto del que querría hablarle, mejor dicho, que lo discutiéramos juntos. No ahora mismo, naturalmente, que no se encuentra bien y tampoco son horas, sino a lo largo de una conversación demorada y con tiempo por delante. La llamo, en realidad, para pedirle una cita. Cuando buenamente le acomode. Y si pudiera ser cara a cara, mucho mejor. ¿No viene usted alguna vez por Madrid?

–Sí, alguna vez... Pero vamos a ver, que yo me aclare. ¿Qué tenemos que discutir tú y yo sobre la Quinta Blanca? Eso es lo que no me entra. Creo recordar que todos los papeles quedaron en regla. Y en caso de que me falle la memoria, el notario que autorizó la escritura se llama Octavio Andrade y vive en la calle de Serrano. ¿Por qué no vas allí y le preguntas lo que sea?

–Ya he ido. Ha sido él quien me aconsejó llamarla.

–¡No entiendo nada! –se sulfura–. ¿Llamarme para qué? ¿Discutir qué? Por mi parte, no hay absolutamente nada que discutir.

Acabo de adquirir un dato de primera mano sobre mi negocio. Un dato fundamental y que, aun siendo adverso, me provoca una mezcla de admiración y orgullo. Que le discutan la Quinta Blanca es algo que a Casilda Iriarte no le gusta. Siente la casa suya, además de ser suya. Antes de saber lo que voy a proponerle, ha saltado a la defensiva como una leona, como podía haber saltado doña Inés Guitián.

Y de pronto me entran ganas de echarme a reír, como cuando un ser querido y peculiar tiene un arranque de temperamento, ganas de decirle que me la estoy imaginando asomada a la balconada de atrás, trabuco en mano, como a Bette Davis en alguna película sureña, ganas de preguntarle cómo va vestida y cómo se peina. Y sobre todo de pedirle que no se enfade conmigo, yo no le quiero dar disgustos. Después de todo ya no es una persona joven, tendrá sus problemas, puede estar triste o cansada. Y de pronto noto que mis ansias por deslumbrarla han dado paso a la ternura, a un vehemente deseo de protección.

–No se altere, por favor. No quiero seguirla incomodando a estas horas. Lo importante es que se ponga buena. Tiempo habrá. Es un asunto delicado, para tratar sin prisas.

–¿Y me quieres decir quién tiene prisa? Yo ninguna. Estaba leyendo una novela de Moritz, yo casi siempre leo por la noche, estoy más receptiva y así ahuyento los insomnios. Conque deja, por favor, de decir que no son horas, como si estuviéramos en una oficina y fuera yo el solicitante. ¿Qué ventanilla me estás cerrando en las narices? Di. ¿No son horas para quién? Para mí, ya te he dicho, las mejores, porque adoro la noche y es cuando mejor hablo, mejor leo, mejor pienso y mejor hago todo. Y respecto a ti, no creo que tampoco venga a cuento renegar de unas horas que son las que has elegido para llamarme. ¿Algo que argumentar?

Dirijo la mirada hacia la chica en blanco y negro que salta desde los acantilados a la isla de las gaviotas. Sonrío. Es la misma. Le sigue gustando saltar. Y la señora de cincuenta años triste, cansada y necesitada de protección se diluye inmediatamente.

—Realmente, no. Me lo pone difícil.

—Es marca de la casa —dice—. Lo fácil me aburre.

Hay un silencio que, por fin, me atrevo a romper con una pregunta. Y es como salir de la retaguardia.

—Al decir «de la casa», ¿se refiere a esa casa?

—En parte sí. Aunque no solo. También a este paraje y a este mar y al cielo que lo cubre día y noche. He corrido bastante mundo, pero siempre he sabido que lo difícil era volver aquí. No en busca de arraigo precisamente, sino para enfrentarme, fingiendo que estoy quieta, con lo más difícil y movedizo, con las olas que todo lo traen y todo se lo llevan. A fuerza de mirarlas, acaban dando explicaciones, pero exigen una tarea de interpretación. Tiene mucho misterio el mar. Y el de aquí, supongo que lo sabes, no se parece a ninguno. Hay que prestar mucha atención a sus contraseñas.

Me quedo unos instantes callado. Podría ser el momento de preguntarle, haciéndome el inocente, que cómo siente tan suya esa tierra, que si acaso ella o algún familiar nacieron ahí. Pero no soy capaz de tal hipocresía. Ni tampoco del estallido de sinceridad diametralmente opuesto, basado en la confesión de que he leído sus cartas. Y sin embargo algo tengo que decir, algo que no quiebre este equilibrio raro y emocionante que llevamos, que la anime a seguir hablando de lo que sea. Porque estamos rozando, casi sin darnos cuenta, un terreno de sobreentendidos, de agridulce complicidad.

—No sabe cuánto me gusta —digo— que haya comprado la Quinta Blanca alguien que habla de esos paisajes como usted acaba de hacerlo. Aunque para mi asunto suponga un inconveniente.

Me muerdo los labios. Seguro que lo que acabo de decir es irreparable. Me empezará a preguntar por la naturaleza del asunto que he mencionado, y ya no habrá remedio. Pero no lo hace.

—A mí también me gusta que me llames. Porque eso indica que te tira este lugar, que no eres de los de «borrón y cuenta nueva».

–Bueno, creía serlo. Pero luego he visto que no, y también que las cosas aprende uno a apreciarlas cuando las pierde, tienen que mediar muchas experiencias inútiles y mucha separación. Yo de niño vivía casi siempre ahí. Y ahora me comunico con el mar que salta sobre la isla de las gaviotas como por ondas hertzianas, de esa forma tan intensa con que se quieren, se echan de menos y se conocen las cosas que están lejos, o las que se ven en sueños. No sé si me explico. Hay como un hilo delgado pero muy resistente que me une con el que fui de niño, que repesca a veces imágenes y sensaciones sumergidas. Pero siempre quedan misterios por resolver.

–Te explicas muy bien. Y además, ¡qué coincidencia!, poco antes de llamar tú, estaba leyendo algo muy parecido a eso que dices. ¿Conoces a Moritz?

–No, ¿quién es?

–Un prerromántico alemán. Murió a finales del dieciocho. ¿Te importa si te leo un párrafo suyo?

–No, no, me encantaría.

–Pues espera.

Hay un rumor de papeles, algo que se cae. Probablemente se está acomodando mejor. O poniéndose las gafas. A su edad es probable que necesite gafas para leer. Espero con placentera excitación, saboreando mi dicha, deseando que se demore en encontrar la cita que busca.

–Bueno –dice al cabo–. Aquí está. Se trata de los recuerdos fragmentarios de Andreas Hartknopf (seguramente lo pronuncio mal, porque alemán no sé), una especie de *alter ego* del autor, que murió joven, por cierto, como casi todos los poetas de entonces. Tiene mucha relación con eso que decías tú del hilo que nos une con la infancia. Es que no sé por dónde leerte, es todo precioso.

–Lea por donde quiera, se lo ruego, yo tampoco suelo tener sueño por la noche. Y estoy harto de leer yo solo. De hablar conmigo mismo. Me encantará oírla.

–Bueno, por ejemplo aquí. Iré despacio porque traduzco del portugués. «Tuvo de pronto la impresión de haber echado una mirada tras una cortina que separaba su vida presente de no sabía qué existencia pasada. Evocaba un estado de alma enteramente semejante a este y, sin embargo, no llegaba a vincular ese recuerdo con el tiempo y el lugar. Se acordó bruscamente de que en su primera infancia, cuando preguntaba de dónde había venido, su madre le mostraba siempre el pozo cercano a la casa como la fuente primera de su existencia. Desde entonces, cada vez que oía pronunciar las palabras "pozo" o "fuente", nacía en su alma esa singular sensación que solemos experimentar cuando recordamos algún objeto de nuestra infancia más remota»... Pero lo del hilo no está aquí, no lo encuentro ahora.

–Da igual, siga leyendo, por favor, es maravilloso.

–Aquí está, escucha. «Para Andreas, la infancia era como el Leteo en que bebemos el olvido de nuestros estados anteriores. El hilo que une nuestra existencia actual con otra previa se encuentra allí, pensaba, tan finamente tejido que el ojo casi no llega a distinguirlo. Pero si uno observa con intensidad, acaba por descubrir algo, de la misma manera que cuando fija intensamente la mirada en el cielo va descubriendo estrellas, una por una, allí donde al principio no veía más que el profundo azul.» Bueno, no sigo, porque te leería el libro entero.

–¡Otro trocito! No me canso de oírla. Tiene usted una voz preciosa además, supongo que se lo habrán dicho muchas veces.

–Algunas me lo han dicho, sí. Pero de todas maneras, tú eres un oyente bastante agradecido. Bueno a ver qué elijo para postre. Aquí habla de los sueños, ¿te gusta eso?

–Muchísimo. Me gusta todo. Ese libro ¿dónde lo ha encontrado?

–Lo compré en Brasil. No interrumpas ahora. «Mira: mientras no estemos perfectamente despiertos del sueño de esta vida, desearemos siempre reanudar el hermoso sueño que la muerte viene a interrumpir. Pero una vez que hayamos limpiado nuestros ojos de la arena del sueño, la mirada contemplará los espacios libres, y entonces comenzaremos a tratar de orientarnos en el mundo de la verdad, de la misma manera que al despertar fijamos los ojos en una ventana o en una puerta y consideramos todos los objetos que nos rodean para persuadirnos de que ya no estamos soñando.»

Se interrumpe bruscamente y el silencio que sigue me sobrecoge. Paseo mis ojos por todos los objetos que me rodean, la vela encendida, la fotografía enmarcada en carey, un revoltijo de ropa sobre la butaca, las paredes, la ventana. Y no me atrevo a hablar. Si solamente hubiera escuchado en sueños la voz de Casilda Iriarte, ¿adónde poner proa a partir de ahora?, ¿a quién acudir?

–¡Casilda! –grito–. ¡Casilda! ¿Está usted ahí? ¡Conteste, por favor se lo pido!

–Claro que estoy aquí, hombre, ¿qué te pasa?

–Perdone, la culpa la tiene lo que me ha leído. Algunas veces lo que dicen los libros se me vuelve tan de verdad que lo confundo con lo que veo. Pero literalmente así, sin exagerar. Se me olvida quién soy, me da hasta miedo tanta identificación. Dirá usted que estoy loco.

–Nunca estuviste loco. O por lo menos es un tipo de locura que yo entiendo bien. Ahora dirás que la que estoy loca soy yo, que por qué hablo de ti sin conocerte.

–Precisamente. ¿Cómo sabe que se lo iba a preguntar?

Al otro lado del hilo la mujer se ríe bajito. ¿Se ríe realmente? ¿Por qué? ¿Qué está pasando? Y lo que sea, ¿pasa de verdad? Necesito hacerme con el sueño, dirigirlo. Me miro otra vez al espejo, como si quisiera apuntalar una identidad que vuelve a desmoronarse. Ya es hora de concretar un poco la situación.

–Supongo que no estará pensando que me conoce –digo– por haber conocido a mi padre. No nos parecíamos en nada.

–En nada, desde luego. Él ya habría ido al grano hace rato. Tú eres como yo, gente de rodeos y más rodeos. Nos llevaremos bien. O fatal. Según seas de testarudo.

–No soy testarudo.

–Pues entonces, fatal.

Sin darme cuenta, me he echado a reír. Y me responde desde lejos, resonando bajo las altas bóvedas de la Quinta Blanca, el eco de una risa liberadora, que nos convierte en amigos sin más explicaciones.

–Está visto que tenemos que conocernos, ¿no le parece? De cada frase nacen mil cabos de conversación. Aburrirnos no nos vamos a aburrir, eso seguro. Porque, además, yo algunas veces puedo ser testarudo, si le sirve de garantía. Lo que pasa es que me importan muy pocas cosas y para luchar hay que tener un estímulo. Otra cosa es correr riesgos porque sí, yo cobarde no soy ni me echo para atrás casi nunca, pero cuando no hay entusiasmo es una inercia como otra cualquiera la de meterse en peligros y líos, como quien hace gimnasia. En fin, me he perdido. Ya no me acuerdo de lo que le quería decir. Conteste algo.

Se ríe suavemente.

–¿A cuál de los mil cabos? Empieza a haber un poco de maraña, efectivamente. Creo, como tú, que la relación telefónica ya ha dado de sí todo lo que tenía que dar. Además yo también tengo ganas de conocerte. ¿Qué haces, por ejemplo, en Navidades?

–¿En qué Navidades?

–En estas, vaya pregunta. Estamos a dos semanas de las Navidades, ¿no te habías enterado?

–Pues no.

–Entonces será absurdo preguntarte por los planes que tienes.

–No tengo ninguno.

–Estupendo. ¿Por qué no te vienes a pasarlas aquí? Sería bonito leer a Moritz al calor de la chimenea.

–¿Ahí? ¿Las Navidades? ¿Y cómo?

–Pues en el tren. O en coche, si lo tienes.

–Me refiero al alojamiento. Ya sabe usted que por ahí cerca no hay ni una triste fonda.

–Pareces tonto; si te hablo de venir a pasar las Navidades conmigo se da por supuesto que te estoy invitando a casa, ¿no?

Tardo en reaccionar. La emoción me ahoga. Cierro los ojos y todo me da vueltas. Invitado a mi propia casa por una extraña. Es algo inconcebible, y sin embargo tentador como la atracción del abismo. Me excuso con frases balbucientes y mal hilvanadas, hasta que, perseguido por sus preguntas, acabo por confesarle que me resultaría muy duro volver a la Quinta Blanca y no encontrar mi cuarto del torreón tal como lo dejé, le pido que por favor lo comprenda. Me extiendo insensatamente en la evocación de aquella guarida, en el recuento de sus tesoros, en cómo se escuchaba el mar a lo lejos en noches de tormenta, en los trabalenguas de la abuela; le describo con detalle muebles y objetos, los libros, los grabados, la gran mesa-escritorio con tablero forrado en hule verde. He hablado mucho rato seguido, a mí mismo me extraña. Hasta Andersen ha salido a relucir. Me deja desahogarme y después dice con una voz serena, como de pleamar:

–Merecerías que hubiera pasado un simún sobre todo eso, ya que lo abandonaste desconsideradamente a su suerte. Pero para tu tranquilidad te diré que no cayó en manos enemigas. ¿Entendido?

–No del todo... ¿Quiere decir que mi cuarto aún existe y sigue igual? No lo puedo creer.

–Hombre, igual no. Está bastante mejor, porque se pintó, que le hacía falta. Y también he puesto una alfombra nueva y dobles ventanas. Pero tus cosas no las he tocado ni he hurgado en ellas. Faltaría más. Así que el inconveniente del alojamiento te darás cuenta de que no existe más que en tu imaginación, que a veces tiende a las tintas negras, según empiezo a sospechar.

Hay un silencio largo. Las palabras se me han helado en la garganta.

–Bueno –dice–, ahora sí empiezo a estar cansada. Decide lo que quieras, ¿eh?, y me avisas. Basta con un simple telegrama. Aunque tampoco te estoy forzando, que quede claro. No tienes por qué sentirte obligado a venir. Consúltalo con la almohada. Buenas noches. Y gracias por llamar.

–Casilda, por favor, una última pregunta.

–De acuerdo, pero que no sea difícil. Me estoy mareando un poco.

–¿Por qué ha hecho eso? Me refiero a conservar mi cuarto.

–Siempre he dado por supuesto que volverías –dice–. Una simple cuestión de fe. También sería largo de contar para que lo entendieras. Muy largo.

–Pero en Navidades tendremos tiempo, ¿verdad?

–Eso espero, Leonardo. Buenas noches.

Tercera parte

I. PLUS ULTRA

Al viejo Antonio Moura se lo encontraron muerto dentro de su barca una tarde en que había soplado poco viento y había lucido un sol inseguro y mezquino que, al quedar definitivamente tapado por estrías marmóreas poco antes del ocaso, dejó como una antesala de nieve. No había trazas de accidente, porque la barca se encontraba amarrada, según solía, a una roca picuda y con el ancla hundida en la arena, quizá sin tiempo aún de haberse hecho a la mar, caso de que este hubiera sido el propósito del maestro al montarse en ella. Conjetura no tan descabellada como podría parecer, si se tiene en cuenta que, incluso con un tiempo más desapacible que el de aquel día, se le había visto a veces remando cerca de los acantilados. Y a nadie se le ocurría opinar que se estaba jugando la vida, porque su vida ya hacía tiempo que el viejo Moura la tenía apostada, por decisión propia, a la carta del mar. Pero era más bien un pacto. Como él mismo decía, solo se está jugando la vida quien considera la posibilidad insensata de no perderla más tarde o más temprano, quien opone resistencia al destino, y por eso lo desafía.

Se lo encontró Teófilo, un rapaz tartamudo de doce años, cuando iba a pedirle, de parte de su abuela, ungüento para el reúma. Este chico luego, entre su natural fantasioso, su defecto de pronunciación y la excitación que provoca a esa edad cualquier tipo de protagonismo, se enredó mucho en sus explicaciones cuando llegó casi sin aliento a casa del cura, primer receptor de la noticia, ya que la iglesia, en aquella aldea perdida, cumplía funciones de Oficina de prensa, Comisaría, Farmacia de Guardia y Pompas fúnebres. En lo que más insistía Teófilo, contumaz lector de novelas policíacas, es en que él no había tocado nada. Lo había llamado de lejos, al verlo allí montado en la barca, que la dejaba siempre en la playita rocosa delante de su casucha, y al acercarse ya comprendió que estaba muerto, primero porque no le contestaba, y luego por la forma tan rara de haberse quedado mirando al cielo, unos ojos abiertos como los de los muertos del cine, de eso que da miedo. Pero él no lo había sacudido ni tocó nada, lo juraba por la memoria de su madre. Ni siquiera tomarle el pulso. Sangre no le notó.

Cuando volvió al lugar de los hechos, acompañado por el cura y un par de vecinos, ya era de noche, y llevaron un farol. Además de los ojos –como comprobó don Ambrosio después de cerrárselos– tenía abierto un libro. Y eso le hizo suponer que cuando Antonio se subiera a la barca debían ser aún horas de buena luz, porque, de lo contrario, la muerte no habría podido pillarlo leyendo. Los lentes se le habían caído y estaban sucios de arena.

–Genio y figura hasta la sepultura –comentó don Ambrosio, tras echar una hojeada al libro–. Seguro que ha sido un ataque al corazón. *Requiescat in pace.* No ha debido sufrir nada.

El libro era el tercer tomo de los *Ensayos* de Montaigne, en traducción española. Estaba abierto por el capítulo que reza: «Del arrepentimiento»

... El mundo no es más que un puro vaivén. Todo oscila sin tregua, la tierra, el mar, las rocas del Cáucaso, las pirámides de Egipto. La misma constancia no pasa de ser un vaivén algo más atenuado. Nunca podré estar seguro de mi designio, agitado y vacilante, borracho por naturaleza. Mi alma es incapaz de hacer pie.

Se le hizo un entierro de caridad al día siguiente, que amaneció muy frío, y poca gente acudió. Apenas tenía amigos, aunque tampoco enemigos, aquel gran solitario, más perteneciente ya antes de morir al mundo de los mitos y fantasmas que al de los cotidianos menesteres. Casi todos los asistentes eran chicos de la edad de Teófilo, que habían visitado en diversas ocasiones la modesta vivienda del viejo Moura, y a quienes él enseñaba a remendar redes, a diferenciar el canto de los pájaros, a hacer cestos y a embrear un barco. También les leía versos y les contaba historias fantásticas de naufragios, de navegantes captados por el canto de las sirenas y de ciudades sumergidas en el fondo del mar. Serían una docena. Se mantenían en círculo junto al nicho de la pared donde metieron el ataúd, con los ojos serios, muy formalitos, como si fueran de la familia.

Cuando don Ambrosio estaba rezando el último responso, Teófilo le dio un codazo a su vecino de la derecha, susurró algo y le hizo señas para que mirara hacia la verja que daba entrada al pequeño cementerio. El cuchicheo alertó a los demás, y no tardaron en volverse todas las miradas hacia aquel punto, teñidas inmediatamente de respetuoso pasmo. Una mujer alta, con gorro de lana y gafas negras, envuelta en una larga gabardina, avanzaba lentamente hacia el lugar donde ellos estaban congregados. Traía un ramo de crisantemos apoyado contra el brazo. Todos la conocían. Era la señora de la Quinta Blanca.

Aunque el motivo de su visita al cementerio parecía indiscutible, se paró a algunos pasos del grupo y así, apartada de él, se mantuvo hasta que cesó el bisbiseo de las oraciones y los amigos del maestro empezaron a dispersarse. Algunos hacían una espontánea inclinación de cabeza al pasar a su lado, de tal manera que, sin que nadie se lo hubiera propuesto, como los otros se movían y ella estaba quieta, daba la impresión de que había acudido allí para recibir el pésame de los asistentes. Cuando por fin estos desfilaron, avanzó ella y se quedó un rato silenciosa delante de la lápida sin nombre. Luego se empinó para dejar prendidas en una argolla de hierro las flores que traía, menos dos blancas que separó del ramillete. Algunas miradas furtivas creyeron descubrir que movía los labios, tal vez recitando alguna plegaria, a pesar de que por la iglesia nunca se la había visto.

Casi diez minutos se demoró allí, inmóvil y enigmática tras el antifaz de las gafas oscuras. Y todos se fueron marchando poco a poco.

–O tiene los ojos malos o no le gusta que la vean llorar –razonó uno de los chavales cuando iban camino abajo–, porque gafas negras con este día no se le ocurre a nadie.

–Y luego que ella no las lleva nunca –tartamudeó Teófilo.

Se estaba poniendo el cielo como para nevar y silbaba un viento helado y salobre. Cuando dejó de oírse el rumor de voces y pasos rezagados, la señora de la Quinta Blanca echó a andar despacio entre las tumbas hasta llegar a una más lujosa que estaba en la esquina Noroeste del camposanto, presidida por un ángel de tamaño natural labrado en mármol negro. Las alas sobresalían por encima de la tapia como las de un pájaro gigante posado en la linde de dos mundos, a la escucha del mar, para traer a los muertos su rumor de nana. La señora se inclinó para depositar los dos crisantemos blancos junto al nombre de Inés Guitián, y en el momento en que se estaba incorporando, percibió una presencia a sus espaldas. Se volvió. Era don Ambrosio. Se miraron sin hablar y al cabo de unos instantes abandonaron juntos el recinto. Ella iba delante. Pero antes de trasponer la verja, se detuvo.

–Supongo que quiere decirme algo. Si es así, le ruego que lo haga antes de salir al camino. Y usted perdone la franqueza –dijo mirándole.

–No hay nada que perdonar –contestó él–. Al contrario. Detesto la hipocresía.

–Pues usted dirá.

–Se trata de nuestro viejo amigo. Ayer, cuando estuve ayudando a amortajarlo, encontré entre sus libros un sobre cerrado con lacre donde dice: «Para entregar a la señora de la Quinta Blanca» Me permití cogerlo, aunque tenía mis dudas. Ahora ya no. Pensaba visitarla.

–¿No se referirá a la antigua propietaria? –preguntó ella.

–Eso pensé al principio. Porque, además, algunos de los libros que tenía he visto que llevan en la primera página el exlibris de doña Inés Guitián. Supongo que prestados en otro tiempo por ella.

La señora se encogió de hombros.

—No sé decirle.

—Pero, en fin, en todo caso este sobre, a juzgar por la letra temblorosa, parece de escritura reciente. Y además Antonio, sabiendo como sabía que doña Inés murió hace años (recuerdo que estuvo en su entierro), no veo lógico que conservara durante tanto tiempo algo que, en todo caso, pudo enviar a su hijo. ¿No cree usted?

Sin esperar una respuesta, que además no se produjo, don Ambrosio sacó de entre los pliegues de la sotana un sobre abultado que le tendió a la señora.

—Ya le he dicho —añadió— que pensaba visitarla esta misma tarde, así que me ahorra usted el paseo. Cuando la he visto aparecer hace un rato, ya no he tenido dudas acerca de quién es la destinataria del sobre. No sabe qué alivio ha supuesto para mí tener esta prueba de que Antonio y usted se conocían.

La señora de la Quinta Blanca cogió el sobre que el cura le alargaba. Era grande, de color garbanzo, y presentaba al tacto bultos desiguales.

—Bueno —dijo mirando para el suelo—. Un poco sí lo conocía. Había coincidido con él en alguno de mis paseos por las inmediaciones del faro y entablamos conversación porque descubrí que era, como yo, un vicioso de la literatura. Me pareció que llevaba una vida demasiado solitaria y que estaba deseando cambiar impresiones con alguien. Achaque, por cierto, muy común entre las personas de cierta edad y gustos refinados cuando van perdiendo a aquellos amigos que un día pudieron compartir sus aficiones y apoyarlas. ¿Qué les queda, me quiere usted decir, llegando a ese punto, como no sea el refugio en los sueños?

Don Ambrosio la había escuchado pensativo.

—Bueno, a Antonio, aparte de su amor por la literatura y por los sueños, le quedaba la fe —puntualizó con voz firme—. No la fe del carbonero, por supuesto, sino una fe especial, muy *sui generis*. Pero la tenía. Estaba alimentado como pocas personas por la intuición del «más allá», o *plus ultra,* como él prefería decir. Y eso le ha salvado.

Hubo un silencio y la mirada serena del párroco se estrelló contra los cristales ahumados que defendían la de ella. Pero su voz había depuesto el tono impersonal y controlado cuando contestó dulcemente:

–No lo sabía. Y me consuela mucho saberlo, de verdad. Gracias por habérmelo dicho.

Se despidieron en el camino, porque llevaban direcciones opuestas. El viento azotaba sus ropas.

–Si me da permiso –dijo él, al tiempo de estrecharle la mano–, me pasaré una tarde por su casa para dejarle los libros que llevan por dentro el exlibris de doña Inés Guitián. También los he recogido. Creo que deben volver a la biblioteca de donde partieron, ya fueran prestamo o regalo. ¿Dónde podrían estar mejor, no le parece?

–Claro que sí. En ninguna parte. Las cosas acaban encontrando su sitio más tarde o más temprano, aunque a veces lleven un periplo raro hasta que se acomodan. Pero nada ocurre por azar. En fin, señor cura, le dejo, que está cayendo un poco de aguanieve y yo ando arrastrando un catarro que no se me acaba de quitar. Puede venir a verme cuando quiera.

–Lo haré sin falta, señora. He tenido mucho gusto. Y cuídese, que viene mala la gripe este invierno.

II. VISITA AL TORREÓN

Aquella noche Mauricio Brito era incapaz de conciliar el sueño. Por dos veces encendió la luz, se echó fuera de la cama y se tendió en el suelo a hacer gimnasia. Mientras alzaba las piernas y describía con ellas lentos círculos sin flexionar las rodillas, no apartaba la vista de una gotera que, desde principios de diciembre, venía agrandando sus perfiles y propagándose por el techo, a modo de inquietante nubarrón, hasta alcanzar la puerta.

Toda el ala derecha de la segunda planta, más destartalada que el resto de la casa, tenía pendiente, entre otras reformas, un buen retejado. Construida en ladrillo y precariamente habilitada para usos sucesivos, siempre tuvo algo de añadido anacrónico en contraste con la solidez pétrea de la fachada. Un capricho, según se decía, del difunto Leonardo Villalba antes de que muriera alcoholizado. También se había dicho alguna vez que su viuda, doña Inés Guitián, mantuvo durante mucho tiempo cerradas aquellas habitaciones donde él se refugió en la última etapa de su vida. Pero nunca se atrevió a demolerlas, a pesar de que mucho las aborrecía, porque lo consideraba como un atentado contra la memoria del marido y porque removía en su alma ciertos posos de mala conciencia. Formando recodo con el pasillo y separada de él por un tramo de ocho escalones, aquella zona, orientada al norte y conocida por «el altillo», estaba más expuesta a la intemperie que el ala izquierda, cubierta por las mansardas y terracitas anejas al torreón.

«Hace frío», se dijo Mauricio, mientras se metía en la cama por tercera vez. «Y la gotera es un avión camuflado, a punto de soltar bombas, como comentó ella el otro día. ¡Qué cosas se le ocurren!» Y sonrió sin apagar la luz. Seguía desvelado.

Sobre la urgencia de retejar el altillo era la propia señora quien venía insistiendo hacía mes y pico, a raíz de instalarse Mauricio allí. Porque además su llegada había coincidido con una racha de lluvias y ventiscas tan inclementes como pertinaces.

Antes, en su primera etapa de estancia en la Quinta Blanca, cuando ella le había escrito pidiéndole que viniera del Brasil, dormía en un cuarto del sótano, porque la casa estaba en el punto álgido de las reformas, y desde aquel lugar tan cerca de la entrada le era mucho más fácil inspeccionar el trabajo de los operarios, dar órdenes sobre el acarreo de materiales y desalojo de escombros, e incluso coger la moto y largarse a la ciudad para protestar de viva voz por tardanzas, chapuzas o facturas abusivas.

–Siempre dando la cara por mí, Mauricio. Eres mis pies y mis manos –le decía ella a veces.

Y como era poco aficionada a cultivar el elogio, sus palabras sonaban a música celestial.

Bien mirado, él entonces había cumplido primordialmente funciones de capataz. Y le daba igual dormir en un sitio o en otro, porque caía en la cama como una piedra. Las obras de reforma duraron más de un año, demora comprensible, no solo considerando su propia envergadura, sino también lo difícil que era convencer a los artesanos de la zona –gente ya perezosa de por sí– para que se desplazaran hasta un lugar tan apartado, especialmente cuando las labores de ebanistería, pintura, fontanería o electricidad requerían un rematado fino o caprichoso. Eso sin contar con que la señora muchas veces se encerraba en su cuarto a escribir y se desentendía de todo. Mauricio, aunque la quería muchísimo, acabó un poco harto, la verdad. Ahora, en cambio, lo recibió de forma bien distinta.

–Quiero que te quede una habitación preciosa, la más bonita que hayas tenido nunca –le había dicho cuando le acompañó al altillo–. Puedes escoger la que quieras de estas tres, y metemos en ella los muebles que te gusten de las otras. Yo opino que la última, que tiene el baño cerca, ¿no te parece?

—A mí me da igual.

—Pues no se hable más. Pero, eso sí, mañana mismo hay que llamar a los retejadores. Y también al calefactor, porque ningún radiador de esta parte funciona bien del todo. Los teléfonos de esa gente los tenías tú, creo recordar.

—Puede, señora, pero no te preocupes. Vengo un poco saturado de obras de la otra casa. No hay prisa.

—Sí, Mauricio, prisa sí hay. Se echa el invierno encima.

Pero lo curioso es que ahora, que se había echado de verdad el invierno encima, llevaba varios días ensimismada, encerrada en un mutismo que rozaba lo hostil, ajena a cualquier cuestión de tipo práctico.

No es que, a lo largo de los casi veinte años que llevaban de trato, a Mauricio pudieran pillarle ya de sorpresa las ausencias intempestivas de aquella mujer cuando brotaban periódicamente sin síntomas previos, a modo de alteración galopante que la desasía de este mundo y la arrebataba a otro solamente por ella conocido. Y, sin embargo, desde esas regiones ignotas —las que fueran— seguía despidiendo luz y emitiendo señales que, poco a poco, él había aprendido a interpretar.

Ahora era distinto. Ni siquiera escribía. Ni siquiera miraba por la ventana. Raramente cambiaba de vestido. Se pasaba las horas muertas tendida en la cama, rodeada de libros que abría y cerraba sin ponerse las gafas. Y las arrugas que remataban sus labios se habían acentuado mucho. Comía despegando con trabajo los dientes, con el gesto inexpresivo de quien está masticando chicle. Se había vuelto opaca, rutinaria. Como si hubiera envejecido de repente. Y a Mauricio aquella mudanza le tenía encogido el corazón. Aunque esperaba que fuese pasajera.

Se volvió a echar fuera de la cama, alertado ahora por un ruido seco que se repetía a intervalos más o menos regulares y que no acababa de localizar bien. Esta vez se vistió, cogió la linterna, abrió la puerta y se mantuvo unos instantes a la escucha. Debía tratarse de alguna contraventana mal sujeta que se estaba batiendo contra la fachada, a impulsos del viento. Tal vez fuera necesario salir al jardín. Bajó los escalones del altillo y se paró en el arranque de la gran escalera de doble vertiente que conducía a las dependencias del piso principal. No. El ruido no venía de allí. Ni tampoco de esta segunda planta, sino de arriba. Apagó la linterna y siguió andando a oscuras hacia la izquierda. Miró lejos, al fondo. Por debajo de la última puerta del pasillo, la que correspondía a las habitaciones privadas de la señora, no se filtraba ningún resplandor. Menos mal. Esta noche, al parecer, la había visitado el sueño. Dio unos pasos más sobre la alfombra, apretó un interruptor que había antes de llegar a los dormitorios, y quedó iluminada tenuemente, desde arriba, la escalera de caracol con barandilla modernista que llevaba al torreón.

La luz, gradualmente tamizada, bajaba desmayándose por el hueco hasta convertirse en un halo impreciso que hacía dudar de la entidad real de aquel acceso a las alturas. Los adornos cubistas trenzados en el hierro de la barandilla proyectaban contra la pared una sombra leve y fantasmagórica. Luego, a medida que se subía, iba aumentando la intensidad del resplandor, tal como lo había concebido ella.

Mauricio puso el pie en el primer escalón. Cuando se metía por allí de noche, se acordaba sin saber por qué de unas palabras que le gustaba recitar a modo de plegaria, porque se las sabía de memoria. Eran de *La lámpara maravillosa* de Valle-Inclán, un párrafo que copió en Brasil la señora a petición suya:

> De todas las imágenes entrevistas un instante a lo largo del camino, parece que se han desprendido las divinas sombras ejemplares, y que van con nosotros, y que se inclinan para verse en los remansos del alma, como los sauces en las fuentes claras.

Daba gusto subir y notar cómo se iban disipando las «divinas sombras ejemplares». Estaba muy conseguido. La señora había puesto un especial empeño en la luminotecnia de esta escalera, que hubo de ser rectificada varias veces, porque los diferentes electricistas que vinieron no acababan de captar lo que ella quería. Cosa que, dicho en su descargo, tampoco era fácil, hay que reconocerlo. Las minuciosas explicaciones que Casilda Iriarte daba sobre aquel proyecto –aunque nunca intemperantes ni autoritarias– podían deslumbrar por su precisión lingüística, pero no formaban parte de un discurso técnico sino poético. Comparaba el aumento de luz con la paulatina afirmación de una creencia vacilante, hablaba de la invención de espacios inexistentes, del camino de perfección que suponen ciertos ascensos. Pero nunca se indignaba si no la entendían. Se encogía de hombros con una sonrisa fatigada. «Hay que tener respeto por lo que no se entiende», solía concluir.

Por fin acertó a complacerla cierto arquitecto de Madrid, que estaba trabajando en un parador de turismo a cincuenta kilómetros de allí, y que era amigo de Eugenio Villalba, según supo Mauricio posteriormente, al verlo una tarde en casa del matrimonio Villalba Scribner, cuando pasó a prestar servicio en ella. Reencuentro que, aunque furtivo, resultó un poco violento para Mauricio, porque enseguida había comprendido que la señora de Madrid no tenía noticia de la existencia de esta otra señora. La discreción del joven arquitecto –acompañado, por cierto, de quien parecía su mujer– salvó la situación, ya que miró al criado negro que entraba a servir el té como si no lo hubiera visto nunca, a pesar de que había hablado con él muchas veces con motivo de la luminotecnia del torreón, y de otros varios asuntos para los cuales la señora requirió su asesoramiento durante las visitas que, a partir de entonces, empezó a hacer a la Quinta Blanca. Unas visitas que daban pretexto a nuevas consultas y estas, a su vez, a nuevas visitas. Aquel entendimiento inicial sobre la difícil yuxtaposición de luz y espacio, que iba mucho más allá de un mero problema doméstico, desveló poco a poco inesperadas afinidades entre dos almas solitarias y ansiosas de expansión, sobre todo a la caída de la tarde. El torreón era como un islote a conquistar mediante la luz de la fantasía, símbolo de la ausencia, de un territorio que se desvanece apenas atisbado. Daba pie para enredarse en divagaciones que oscilaban desde arte de vanguardia a los *Diálogos* de Platón. Pero sobre tales sutilezas acababa predominando el sentido del humor de la señora, maestra en dar quiebros oportunos para airear una situación cuando amenazaba con volverse empalagosa. Nunca había tolerado la idea de que un hombre se pudiera aburrir con ella, y sabía cómo evitarlo. De hecho, se les oía reír mucho cuando estaban juntos. Y en eso notó Mauricio que el arquitecto le gustaba, aun antes de que se lo confesara ella misma.

–Es la persona más sensible y más graciosa que me he echado a la cara hace mucho tiempo –le dijo un día–. Y, sobre todo, estimulante. Que me está quitando años de encima, vamos. Bendito torreón.

El arquitecto se llamaba Sebastián Ortigosa, tendría unos cuarenta años, era alto y vestía con una mezcla de elegancia y descuido muy acorde con sus ademanes desgarbados y aquella naturalidad con que tiraba sobre una butaca la gabardina. Era francamente atractivo y lo sabía, como sabía también que su mayor atractivo era fingir que no se daba cuenta. Mauricio se preguntaba si a la señora, tan lista, le habría pasado inadvertido ese detalle.

Mientras duraron las obras en el parador vecino, la visitaba con una frecuencia que llegó a ser excesiva. Luego, bruscamente, lo dejó de hacer. Se quedaban a veces charlando hasta bastante tarde en el salón grande, y en más de una ocasión, ya rayando el alba, había oído Mauricio desde su cuarto del sótano, poco antes de que llegaran los operarios, el motor del Citroën negro de Sebastián Ortigosa que abandonaba la Quinta Blanca. Y esos días la señora se quedaba durmiendo hasta muy tarde, y cuando bajaba a comer traía un hambre canina y le resplandecía el rostro. Por la tarde, desplegaba una actividad inaudita y era capaz de resolver, entre bromas, problemas tediosos, de los que otros días no quería ni oír hablar. Y a Mauricio se dirigía en portugués, como si quisiera crear una intimidad especial entre ellos. Guiños inequívocos para quien ya le había conocido otras aventuras, a las que solamente daba pie cuando le parecían apetitosas. Pero no las buscaba ávidamente ni tampoco se dejaba esclavizar por ellas, se cerraban porque sí, de forma natural, como el ciclo de una estación para dar paso a otra. Tal vez se tratara de un pacto implícito, pues Mauricio no la consideraba capaz de engañar. Estaba casi seguro, por ejemplo, que tanto don José María, su viejo esposo, como Eugenio

Villalba habían aceptado de mejor o peor gana este margen de libertad, pues debían de saber que, de lo contrario, la habrían perdido. Porque perderla era renunciar a su disponibilidad, su palabra y su sonrisa, en aras de una curiosidad tan torpe como inútil por hurgar en sus territorios secretos. Quebrar el puente del consolador «hasta luego» con que siempre se despedía, incluso de los muertos.

A la ausencia de Sebastián Ortigosa sucedió un período de cierta melancolía y de refugio en la escritura, cuyos síntomas también a Mauricio le resultaban familiares. Pero durante mucho tiempo, hasta que él la abandonó para trasladarse a Madrid, los ojos le siguieron brillando con una intensidad especial. Era la luz que ahora se echaba en falta al mirarlos.

–A pesar de los celos que llegué a tener de él, ¡ojalá volviera a aparecer otro arquitecto guapo! –suspiró Mauricio, como remate a aquella complicada subida en espiral–. Pero, en fin, ya se sabe que a lo más oscuro amanece Dios.

Una vez superado el último peldaño, había en la pared de la derecha otro interruptor que, accionado mediante un giro lento, dejaba en sombras la escalera, al tiempo que iba iluminando el recinto hexagonal conocido propiamente por «el torreón», aunque esta denominación incluía otras edificaciones anejas. Mauricio lo cruzó a pasos largos, tras dejarlo graduado a media luz. Ahora ya era evidente que el ruido procedía de la ventana orientada al norte.

La abrió, e inmediatamente irrumpió en la estancia una ráfaga atroz de ventisca racheada por gruesos copos de nieve. Se inclinó hacia el exterior y echó medio cuerpo fuera para alcanzar la chapa de hierro de la contraventana desprendida. Consiguió agarrarla con ambas manos y, a contrapelo del aire helado que se colaba silbando por las bocamangas de su chaqueta, luchaba por hacerse con ella y sujetarla nuevamente a su soporte. Se resistía.

La figura de Mauricio, enmarcada contra aquel fondo de intemperie invernal y con el primer plano de luz tenue derramándose sobre muebles y objetos, destacaba como la ilustración en blanco y negro de un folletín antiguo con leyenda al pie. Por ejemplo: «... peleando contra el furioso huracán, aun a riesgo de su vida...», o algo por el estilo. Había muchos folletines de aquel tipo en este mismo cuarto. Historias fabulosas, llenas de peripecias, que de niño habían encandilado la imaginación de Leonardo Villalba, aventuras protagonizadas siempre por gente intrépida, náufragos, piratas, exploradores, princesas errantes, bandidos generosos, prisioneros sobre los que pesa una condena injusta, santos y capitanes. Las estanterías rebosaban de libros, porque ni siquiera los de texto se habían tirado. Y en una de ellas dormitaba, escondido entre otros, un tomo pequeño con tapas duras, cinta de seda para señalar la página y letras en dorado sobre el lomo gris, donde se leía: «Hans Christian Andersen. LA REINA DE LAS NIEVES.» Estaba allí mismo, a la derecha de la ventana.

Cuando Mauricio la cerró nuevamente, una vez rematada su tarea, y corrió la cortina de terciopelo que la cubría, traía el pelo y los hombros cuajados de manchas blancas. Se las sacudió, respiró hondo y, apoyado contra la pared, empezó a recorrer lentamente con la vista, como buscando cobijo, los distintos recodos del acogedor recinto. Pero estaba claro que aquella noche sus tentativas de descanso se veían frustradas una por una.

–¡Señora!, ¿qué haces ahí? –exclamó sobresaltado.

Sus ojos acababan de toparse con una figura de mujer tendida sobre la cama turca situada al otro extremo del torreón. Estaba completamente vestida y se cubría la cara con un brazo. El otro lo tenía apoyado en un almohadón, con la mano colgando. Sobre la colcha se esparcían en total desorden una serie de papeles, dibujos y fotografías. Su inmovilidad y su silencio eran tan completos que Mauricio cruzó casi corriendo la distancia que los separaba, como quien acude a remediar una catástrofe inminente. Llegado a aquel punto, tomó por los hombros a la mujer acostada y se puso a sacudirla sin más contemplaciones.

–¡Señora, por lo que más quieras, dime algo! ¿Qué te pasa, señora?

–Nada –contestó ella con voz átona, sin descubrir aún el rostro–, ¿qué quieres que me pase? Ya lo ves. Que estoy tumbada aquí. No me zarandees más, Mauricio. ¡Ay, Dios mío, cuánto te gusta hacer tragedia!

Mauricio se dejó resbalar hasta la alfombra y se quedó sentado allí, mirando a la pared con gesto resentido. Suspiró.

–Es que me das unos sustos horribles –dijo–. No te había visto. Vine porque se estaba batiendo una contraventana y no me dejaba dormir.

–Ya. A mí tampoco. Pero me daba pereza levantarme. Te he oído subir y entrar perfectamente. Sorda no me he vuelto todavía.

–Pero estabas a oscuras. ¿Pensabas quedarte a pasar la noche aquí?

–No pensaba nada. Me dolía mucho la cabeza. Se me ocurrió subir porque el torreón me relaja y me atrae, eso es todo. Ya sabes que no soy amiga de hacer planes. ¿O es que no me conoces todavía?

Tardó en separar el brazo de la cara, y antes de hacerlo, se la frotó disimuladamente con la manga del vestido. Movimiento no tan furtivo como para escapar a la perspicacia de Mauricio. Había estado llorando. Él lo notó, aunque solamente se atrevía a mirarla de reojo. Y al descubrir en su expresión fatigada huellas de sufrimiento reciente, tuvo que apretar la mandíbula para frenar sus impulsos de desvelo y ternura hacia ella.

–¿Te sigue doliendo la cabeza? –preguntó solícito.

–Un poquito.

Aquel diminutivo y el acento portugués con que fue pronunciado abrían una ranura a la esperanza. Tal vez el puente de comunicación entre ellos, impracticable desde hacía varios días, empezara a restablecerse. La vio ponerse a recoger con gesto sonámbulo los papeles esparcidos por encima de la colcha. Los iba metiendo en un sobre grande de color garbanzo.

–Son papeles y otras cosas que me ha dado el señor cura –dijo bajito, sin mirarle.

Aquellas palabras, aunque bien pudieran contener el germen de alguna historia interesante, teniendo en cuenta que fueron susurradas e inmediatamente rematadas por un brusco silencio, cabía también interpretarlas como indicio casi imperceptible del perpetuo monólogo submarino en que ella vivía sumida, y que solo de cuando en cuando dejaba asomar a la superficie los perfiles de un raro periscopio. Mauricio había aprendido a surcar impasible la confusión de los tramos oscuros y seguir leyendo lo que buenamente pudiera captarse, como cuando empezó a ver películas en inglés sin conocer más que algunas voces aisladas. Poco a poco, acababa sacándose algo por el sentido. Y se familiarizaba uno con la música. Lo peor era impacientarse o quedarse atascado en una palabra, porque en ese caso ya no había manera de incorporarse al ritmo. «A ella también la entiendo por la música», pensó, mientras la miraba de refilón.

La vio embebida en la contemplación de una acuarela modestamente enmarcada. Era un tema marinero y había una figura de mujer, pero al revés se distinguía mal. Además no quería dar demasiadas muestras de curiosidad. Desvió la mirada. ¿Qué tendría que ver el señor cura? Fuera ululaba la borrasca de nieve.

–¿Prefieres quedarte sola? –preguntó Mauricio.

Y la inmediata respuesta de ella fue como un arco iris triunfando sobre nubes de tormenta.

–No, por favor, no te vayas. Esta noche no me gusta nada encontrarme sola. Hace un rato estuve a punto de ir a llamarte. Me acordaba de aquellas noches interminables en São Paulo, cuando se estaba muriendo el pobre José María y tú te quedabas conmigo y me preparabas cócteles de curação. ¡Cuánta compañía me hiciste! Me contabas historias del navegante Pedro Álvares de Cabral y de las costumbres que tenían los indígenas del bajo Amazonas en la época de la conquista. Fue entonces cuando me enteré de que, entre los guaranís, «nacer» significa «dejar caer», ¿te acuerdas? Y yo también te conté muchas cosas, precisamente a cuento de eso del nacer. Veo por la cara que pones que te acuerdas. Necesito tertulia esta noche, Mauricio.

–Pues quién lo diría –replicó él en tono dolido–. Antes, al llegar del cementerio, no me miraste siquiera. Y cuando te pregunté por qué habías tardado tanto y si querías cenar, me contestaste con un gruñido.

–Por eso no me atrevía a llamarte ahora. No sé cómo me aguantas, de verdad. Pero tienes que disculparme, porque estos últimos días, Mauricio, yo no ando bien.

–¿Y cómo vas a andar bien si no te cuidas? Por ejemplo, vamos a ver, ¿cuándo te hiciste el último electrocardiograma?

–Creo que cuando fui a Madrid a ver a mi editor. Hará menos de un año, no me acuerdo.

–Pues yo sí, porque estuvimos comiendo juntos. Me invitaste a un restaurante de la calle Huertas. Era en febrero, el día de San Valentín, concretamente. Y luego ibas al médico.

–¡Ay, hijo, qué más da! Tienes una memoria de elefante.

–¿Y lo tienes guardado? El electrocardiograma, digo.

–Puede, pero no sé dónde. ¿Por qué me lo preguntas?

–Porque has vuelto con las taquicardias, ¿crees que no me doy cuenta? Lo que tenemos que hacer es llamar al médico de aquí, por mucho que te moleste oírlo. O mejor, irlo a ver. Mañana mismo llamas, le pides hora, y le llevas todas tus radiografías. Yo te puedo acompañar en el coche. Setenta kilómetros no son nada.

Ella no se molestó en protestar, ni siquiera acusó un mínimo gesto de impaciencia. Se había desentendido. Sentada ahora en la cama y acurrucada en sí misma, como si quisiera darse calor, se abrazaba las rodillas con los ojos fijos en la ventana. Se oía silbar el viento enfurecido. Tuvo un escalofrío.

–No es cosa de médico –dijo, al cabo, con voz reconcentrada–. No ando bien por dentro, eso es lo que pasa, ya me entiendes lo que quiero decir.

–¡Ni por dentro ni por fuera! –se sulfuró Mauricio–. ¿No dices siempre que el cuerpo y el alma son la misma cosa? Pues aplícate el cuento. Ahora mismo estás temblando. Igual tienes fiebre.

Adelantó una de sus manos morenas y apresó delicadamente la muñeca izquierda de la señora. Ella desenlazó los dedos y se dejó auscultar. Pero parecía darle lo mismo.

–Tienes un ritmo aceleradísimo, como de samba. Y te fallan algunas pulsaciones. ¿A quién se le ocurre quedarse tirada ahí sabe Dios cuánto rato, con la nevada que está cayendo esta noche y ni siquiera una triste manta por las rodillas? Pero, además, sin haber probado bocado desde el desayuno, que yo sepa. ¿O has tomado algo antes por ahí?

–¡Ay, Mauricio, no me fiscalices, te lo pido por favor! Luego cenaré. Deja de tratarme como a una niña chica.

–Es que no sé cómo serías de niña –dijo él–. Pero seguro que alguna buena tanda de azotes te caería. Y bien merecidos.

La señora se echó a reír. Parecía súbitamente animada, como siempre que iniciaba cualquier tipo de controversia.

–¿A mí? No sabes lo que dices. A mí de chica no había quien me domara. Menos todavía que ahora. Como que iba a andar yo aguantando monsergas. Mi abuelo ya lo sabía, y me tenía dejada por imposible. Además, él era igual. Eso sí, tampoco me quejé nunca ni de frío, ni de calor, ni de comer más o menos, ni de una herida, que me hice muchas. Alcohol de quemar, y fuera. Poca guerra le di al abuelo. Y me gané la vida desde muy pronto, para que lo sepas, enfilando collares de caracoles y pintando acuarelas, porque lo de pintar fue mi primera vocación. En verano me andaba kilómetros y me iba a pie por las playas más concurridas para vender mi mercancía a los turistas. También le leía la mano a algunos. Y todo el dinero se lo daba luego al abuelo, no creas que lo andaba calentando en el cuenco de la mano, que él mismo me decía, me acuerdo, «parece que le ves al dinero aguijón de tarántula». Mira, este era mi abuelo, un ejemplar de raza.

Volvió a volcar sobre la colcha las cosas que había ido metiendo en el sobre color garbanzo y buscó entre ellas una foto pequeña. Se la tendió a Mauricio. Era una instantánea en blanco y negro con el borde dentado. Estaba un poco abarquillada y presentaba en las esquinas cuatro agujeros, marca indudable de haber estado pinchada con chinchetas en alguna pared durante bastante tiempo. Se veía en ella a un hombre alto y sonriente, con el faro al fondo.

–Bueno, aquí era más joven, mucho antes de nacer yo. Yo a mi madre no la conocí. Ya te lo he contado, ¿verdad?, y lo del capitán inglés. También fue en São Paulo, durante una de aquellas tertulias nocturnas del último verano, seguro que tú te acuerdas hasta de la fecha. Yo me acuerdo, sobre todo, del calor que hacía, de cómo sentía

revolotear la muerte en torno nuestro y del sabor del cóctel de curação... ¡Mira, mira, y esta soy yo! Es una foto maravillosa. ¿A que
parece que voy volando? Me la sacó Eugenio, que habría sido un
excelente director de cine, si su madre no le hubiera empujado a los
negocios. Y todo para apartarlo de mí, que de nada le valió, además.
Está tomada en los acantilados, tendría yo quince años. A él mis brin-
cos lo dejaban con la boca abierta, pero ese le dio tiempo a captarlo.
Aunque me disloqué un tobillo al caer. ¡Cuánta vida a las espaldas,
Dios mío!

Mauricio no creyó prudente hacer ningún comentario. Le devol-
vió las fotos después de mirarlas, y reparó con una mezcla de complacencia y alarma en la luz febril que despedían ahora aquellos ojos
verdes. Ya era irremediable. Se avecinaba una noche de confidencias.

–Mira, señora, perdona que te interrumpa –dijo–. Si quieres
que sigamos de tertulia, déjame que baje a encender la chimenea
del salón, porque aquí hace un frío horrible. Yo tampoco tengo sueño. Me cuentas lo que quieras de tu abuelo y del capitán inglés y del
difunto don José María y de don Eugenio y de su madre, que en paz
descansen todos. Como si me quieres leer trozos de la *Ilíada*. Pero
bien abrigadita. Y primero cenas algo, ¿entendido? También podré
poner yo condiciones, ¿no?, porque el que escucha no pertenece al
reino de las sombras ni de los muertos, que los pobres no tienen voz
ni voto. Conque dime si estás de acuerdo.

La señora sonrió y le tendió la mano. La tenía muy fría. Mauricio se la estrechó y la abrigó un momento entre las suyas.

–¡Qué mandón eres! De acuerdo. Pues vete bajando, que voy
a recoger estos papeles.

–Bueno, pero no te eternices mirándolos, que te conozco –repuso él, ya camino de la escalera–. Yo salgo a por leña al cobertizo,
y luego te calentaré un poco de sopa. Hasta ahora. No me hagas
volver a subir.

Cuando estaba poniendo el pie en el primer peldaño, creyó oír
que ella le llamaba y se volvió a mirarla desde allí.

–Mauricio –había dicho con voz repentinamente debilitada.

–¿Qué pasa ahora? Dime.

Tardaba en contestar. La vio pasear por las paredes y estanterías del torreón unos ojos cobardes y de nuevo apagados. Los detuvo en una mesa escritorio, con tablero forrado de hule verde y sólidos cajones, que estaba apoyada contra la pared de enfrente. Destacaba, en el centro de ella, un jarrón chino repleto de ramas de laurel recién cortadas.

–¿Tú crees, Mauricio, que acabará viniendo? –preguntó al cabo–. Hace ya diez días que llamó por teléfono y no ha vuelto a saberse nada de él. Yo tengo miedo.

–¿De que venga o de que no venga?

–De las dos cosas.

III. CONFIDENCIAS

–... Porque, lo que yo digo, ¿qué fuerza mueve las esferas y nos hace oscilar en el tiempo si no es la amenaza o la esperanza de lo que no ha ocurrido todavía? Se aguza el ingenio para esquivar las garras de la fatalidad o se buscan puntos al abrigo de la intemperie para mantener viva la hoguera de la esperanza, que se alimenta con poco, si vas a mirar, a veces bastan unas hojitas de eucaliptus. Esos son los dos únicos polos de referencia, Mauricio. Mientras vamos hacia algo o huyendo de algo, por quimérica que parezca la meta, estamos vivos. Lo otro es vegetar.

»Yo desde muy niña me acostumbré a vivir en la quimera y a convertir en otra cosa lo que pasaba. Me creía mucho más lo que no había pasado aún o no iba tal vez a pasar nunca que lo que ya se daba por seguro porque se había tocado. Me enseñaron mucho las mariposas, ¿eran mías por tocar sus alas y verlas agitarse unos instantes entre mis dedos, que quedaban manchados de polvillo de oro, o luego cuando echaban otra vez a volar? Naturalmente, luego eran más mías. Y las cogía solo para comprobarlo, porque el alivio de soltarlas me hermanaba con todos los itinerarios y giros de su vuelo, con las ramas de brezo que elegían para posarse y hasta con el cielo, el aire y el olor del mar; a respirar mejor me enseñaron, a dar rodeos para no toparme con los peligros de la realidad y a echar leña a la lumbre de mi fantasía. Nunca averigüé dónde se meten a dormir, simbolizaban "lo otro", lo intangible, lo no mordido aún por certezas y leyes.

»El chico de la casa del torreón venía a merodear por la colina del faro con su cazamariposas, porque en ese paraje se crían las mejores, debe gustarles el olor, se darán el aviso unas a otras y cada primavera llegan nuevas especies, tornasoladas, amarillas, azules, estampadas en rayas y lunares, circulan por allí a su antojo, confiadas, entrecruzándose con los saltamontes y las libélulas. El chico de la casa del torreón se acercaba de puntillas, se quedaba mirando cómo les latía el cuerpo al posarse y luego les echaba la red encima, no siempre con buen tino. Yo lo había visto varias veces por la colina y él a mí también, pero tardamos bastante en cruzar la palabra. "Viene a mi territorio", pensaba yo con cierto orgullo. Al fin y al cabo vivía en la finca más hermosa de toda la comarca y me debía llevar por lo menos cinco años, luego supe que eran siete. Lo contemplaba encaramada en alguna roca y jugaba a que estaba vigilando desde una de las almenas de mi castillo las maniobras de aquel intruso. Empezó a fastidiarme que no se diera por aludido, y por fin una tarde me acerqué y me atreví a hablarle. Era siete de mayo, lo he encontrado apuntado aquí en un cuadernito, entre los papeles que debió heredar Moura de mi abuelo, "7 de mayo: hablo con el chico del torreón", y una estrella dibujada encima. Casi hasta que estuve a su lado, no levantó los ojos, y además con cierto enfado, porque mi llegada espantó a una mariposa naranja con dibujos negros que estaba a punto de atrapar en su red.

»"¿No tenéis mariposas en tu jardín?", le pregunté muy seria, con el tono de reina ofendida que me pareció adecuado para la ocasión. Y me miró con enorme sorpresa. Tenía unos ojos negros preciosos, siempre han sido los ojos y las manos el mayor atractivo de Eugenio. "¿En mi jardín? Sí, algunas hay. Pero las de aquí son más bonitas." Entonces le dije que a mí nunca se me hubiera ocurrido entrar a su huerta a robar fruta, aunque había oído decir que se criaban unas peras riquísimas, y tantas que se les pudrían y las tenían que tirar, en vez de venderlas barato o regalárselas a la gente, pues bueno, ni aun así entraba yo en su huerta. No supo cómo reaccionar, no entendía, se ve que no estaba acostumbrado a que una niña de ocho años con las sandalias medio rotas le hablase con tanto descaro. "¿Y qué tiene eso que ver?", replicó al fin, confuso. "Esto no es tu jardín, ni tampoco tu huerta." "¿Cómo que no? ¿Te crees que no es mío porque no le he puesto valla? Pues fíjate lo que te digo, es mucho más mío precisamente porque no tiene valla, muchísimo más mío, sin comparación." Y ya ves, Mauricio, fue la primera vez en mi vida que convertí en palabra todas aquellas nociones intrincadas sobre el derecho de propiedad que venían calentándome la cabeza casi desde que tuve uso de razón, que, según el abuelo, fue muy pronto. Las cosas son del que las mira y las sabe apreciar y las entiende y es capaz hasta de hablar con ellas, así que la colina del faro era mía, igual que el mar, con todas las nubes y estrellas que le nacen encima y las mariposas y las gaviotas que surcan el aire y se posan donde les da la gana, y para que fueran mías todas esas cosas no necesitaba meterlas en casa, "porque, además, mira", le dije, "¿ves esa torrecita blanca?, pues yo vivo ahí, y en ese espacio tan chico no vas a meter el mar, por ejemplo, que no cabría tampoco en tu casa, por grande que sea. Y a nosotros, para que lo sepas, ni falta que nos hace, porque mi abuelo manda en el mar y en los barcos, desde lejos, sin tocarlos, y si no fuera por él se estrellaban todos." Luego me ha dicho Eugenio algunas veces que aquel siete de mayo ya comprendió que se estaba enamorando de mí sin remedio, pero no hagas caso, otras veces decía que se dio cuenta cuando le propuse el pacto de sangre, o cuando le escribí la primera carta, o cuando me vio saltar a la isla de las gaviotas, o cuando se fue a la ciudad a estudiar Derecho, o cuando vino aquí casado con la otra y ya no estaba yo. Según la imagen que se le viniera al recuerdo decía una fecha distinta; total que si te fiabas de él, se había pasado la vida empezando a enamorarse de mí, igual si me veía que si no. Que esa es la ventaja de no casarse con una persona, claro, que te idealiza. Pero bueno, a lo que te iba de las mariposas, que sirvieron para que aquella tarde de mayo empezáramos a hablar y se nos abriera el apetito de seguirlo haciendo y me enterara yo de que estaba cursando quinto de bachillerato y tenía que presentar una colección de insectos. Acabamos sentados juntos en el acantilado, y cuando se puso el sol habíamos intercambiado una información bastante enjundiosa sobre la vida de los insectos. La verdad es que él sabía más cosas que yo, o por lo menos otro tipo de cosas, de las que vienen explicadas en los libros. Y me dio envidia. Aunque solo fuera por la cantidad de libros que me empezó a prestar a partir de entonces, tendría que vivirle eternamente agradecida. Algunos eran muy buenos, enciclopedias con láminas en color, y esos tenía que sacarlos de la biblioteca a escondidas de su madre; otros, simples manuales de divulgación o de texto; yo me los devoraba y, al devolvérselos, ya le estaba pidiendo más, le extrañaba que los pudiera acabar tan pronto y algunas veces, para comprobar que no le había engañado, me pedía una especie de resumen. Lo más gracioso es que, más adelante, vine yo a ser quien le tomaba a él las lecciones, y decía que le ayudaba mucho, porque le aclaraba cosas que solo se había aprendido de carrerilla, sin entenderlas. "Pero ¡qué bien te enteras!", comentaba con asombro, "estudias mucho más deprisa que yo, te entra todo." Y yo le contestaba que porque no tenía vallas tampoco en la cabeza y nunca me pensaba examinar. Arriba, en el cuarto de Leonardo, siguen estando algunos de esos libros, los he reconocido por la fisonomía, por las láminas coloreadas del cuerpo humano y de las capas geológicas y de la vida de los indios y de los dinosaurios, hasta el manual donde aprendí inglés, fíjate; me ha dado un vuelco el corazón, es increíble, hemos aprendido cosas en los mismos libros, se ve que los heredó de su padre. Y para mayor asombro de aquella niña que fui, este tesoro tenía que venir a reencontrarlo en el torreón, lo que más me fascinaba entonces de la casa, mirada desde fuera. Todavía me acuerdo de cómo me figuraba yo esta casa cuando no la conocía, y si sueño con ella, la que veo es esa que imaginé, con la misma disposición rara de pasillos y escaleras, hasta un olor le había inventado. A veces resurge de improviso, antes me pasó estando arriba, y se superpone a todo lo que hay, lo disipa, un olor que venía incubado en los libros aquellos, olor a tiempo ido.

»Eugenio no consiguió nunca convencerme para que entrara aquí, aunque me invitó más adelante algunas veces. "Si te da apuro de mi madre, esperamos a que haga algún viaje", me decía. "Déjalo, no me apetece, pero no es por apuro ni porque me dé vergüenza de nadie." "Pues entonces, ¿por qué? Te va a encantar, es preciosa. Y el jardín... ¡tú no sabes lo que es el jardín!" Me encogía de hombros.

Era una noción confusa que se resistía al apremio de sus ojos inqui-
sitivos. Tenía que ver algo, de todos modos, con la aprensión que
nace al barruntar peligros, con ese recelo ante el lugar vedado, suele
ser un castillo, donde se ve tentado a entrar el héroe de los cuentos
de hadas, un lugar atrayente, pero él da marcha atrás o se oculta al
acecho del momento propicio, porque intuye presencias inquietantes y cepos camuflados. Y no podía yo, tan amante del riesgo como
amiga de dar explicaciones, confesarle mi miedo sin precisar la causa, y menos todavía intentar precisarla diciendo, por ejemplo: "Verás, es una especie de miedo a dejar de ser libre, por ahí va la cosa, a
empezar a volverme como tú." Yo no quería hacerle daño, ¿cómo iba
a decirle eso? Bajaba los ojos y me callaba, pero en el silencio que seguía luego, la casa del torreón se interponía, separándonos.

»Eugenio había entrado en el faro y conocía a mi abuelo, pero
no era recibido como un visitante especial ni su presencia causaba
alteración; el abuelo le hablaba mientras seguía trabajando, como
hacía con todo el mundo, le preguntaba que si quería merendar y
al despedirse le daba recuerdos para su madre. ¿Por qué el caso contrario era tan raro de imaginar? Después de descartar razones más
endebles, acabé dando con la clave de aquella diferencia. A mí me
daba igual lo que él pensara del faro, del abuelo y de nuestra manera de entender la compañía, dejándonos en paz el uno al otro; me
gustaba vivir como vivíamos y no temía las críticas de nadie. A él
no le pasaba lo mismo. Anduvo siempre pendiente de mi aproba-
ción, y se murió el pobre sin estar seguro de haberla alcanzado por
completo. Pero, sobre todo, no hizo nunca hasta el fondo lo que le
daba la gana. Mucho hablar, ¿y luego qué? Ni estudió a gusto, ni se
casó a gusto, ni disfrutó de su hijo, y así llegó al final. Ha tenido, ya
ves, que acabar estrellándose en una autopista del quinto infierno
amarrado a quien le hizo la vida insoportable. Aunque, en fin, el
coche puede que lo guiase él; tal vez en ese caso, dijera: "Aquí ter-
mino, y me la llevo a ella por delante porque me da la gana." O nos
queda la duda, por lo menos.

»La verdad es que al principio me extrañaba que el chico del
torreón, casi un hombre, tuviera más trabas que yo para llegarse de

noche hasta los acantilados, que se fueron convirtiendo tácitamente en un lugar de cita. Venía para ver si me encontraba, pero tardó en decírmelo, y se hacía el sorprendido ("¿Qué haces aquí? ¡Qué susto!"), cuando lo raro es que él a aquellas horas invadiera territorio ajeno, y no que yo conociera sus repliegues como la palma de mi mano y me escondiera en alguno. "¿Y no le importa a tu abuelo que andes por aquí sola de noche?" Mira, Mauricio, ya ni me acuerdo de la cantidad de veces que me pudo preguntar eso, cuando pequeña porque pequeña, cuando mayor porque mayor, pierdo la cuenta. Acabé oyéndolo como quien oye llover. Y es que mucho antes de que aquellos encuentros entrañaran malicia alguna, al menos por mi parte, ya empecé a intuir que me envidiaba precisamente por lo que te he dicho antes: yo hacía las cosas porque me daba la gana, no por afirmación ni por venganza. Salía a echarme en brazos de la noche porque la oía llamarme cuando no tenía sueño, porque me gustaba respirar el aire fresco y mirar dibujarse mi sombra sobre las rocas si había luna y reconocer las constelaciones y escuchar el ruido de las olas batiendo allá abajo, y pensar "ya hasta los pájaros se han dormido, y todos los bichos del campo, y yo estoy despierta, vigilando, han encendido el cielo para mí, ¡qué gusto!". Era por gusto por lo que salía en busca de la noche, ya te digo, no por plantarle cara al abuelo ni porque me agobiaran las paredes del faro. Pero él, en cambio, huía. No solo de un lugar sino al mismo tiempo de la persona que lo poseía, porque hay cosas que son inseparables. En aquella larga sombra que la casa del torreón extendía sobre el incauto explorador de mi territorio, atravesada a veces como un obstáculo entre nosotros, se ocultaban los tentáculos de su madre. Eugenio siempre fue dos: el que intuía que su madre estaba viendo en él, incluso cuando no estaban juntos, y el que despertó de las profundidades de ese espejo cóncavo a medida que nos fuimos haciendo amigos y yo le dejé entrar por un portillo secreto a compartir alguno de mis sueños y le enseñé a tejer otra realidad, un paisaje sin vallas ni cercados adonde a veces nos escapábamos juntos de excursión. Pero él siempre con miedo, controlando la hora del regreso. Se le notaba en lo que decía y en lo que callaba, en la mirada repentinamente triste, en el sobresalto con que consultaba intempestivamente el reloj. "Pero, Sila, ¿estás segura de que tu abuelo no se preocupa? Se está haciendo muy tarde." Y una noche, ya harta, porque había interrumpido un diálogo que ni los de Platón, salté sin poderlo remediar. "Pero oye, ¿es que a ti doña Inés te riñe si llegas tarde? ¿Hasta qué hora te deja?" "No me gusta que la llames doña Inés." "Bueno, pues tu madre, ¿te riñe?" Y se encogió de hombros, visiblemente turbado. "Según a donde vaya", repuso. "O sea, que siempre sabe adónde vas. Quieres decir que ahora sabe que estás aquí conmigo, y que le gusta poco. ¿Es eso lo que me quieres decir? ¡Pues dilo sin rodeos, hombre, y deja a mi abuelo en paz, que él no me controla!" Se enfadó muchísimo, de eso que te llama la atención, porque además salió por donde menos me lo esperaba. "¡No la quieres!", gritó como si me acusara. "¿Por qué? ¿Por qué no la quieres? No sé lo que te ha hecho, ¡ella no te ha hecho nada!..." Creo que es la primera vez que lo veía tan enfadado, pero casi me daba risa aquella falta de lógica. "A mí nada, ¿eres tonto?, ¡nada de nada!, si solo la conozco de vista y ella nunca me habla ni me mira. Para saber si quieres o no a alguien tienes que hablar con él, que te sonría y te acaricie o que te insulte, pero que te haga algo de caso. ¿No lo comprendes por ti mismo? Ella no me hace caso, así que ni la quiero ni la dejo de querer." Y luego la verdad es que la acabé queriendo, Mauricio, pero tuvieron que pasar años, muchos años. Y cosas muy gordas. Total que aquella noche, la primera que salió a relucir entre nosotros el nombre de la dueña de la Quinta Blanca, fue también la primera vez que reñimos. El reproche principal que me hacía es que no le preguntara nunca ni por su madre ni por su casa, que venía hasta en los folletos de turismo; a las dos las había ofendido con mi indiferencia, y fue cuando entendí que formaban para él una simbiosis, aunque no suponía hasta qué punto. Y lo que más rabia le daba era notar que no me estaba achantando y hasta verme sonreír un poco. "¡Serías tú, para que te enteres, tú, quien tendría que dar el primer paso!", se le escapó decir al final. Y yo le miré como a un extraterrestre. "¿Pero qué paso? ¿Paso para ir adónde? ¡Tú estás mal de la cabeza, chico! Olvídame." Se levantó tan furioso que creí que iba a pegarme. Al marcharse dijo qué es lo que pensaba hacer, olvidarme, que quién me había creído que era. Y estuvo bastante tiempo sin venir.

»El abuelo y yo habíamos hablado muchas veces de lo inteligentes que son los animales, mucho más que nosotros en algunos aspectos. Me había hecho él fijarme en cómo acostumbran a sus crías a buscarse la vida por sí mismas apenas se desprenden físicamente de ellas; en fin, que las dejan caer, Mauricio, como dirían los guaranís. Hala, a volar, yo te he dado la vida, ¿no?, pues ahora ahí tienes el mundo para recorrerlo y hasta para equivocarte de camino, la aventura corre de tu cuenta. Y los hombres, en cambio, tan avasalladores y soberbios son que hasta a los animales pretenden domesticar y meter en jaula, como si les quisieran dar lecciones, no les basta con fastidiarse ellos unos a otros. Desde niña me había puesto en guardia el abuelo no solo contra el excesivo apego a las cosas sino también a las personas. Los seres humanos se estorban unos a otros al entrelazarse, decía, igual que los árboles, cuando crecen demasiado juntos, no dejan pasar la luz a su través. "Pueden llegar a asfixiarse, hija, de tanto quererse, lo mismo que te esclavizan las cosas cuando te tomas demasiado en serio el papel de propietario." Decía cosas preciosas el abuelo. Antes se me vino a la cabeza un poema que recitaba: "¿De qué te sirve anhelar / por tener y más tener, / si eso en tu muerte ha de ser / fiscal que te ha de acusar?"... bueno, era más largo, pero de lo otro no me acuerdo.

»En fin, Mauricio, qué vueltas da la vida. Si esta noche el abuelo levantara la cabeza y me viera dueña de aquella casa grande que se veía a lo lejos desde lo alto del faro, con jardín y con muebles, todo mío, según consta en documento notarial, diría eso: ¡qué vueltas da la vida!, llevo varios días pensándolo, sobre todo desde que telefoneó Leonardo. Pero lo que sí te digo, Mauricio, es que entonces, cuando la llamaba la casa del torreón y aún no la conocía por dentro, me parecía más real que ahora. No me preguntes por qué.

»A esto de la realidad le daba yo muchas vueltas. Precisamente buscarle las vueltas a la realidad, levantarle la tapa de los sesos para asomarme a lo que no se veía y aún no había pasado era mi juego predilecto. Ponía a luchar a lo lleno contra lo vacío, que parecía llevar las de perder; y me gustaba ver cómo le ponía trampas al otro ese ejército fantasma y se iba alzando con la victoria, escurriéndose de las garras enemigas y adornando de trofeos invisibles el brocal de acceso a su escondite. Yo militaba en el vacío, en sus filas de sombra pobladas, sin embargo, de presencia y palabra. Era mucho más real que la realidad misma aquel hueco de "lo otro", lo que aún no había pasado ni se podía describir. Daba un poco de miedo, pero descolgándose por allí se entraba en laberintos misteriosos que se iban entendiendo mejor a medida que se transitaban.

»Así por ejemplo, cuando llegué a conocer con algún detalle la historia de mis orígenes, ya había trabado yo contactos suficientes con mi madre, a través de las galerías de ese reino subterráneo, y me parecía conocerla mucho mejor y quererla más que otras niñas de la aldea a sus madres, que de tanto verse ni siquiera se miraban. Y aquella relación entre ella y yo ha perdurado siempre y me mantiene en vida. Mi abuelo me había dicho cuando era muy pequeña: "A ti te trajo el mar", y me pareció tan bonito que durante mucho tiempo no quise pedir más explicaciones a nadie, me bastaba con ver subir la marea desde las rocas y sentir su atracción para creérmelo. El mar era mi brújula. No descartaba la posibilidad de que algún día, en uno de sus caprichos, me devolviera a mi madre, pero más que a esperarla, salía a los acantilados a hablar con ella, a contarle lo que había soñado y a pedirle cosas que casi siempre me concedía. Me la imaginaba en forma de sirena, y su voz se confundía muchas noches con la canción del viento y de las olas, una canción de cuna. Me dormía escuchando el estribillo aquel y ella salía a flote de las aguas para peinarme con un peine de coral, mirarme muy fijamente y besarme las manos. Canturreaba un poco, pero no sabía hablar. Y siempre tenía prisa. Creo que venía a escondidas de unos monstruos marinos que se habían enamorado de ella y la tenían cautiva en un palacio en el fondo del mar, junto a los barcos que naufragan. Estaba construido con poliedros de cristal, o por lo menos yo lo dibujaba así, muchas veces, muchísimas, aquí mismo en estos papeles que me ha dado el señor cura aparecen esbozos, y los peces que pasaban en bandadas apretaban el morro contra las paredes para verla a ella dormir. Pero se hacía la dormida, esperaba a quedarse sola, y es cuando se escapaba para verme. No sé por dónde se escapaba, seguro que tendría algún cómplice.

Mauricio se arrodilla ante la chimenea y congrega en el centro de la lumbre, con ayuda de unas tenazas, los restos de madera sin arder. Luego coge dos troncos grandes del cesto que hay a la derecha y los echa sobre la llama avivada.

–Lo que no me explico, señora, es por qué no te pones a escribir todas esas historias –dice, aún de espaldas–, así tal como te salen esta noche. No hay derecho a que solo las esté oyendo yo. Además lo digo también por ti, porque ahora te estás desahogando, de acuerdo, pero puede ser pan para hoy y hambre para mañana, ya lo sabes de otras veces. Igual mañana te despiertas y los males del alma esos que dices resulta que, en vez de haberlos espantado hablando, te atacan más todavía. No sé…, yo me quedo más conforme cuando escribes. Y eso que oírte hablar es una fiesta, y cuando te metes en tu cuarto y empieza a sonar el tecleo de la máquina, poco vuelves a dirigirme la palabra, pero es que te sienta tan bien. Se te nota en la cara con que lo miras todo, no es el típico estallido como de estar borracha, te dura más el efecto, mucho más. Y si dijéramos que de dónde podrás sacar los argumentos, pero es que tú no tienes que inventarlos, con todas las cosas que te han pasado en la vida y las que te callarás, que bien se nota que te callas muchas, por favor, señora, si es que tienes para empezar y no acabar, ponte a ello, te salen diez novelas, y eso calculando por lo bajo.

Una vez resucitado el fuego, que crece anaranjado lamiendo los troncos, Mauricio ha vuelto a sentarse en una butaquita, frente al sofá donde ella está tendida con un *plaid* abrigándole las rodillas. La mira ahora, a través de la mesa baja que los separa y donde han quedado restos de cena, como si quisiera averiguar el efecto que le están causando sus palabras, o incluso un poco arrepentido de haberlas dicho. Ella también desvía los ojos del fuego, los fija en él y repara complacida en que acaba de estirar las piernas y se apoltrona en su asiento con gesto expectante. No da muestras de impaciencia, pero tampoco presenta la imagen de alguien que se ha aburrido de oír historias y está deseando largarse a dormir. Acaban de dar las dos en el reloj de péndulo y esas campanadas no han hallado eco alguno en la expresión del rostro de Mauricio ni en su postura relajada. Es su forma de pedirle: «¡Sigue!», aunque no se lo va a pedir. Y ella, que lo sabe, sonríe y toma nota.

–Es curioso –dice mirando al vacío, tras una breve pausa–, la última vez que vino Eugenio por aquí me dijo algo parecido. Le había estado leyendo trozos de mi libro de ensayo, antes de mandárselo al editor, y no es que no le gustara, le gustó mucho. Pero luego de repente se quedó callado sin explicar por qué, como con pena. Un frenazo brusco y bastante incomprensible, de esas veces que se queda una frase a medio terminar y el que siente esos puntos suspensivos mira a la puerta para ver si ha entrado alguien o a la ventana, por si llega un coche o se está levantando mucho viento. Pero era pena, ya te digo, más que curiosidad o sobresalto lo que el rostro de Eugenio reflejaba. Estábamos sentados en este mismo sofá, yo todavía con las gafas puestas y el manuscrito en la mano, había atardecido y él acababa de encender la luz. Cuando pienso que fue aquella la última noche que pasó aquí, en la Quinta Blanca, digo «¿sería una premonición?», pero entonces cómo iba a pensar eso, son cosas a las que le damos vueltas luego, en nombre de ese afán ciego por interpretar gestos o conductas ajenos, cuando el camino que una vez recorrimos en compañía va quedando sembrado de cadáveres que ya no pueden prestar declaración. No consigo borrar de mi cabeza su expresión angustiada mirando alrededor, como si las paredes y los muebles le estuvieran sugiriendo algo que no se atrevía a confesar. A mí no me gusta preguntarle a nadie «¿qué te pasa?, ¿por qué te has puesto triste?», lo mismo que tampoco aguanto que me lo digan a mí, pero al final no tuve más remedio, porque el silencio se estaba volviendo insoportable, y que no venía a cuento, ya te digo. Traté de echarle humor a la pregunta: «¿Se puede saber, pagando lo que sea, por qué andurriales anda usted perdido?» Me había arrodillado en el sofá, más cerca de él, y empecé a marcarle itinerarios sobre las arrugas de la frente, para que entendiera a qué tipo de viaje interior me estaba refiriendo. Me cogió la mano al vuelo con una de las suyas y me la apretó compulsivamente, mientras con la otra describía un giro amplio señalando la habitación. «Por aquí, Sila, por aquí», dijo, «no puedo salir de aquí. Es esto lo que me atrapa, todo esto. Y tú. Es sobre todo desde que has venido tú a hacerlo resurgir de sus cenizas, desde que has aventado esas cenizas y te encuentras aquí como el pez en el agua, desentendida del pasado. Comprendo que estás en tu derecho y que tal vez lo mío sea morboso. Pero me produces vértigo, como ese del que tú hablas en abstracto, y si eres capaz de abstracción quiere decir que ya lo habrás domado y no te hace daño; yo lo siento aquí en las tripas el vértigo, me rebulle cada vez que te encuentro en esta casa o te telefoneo, o simplemente me acuerdo de que vives en ella tan tranquila, inmune a sus fantasmas, será injusto pero me indigno solo de pensarlo, yo no me puedo librar de tanto error acumulado, de tanta pesadilla, son demasiadas cuentas pendientes.» Se había vuelto obsesivo con los años, le daban esos prontos mezcla de envidia y mala conciencia, no sé, creo que eran más que nada ganas de meterse en mi vida, de zarandear a aquel «guerrero impasible» tan poco amigo de exhibir heridas, «caso de que las tengas», como me dijo aquella tarde, «porque a saber, yo ya he renunciado a entenderte, me sacas de quicio». Y me miraba con avidez, esperando una reacción violenta. No había renunciado a entenderme, ojalá, «porque así me dejarías en paz», le dije, «de eso vienen todos nuestros males, de que nunca has sabido dejarme en paz, noto tu curiosidad hasta a miles de kilómetros, hasta las temporadas en que hemos dicho "se acabó para siempre", no me vengas con eso. Y además esta tarde ¿quién ha sacado las cosas de quicio más que tú? Lo primero porque no sabes el trato que tengo o dejo de tener con los fantasmas de esta casa, a no ser que te manden ellos un telegrama. Y luego porque te ha dado una especie de ataque, no me lo niegues. Estabas comentando en tono normal mi libro, decías que no parece escrito por una persona de mi edad, que cuánto le va a gustar a la gente joven que vive en los infiernos... Y de repente, ¿qué te ha pasado?, porque algo te ha tenido que pasar, ¿fue al nombrar los infiernos?».

Y ahí es cuando salió a flote la inesperada causa de su desazón: lo que tenía que hacer yo era ponerme a escribir un libro de memorias, le miré con pasmo, ¿de memorias?, sí, pero abarcando mucho, encender una hoguera con mis memorias y las suyas y las de Leonardo y las de doña Inés, «Habla la casa del torreón», hasta el título se le había ocurrido, tirar de la manta y contarlo todo, eso es lo que haría él si tuviera un dominio del lenguaje tan alucinante como el mío. Pero todo, sin dejarse nada en el tintero. En fin –pensé para mis adentros–, una transferencia, como otras veces, del afán por mudarse a vivir a mi alma, su sueño de juventud perpetuamente fallido. Pero había algo más, y se le escapó luego. Cuando estaba leyéndole trozos de mi ensayo, había cerrado los ojos un instante –dijo–, y le pareció que no era mi voz, que quien le estaba hablando desde lejos era el joven Leonardo, «huésped de los infiernos» lo llamó, un extraño con el que solía discutir sobre literatura antes de que se esfumara para siempre, paciente de sentimientos y emociones invisibles, que a duras penas afloran bajo un discurso atento a controlar distancias. Así era también mi texto. Distante. Tendía una mano, pero al ir a agarrarla, se pegaba uno de cabezazos contra una especie de cristal grueso, «como los peces aquellos que merodeaban por el castillo submarino de tu madre, la sirena». Y me emocionó que se acordara y lo sacara a relucir. A veces tenía aciertos, muchas veces. Eso es precisamente la literatura, una prisión de cristal. Pero no se lo dije. Te lo digo ahora a ti.

Hay un silencio de los que se adivinan duraderos y Mauricio contiene la respiración. Solo se oye el crepitar del fuego. No se atreve a moverse. Siempre que la señora entra en vena de confidencias, le invade la misma sensación de irrealidad, de milagro. No está nada seguro de ser él quien escucha; resulta tan raro asistir a una conversación que tuvo lugar en el mismo escenario que esta y provocada por un comentario parecido, cómo no se le van a confundir una con otra, «yo también le pregunté que por qué no se deja de inventos y escribe la novela de su vida, está visto que prefiere contarla en vez de escribirla y no me extraña porque debe de ser mucho, la va escribiendo a trozos según habla con unos y con otros, según vive, es su manera, no sé quién coserá después los trozos, trabajo le mando como no sea Dios, pero eso parece que a ella le da igual, no la pienso volver a interrumpir, o tal vez tiene sueño y lo quiere dejar para otro día». Entorna los ojos y la ve desdibujada y distante, metida en su castillo de cristal, rodeada de peces grotescos, y don Eugenio boqueando también entre ellos, entregado al furor de hablar y de asomarse a lo que no entendía. «Yo lo entiendo mejor», piensa Mauricio, «porque me lo está contando, cuando se viven las cosas no se fija uno, hay que ponerlas lejos, que ruede el tiempo encima, es lo que le pasaría a ella con eso del vértigo.» Y necesita cerrar los ojos del todo, porque de tanto darle vueltas a lo que ha oído y superponerle sus propias cavilaciones, lo que le da vueltas es la habitación, no sabe si la de esta noche o la de aquella, zumba el silencio y empieza a sentir vértigo también él.

–¿Te duermes, Mauricio?

–No, señora.

–Como cierras los ojos...

–Era para pensar, aprovechando que te has callado. Para dejarte pensar también a ti, o descansar, según prefieras. Debe ser agotador hurgar en esa buhardilla tan atiborrada de tu cabeza y elegir qué cosas dejas y cuáles sacas, ¿no?, porque unas tirarán de otras, supongo. Mejor dicho, lo veo, veo que eso es lo que te pasa.

–Exactamente, Mauricio, qué bien lo entiendes todo –suspira ella–. Fue lo que le dije a Eugenio, que si se había figurado que meterse a cronista de una casa como esta era coser y cantar. Ah, y encima mezclando todo lo mío, no te lo pierdas, porque el libro ideal era así, con mi historia incorporada a la otra, casi nada, imagínate...

Se endereza un poco en el sofá y vuelve a guardar silencio, pero Mauricio ya no tiene miedo de que vaya a callarse. Apoyada en el respaldo, dirige ahora sus ojos hacia el reborde de piedra de la gran chimenea. Enmarcados en plata y ligeramente vueltos uno hacia otro, de tal manera que parecen estarse mirando, se ven dos retratos. El de la derecha representa a una señora de unos sesenta años con el pelo ondulado y abundante recogido en un moño alto: doña Inés Guitián. Desde el otro, sonríe con cierta petulancia un hombre guapísimo, vestido de uniforme y con bigote poblado: el capitán inglés.

–... Que dejara hablar a la casa, ya ves tú –prosigue la señora–. ¿Para qué había venido a encerrarme aquí, si no?, me lo estaba pidiendo a voces la propia casa, ¿no oía las voces?, él las oía. Estaba alteradísimo, con los ojos como carbones; que no podía perderse para siempre todo lo que presenciaron estas paredes, guardan estos cajones y quedó agazapado por los rincones del jardín. Me hablaba casi con la urgencia de quien hace un encargo desde su lecho de muerte, yo era la indicada porque lo sabía todo, lo de ahora y lo de antes de haber entrado aquí, cuando llamaba a la Quinta la casa del torreón. Y cada vez ensanchaba más los límites del libro que me proponía como un alucinado; tenían que caber de cabo a rabo nuestros amores turbulentos y todas las historias que le había contado yo, del faro, de las mariposas, de mi madre muerta, de mis propósitos de huida y de la huida misma, porque de sobra se habrían fundido ya esas memorias con las de Inés Guitián, mal que le pesara a ella. «¡Mal que te pese, madre, sí, mal que te pese!», repetía mirando ese retrato, «ya está todo revuelto, formando parte de la misma maraña», y se puso ya a hablar directamente con la madre en un rapto que tenía algo de locura, sobre todo porque desenfocaba la verdad a través de una serie de reproches agresivos que lo eximían a él de todo egoísmo y cobardía, llegando a responsabilizarla incluso de una boda que a esa pobre señora nunca le gustó. Y ya le paré los pies y le dije que o me iba de la habitación y los dejaba a ellos con su ajuste de cuentas o que me permitiera intervenir como testigo de cargo, porque tampoco fueron así las cosas con su madre, que se acordara de lo bien que se portó conmigo luego, en la segunda parte de la novela, y que además, tocante a la primera, también estaba maquillando los hechos a su gusto; los motivos que tuviera para traerse a la señorita de Chicago, eso allá él, pero jamás –¡que quedara claro!– había pensado la nieta del farero casarse con el chico del torreón, la culpa no era solo de su madre, que no tuviera tan mala memoria. Pero con eso le di más argumentos, «¿lo ves?, ¿te convences de que eres tú quien lo tiene que contar?», era verdad, su psiquiatra le decía lo mismo, que tendía a la falta de objetividad y a descargarse de culpas echándoselas a otro, síntoma de inmadurez. «Pues vaya», dije yo, «tampoco se ha quedado calvo tu psiquiatra.» Y a él le molestó que quisiera cambiar de conversación, yo lo estaba deseando, desde luego, pero me armé de paciencia, porque es imposible cuando se pone así. En una palabra, él era menos objetivo, lo reconocía, aparte de tener peor memoria y no saber escribir. Por eso era yo la indicada, «las cosas te salpican mucho menos, sabes tomar distancia». Se estaba contradiciendo al apelar de pronto con elogio a las paredes de cristal del castillo submarino, que poco antes condenó. Se hizo un barullo y perdía pie al ver que yo me estaba divirtiendo. «En serio, Sila, es un encargo serio», se exaltó. «Bueno, oye, pues resume, si quieres tomo apuntes.» Lo que me estaba encargando era que hablara por escrito de nuestros amores, ya que tal vez los había entendido o sabido dominar mejor. Si quería, podía rematar con lo de mi viaje «en busca del padre», lo dijo así, en términos freudianos. Y luego se calló, como si le empezara a dar vergüenza haber armado todo aquel galimatías para dictarme el índice de un libro que aún estaba en la mente del Señor. Esperé un poco a que se calmara y le miré con sorna. Estaba casi segura de que, al nombrar mi viaje a Inglaterra, que coincidió más o menos con el suyo a Chicago, había sentido vértigo. «¿Eso es todo? Antes has dicho "de cabo a rabo". ¿Seguro que el libro quieres darlo por terminado ahí?» No fue capaz de sostenerme la mirada, sabía que nos estábamos acercando a una zona de arenas movedizas. «No sé, eso sería cosa tuya...», dijo en un tono repentinamente desfallecido, como con ganas de abandonar aquella discusión tan bizantina. Pero había atizado mis bajos instintos y ya era yo quien quería llegar hasta el fondo. «Entendido», dije con voz cómicamente solemne, «fin de la primera parte. ¿Crees que la segunda no le interesaría al público? Para mí es la más apasionante, aunque tal vez algo fuerte. ¿Cuándo mete tijera la censura? ¿Cuando nos enteramos de que tu bella esposa es estéril o un poquito más tarde?»

Hay un silencio de fin de capítulo. Pero no suena ninguna música. Mauricio y la señora de la Quinta Blanca se han mirado breve pero intensamente. Bastan unos segundos para que se establezca ese relámpago de complicidad mediante el cual un amigo entiende a qué está aludiendo el otro y le hace saber que lo ha entendido, algo que siempre conlleva el rastro de un «¿te acuerdas?». Sí, Mauricio se acordaba. Fue la noche en que don José María entró en coma, cuando él le preguntó a la señora, porque la vio muy triste, que si no le quedaba nadie de familia, la primera vez que Mauricio había oído pronunciar el nombre de Leonardo («tuve un hijo en España, al que dejé de ver nada más parirlo, ese era el pacto»), la primera vez que la había visto llorar a ella a lágrima viva y la había tomado entre sus brazos para consolarla, cómo lo iba a olvidar. «Me tienes a mí, señora, me tienes a mí», le había dicho. Hace un leve gesto de aquiescencia, la escena revive entre los dos, y eso da pie para que ella continúe. Pero antes le ha sonreído con dulzura, a él, a Mauricio Brito, sin fantasmas interpuestos. Y de repente, calienta más la chimenea.

–... Y él bajó la cabeza muy nervioso y me dijo, casi tartamudeando, que también la segunda parte. «Todo lo que siguió, Sila, también todo lo que siguió, cuando volviste de Inglaterra y yo te busqué, cuando te pedí aquello», repetía cogiéndome las manos, «algo que nadie más que tú podía concederme, cuando te lo pidió también mi madre... ¿Para qué quieres que te recuerde lo que pasó? ¡Todo!... hasta que luego te marchas al Brasil con un viejo diplomático viudo, como de comedia de Moratín, eso te lo puedes saltar, es un paréntesis que para mí no existe.» Y yo me enfadé y le dije que a ver si iba a mandar él en cómo tenía que escribir mis memorias, caso de que algún día decidiera hacerlo, pues no faltaba más, el que escribe es el que selecciona los hechos y los desordena a su antojo. Y si para él no existía mi estancia en el Brasil es porque tengo el buen gusto de no mezclar a los hombres de mi vida ni hablarles a unos de los otros, y entonces me preguntó que si nunca le había contado a José María lo de Leonardo. «¿Y a ti qué te importa? ¿Te he preguntado yo si lo sabe ella o si sigue creyendo que a Leonardo lo abandonaron una noche dentro de un hatillo a la puerta de la Quinta Blanca? Eso es lo que te da rabia, que yo a ti nunca te pregunto nada», porque es verdad, Mauricio, a la única persona a quien le he preguntado cosas de ella ha sido a ti; y le dije también que tuviera más respeto por quien, además de haberse muerto, me ha tratado mejor que nadie en este mundo, y ha fomentado no solo mi vocación sino también mi albedrío, hasta los topes, tú lo sabes, Mauricio, un mirlo blanco, que de dónde si no iba a haber pasado yo por la vicaría. Total, perdí los estribos, que es lo que él en el fondo andaba buscando y le saqué a relucir trapos sucios que él mismo había ventilado ante mis narices cientos de veces. Pero estuvo feo ensañarme, lo reconozco. A ver si lo suyo, en cambio, con miss Scribner no había sido echarse un dogal al cuello, pues valiente negocio, encima de quererse más bien poco y de resultar que ella tenía matriz infantil y no se lo había dicho, no dejarse vivir el uno al otro a lo largo de treinta años, que esos son los que llevaba Eugenio culpándose ante mí por oral o por escrito de su propia cobardía, entonando un propósito de enmienda que nadie le reclamaba. «Ya estoy harta», le dije, «de servirte de cubo de basura.» Y acabamos riñendo amargamente, como siempre que salían nuestros respectivos matrimonios a colación. Fue nuestra última riña.

»Ya cuando nos despedimos a la mañana siguiente, habíamos hecho las paces.

»Era muy temprano, porque él tenía que llegar a Madrid antes de la hora de comer, pero me gustó levantarme también yo y prepararle el desayuno. No lo suelo hacer, porque a esas horas lo que me gusta es dormir, ya me conoces, no sé por qué me dio por ahí. Y además me arreglé con cierto esmero. En la cocina, mientras desayunábamos, dijo de pronto: "Parece mentira lo cerril que soy, Sila, cómo no habré entendido después de tantos años de tratarnos que intentar meterse en tus asuntos es pinchar en hueso. Y perdona que comparara a José María, que en paz descanse, con un marido de Moratín", concluyó. "Ya sabes que de lo que tengo envidia es de que supiera hacerte feliz." Estuve a punto de decirle que yo no podía envidiarle por lo mismo, pero me pareció demasiado cruel. "Feliz no es nadie, hombre, ¿quieres más café?"

»Luego, ya en la puerta de casa, entré a buscar un chaquetón y le pedí que me acompañara en coche hasta el faro, porque aprovechando que estaba despierta tenía ganas de ver amanecer desde allí. Cuando llegamos, todavía casi en penumbra, miró el reloj, se bajó él también y dijo que le daba tiempo a subir conmigo un trecho. Íbamos colina arriba con las manos cogidas, sin hablar, y hacía mucho frío, aunque era primavera, la primavera pasada. Pero qué bien olía el mar tan temprano. Me dejó allí sola, en el acantilado, con las olas batiendo contra la isla de las gaviotas, cuando estaba a punto de asomar el sol. Hacía mucho tiempo que no habíamos subido juntos a aquel sitio. "Me quedaría aquí contigo para siempre, te lo dice la parte mía que dice la verdad, supongo que lo sabes." Yo moví la cabeza afirmativamente, y nos besamos. A mí me daba miedo que se pusiera demasiado solemne. "¿Te acuerdas", preguntó, "de cuando me propusiste aquí mismo el pacto de sangre?" "Sí, hombre, sí, me acuerdo de todo, no te preocupes, que eso también lo sacaré en las memorias cuando las escriba. Pero no tengo ganas todavía de ponerme a disecar mariposas."

»Entonces empezó a recorrerme la frente con el dedo índice, como yo había hecho con él la tarde anterior, y me preguntó que si me seguían volando por allí dentro todas las mariposas, que si no habría agonizado alguna. Me encogí de hombros. "Pues cuídalas bien", dijo, "ya sabes que son frágiles." Se desprendió de mí y le estuve mirando bajar con paso ligero hasta el pie de la colina, y antes de meterse en el coche, se volvió para decirme adiós con la mano.

Mauricio se queda unos momentos sin saber qué hacer ni qué decir. Por fin se levanta y recorre a pasos cortos y lentos la distancia que separa la butaquita del sofá. Se detiene muy cerca de la señora, ahora ovillada en sí misma. Casi roza con las rodillas el *plaid* que abriga las suyas. Pero ella no parece darse cuenta. Se ha tapado la cara con las manos y, a partir del quiebro que la palabra «adiós» introdujo en su voz y en su discurso, el cuerpo, sacudido por una repentina tiritona, acusa el contagio de aquellos primeros síntomas de descontrol. No parece dispuesta a atajarlos ni a encubrirlos. Mauricio la conoce: se ha dado por vencida. Y, sin embargo, no arranca a llorar, es lo que más le cuesta. Parece un árbol zarandeado por inclemente y seco huracán, implorando con sus ramas a punto de quebrarse unas gotas de lluvia.

Mauricio, aprovechando que ella ha abandonado la posición horizontal, se sienta silenciosamente a su lado, expectante e inmóvil, con los ojos fijos en el rescoldo de la leña ardida. No se decide a echar más. Es muy tarde y lo más conveniente para la señora, que hoy ha tenido tantas emociones, sería tomarse una tisana caliente con agua de azahar y retirarse a dormir. Pero no es el momento de hacerle advertencias sobre su salud, sería ponerla en el disparadero de protestar y ahora toca silencio, estimular el llanto retenido para que salte por encima de la muralla de palabras, esa le parece la primera cura de urgencia. La mira de reojo, acorta el espacio que los separa y, tras una breve vacilación, se atreve finalmente a pasarle un brazo por los hombros.

–Pobre señora –murmura–, pobrecita. Anda, prueba a llorar, te sentirás mejor. Llora un poquito, ¿quieres?

Ella, como respuesta inmediata, apoya la cabeza contra el pecho de Mauricio, se abraza a él y estalla en una parrafada inconexa, ahogada por las lágrimas.

–... Creí que iba a poder resistirlo, pero no puedo, Mauricio, no puedo... me he metido yo sola en la boca del lobo... tenía razón su padre, han agonizado demasiadas mariposas... mide tus fuerzas... y yo me reía, yo sé lo que me hago, yo sé, yo sé, yo sé... siempre apostando a la carta más difícil, desafiando el vértigo... pero ahora no, Mauricio, ahora ya no... esto es el final... este salto no lo resisto...

Mauricio percibe la respiración entrecortada de la señora, agitada por los sollozos, el aliento cálido contra su pecho de unas palabras taponadas a medias por la camisa de algodón a cuadros, casi no se le entiende lo que dice.

–Calla un poco, señora, espera a calmarte. Lo resistirás, verás como sí lo resistes –le dice en tono persuasivo, aunque no está seguro de a qué salto se refiere–. Tienes un corazón que lo resiste todo, en cuanto lo cuidemos un poquito, que lo vamos a hacer... ¿Lo ves cómo llorar te sienta bien? Es que has estado hablando demasiado, eso ha sido, te ha dado un cólico de palabras. Cállate un rato ahora, por favor, hasta que se te pase. Hablar y llorar al mismo tiempo es mala mezcla, ¿sabes?, una cosa le quita el sitio a la otra, se neutralizan, claro que lo sabes, lo has dicho en el poema «El turno de las lágrimas», con tus propias palabras te intento consolar, ya ves, se han vuelto mías. ¿Te apetece una tila?

Ella niega, con la cabeza aún enterrada en la camisa a cuadros, y remata con un suspiro hondo. Continúa un rato acurrucada en esa postura, hasta que se va apaciguando poco a poco el temblor de su cuerpo y la respiración se vuelve rítmica y confiada, como al salir de un susto. Besa entonces una de las manos protectoras de Mauricio, se desprende delicadamente de él y deja caer la cabeza en el respaldo del sofá, mientras murmura «gracias», con aire de total agotamiento. De sus ojos cerrados sigue brotando, rezagada, alguna lágrima. Los abre, indolente, como en busca de algo. Mauricio se levanta a alcanzarle el bolso, se miran, y ella asiente con una sonrisa casi imperceptible, que parece augurar un cierto restablecimiento. Mira él cómo le descorre la cremallera y saca un pañuelo de su interior. Es un bolso que le regaló su marido las Navidades antes de morir, ya nueve años, las fechas también son como mariposas disecadas. Dan las tres en el reloj de péndulo.

Mauricio se sienta en la alfombra, cara a la chimenea medio apagada. Prefiere no mirarla. Ensaya mentalmente la manera de decirle, sin que suene a mentira, que él se está cayendo de cansancio y se sube a dormir, a ver si la convence para que haga lo mismo, el truco que usaría con una niña insomne y asustada a quien ha desvelado el terror insondable de alguna pesadilla. Hizo alusión a un salto, «no lo resisto», dijo, siempre aparecen saltos al vacío en nuestras pesadillas, premonición de abismo. Ese vértigo del que ella sabe tanto. ¿En qué estará pensando ahora? No la quiere mirar.

–Ha sido una temeridad pedirle que venga, Mauricio –dice ella, después de secarse las lágrimas–, una verdadera temeridad. No sé la cantidad de cartas que llevaré empezadas para él en estos días, la cantidad de papeles mirados, de su padre y de su abuela, que podrían servir para documentar la historia, y eso sin haber decidido todavía si contársela o no, y mucho menos cómo ni empezando por dónde, lo que has dicho tú antes, entrar en la buhardilla y preguntarse: «¿Qué saco y qué dejo?», porque todo de cabo a rabo, como Eugenio pretendía, eso ni siendo Faulkner ni Cervantes ni nadie, en algún punto tiene que cortar también el novelista y partir de otro que elige como inicial, pero que lo será o no, según se mire. Las historias, Mauricio, es inútil intentar contarlas completas, porque nunca lo están, ni siquiera para el que las ha vivido. Y tampoco se cierran con la muerte. Es una equivocación que se paga cara no contar con el rastro de los muertos, olvidar que ese túnel sombrío que empieza a excavarse por debajo de los pies de quienes aparentemente hemos quedado vivos es siempre otro comienzo. Y ahora, por si fuera poco, el legado añadido de don Antonio, la foto de mi abuelo, que es su bisabuelo, y tendré que decirle «este es tu bisabuelo, ábrele un sitio en tu buhardilla, por favor», más mariposas para disecar. Y no puedo, solo consigo dejarlas malheridas, me arrepiento, las voy a soltar y aletean pegadas a la tierra, sin poder reemprender tampoco el vuelo, da pena verlas así entre dos mundos, ya ni una cosa ni otra... Se está apagando el fuego, Mauricio, ¿por qué no echas más leña?

–De ninguna manera. El fuego te encandila. Te tienes que acostar, darle tregua al magín. Y yo lo mismo, que también estoy cansado.

–Es verdad, tú también. Súbete ya, si quieres, yo me encuentro mejor, mucho mejor, palabra. Es que escuchas tan bien, qué paciencia la tuya, Mauricio. Yo no sé qué tenía el fuego de esta noche, ¿le has echado alguna pócima? Ya va a hacer nueve años que murió mi marido y desde aquella fecha no había vuelto a llorar como esta noche, y contigo también, y por lo mismo. Aunque no era lo mismo, a mí entonces los papeles no me preocupaban, tenía empapelada el alma de recuerdos, sí, pero me bastaba con orientarme yo sola por esa topografía interior, saber dónde estaba cada cosa, darme un paseo de revisión y ya, sin pensar que con el tiempo tendría que rendir cuentas de eso a alguien, legárselo. Ahora noto que se están desencolando algunas paredes y que los objetos se tambalean, que ya no paseo a gusto por mi jardín secreto; no vivo, de verdad, pendiente de ordenar las cosas, de airear las habitaciones, como cuando vas a recibir una visita importante.

–Claro –dice Mauricio–, es que es exactamente eso lo que te pasa, que estás esperando una visita importante. Pero no pareces tú, nunca te he visto tan excitada, tan fuera de quicio, perdona que te lo diga, y supongo que querrás hacerle buena impresión. Eso es lo primero, aparte de los papelitos que le enseñes y de lo que sea, lo importante es que te conozca como eres tú, no en ese plan obsesivo. ¿Sabes lo que debías de hacer? Seguir viviendo como si nada, pensar que ha sido un sueño, que a lo mejor no viene.

Continúa sentado en la alfombra, de cara al rescoldo apagado de la chimenea. Estira las piernas para ponerse más cómodo. No piensa subir a dormir mientras ella no lo haga y, por otra parte, no ve tan inminente el final de esta conversación. Las manos de ella se clavan en sus hombros, se vuelve a mirarla y le ve una expresión angustiada y tensa.

–¿Qué te pasa? ¿Te vuelves a encontrar peor?

–¿Por qué dices que no va a venir? ¿Te ha llamado y no te atreves a darme la noticia? ¿Es eso?

–¡Ay, señora, y luego me dices a mí que cuánto me gusta hacer tragedia! ¿Pero qué noticia crees que te estoy ocultando? Si yo lo digo por decir, para que te calmes, porque no sé lo que te pasa esta noche, que te has puesto como tonta, Cuando venga, vino, y se acabó. Pero, por favor, no estés todo el día como un alma en pena.

–Sí, como un alma en pena, tienes razón. ¿Y sabes por qué es?; porque me meto a pensar en lo que él estará pensando, y me pasa una cosa muy rara, a lo mejor te vas a reír: que lo veo pensar. Después de la conversación que tuvimos por teléfono, no puedo remediarlo, lo veo pensar, lo conozco, Mauricio, es como yo. Le estará dando tantas vueltas a lo que le dije como se las estaría dando yo, y por una parte le he picado la curiosidad, pero por otra querrá él sorprenderme, y algo se barrunta, estoy segura; eso es lo que me tiene en ascuas, con el alma en un hilo, que algo se barrunta, Y de lo que se barrunte y del juego que esté dispuesto a enseñar, depende la actitud que tendré que tomar yo. Tarda en venir para desconcertarme, es él quien me está proponiendo una especie de desafío, aunque parecido al que yo le he propuesto a él, no sabemos bien cómo tantear uno el terreno del otro, ¿me sigues?

Mauricio se echa a reír.

–Te sigo por los años que hace que te conozco y porque me vicia resolver crucigramas, cuanto más difíciles mejor, que lo que es si no, a ver quién aguantaba aquí contigo tantas horas esta noche, que tienes la cabeza, señora, hecha una completa maraña.

También ella se ríe ahora un poco. Afloja la presión de sus manos. Y antes de retirarlas, acaricia con simpatía la cabeza rizosa de Mauricio.

–Claro –dice–, porque no estoy acostumbrada a que nadie me tenga en ascuas. Y eso me lo ha dicho Eugenio mil veces: «A ver si alguna vez te enteras de lo que es estar pendiente de alguien, y no poder dormir cuando él no puede, y querer mirarle al microscopio los sesos para saber lo que estará pensando; mientras alguien no te enseñe eso, Sila, por lista que seas, te quedan cosas por aprender»; su hijo tenía que ser quien viniera a enseñármelo, ya ves, tengo tanto miedo a que me domine como a estar deseando que eso ocurra y no saber cómo manejarlo. Total, que no soy libre. Me he pasado treinta años llamándolo a través del mar, igual que llamaba a mi madre, y a veces venía y otras se volvía a ir, escribiendo para él, soñando con él. Sabía que algún día lo llegaría a ver, porque no se había muerto como mi madre, pero esperaba sin prisas. Estaba segura de que él recogía desde cualquier playa del mundo mis mensajes cifrados dentro de una botella, pero no tenían fecha ni le llegaban por orden. Eran mis tratos de siempre con lo imaginario, con lo que aún no ha sucedido. Ahora es distinto, ahora va a venir de verdad. Y le tengo miedo porque lo conozco, porque es como yo, y me puede salir por donde menos lo espere. Además, no lo olvides, Mauricio, yo le tengo que contar una historia, una larga historia. Y no quiero pisar en falso.

Mauricio se pone de pie, se acerca a la chimenea y retira con las tenazas los leños apagados. Los dispone cuidadosamente sobre la ceniza. Desde allí se vuelve y empieza a recoger los restos de la cena.

–Mira, señora, tú estás muy preocupada con eso de la historia, y de por dónde empiezas a contársela y de las cartas de la abuela o de su padre, que explican cómo nació y cuándo y lo que sea. Pero yo te digo una cosa: ninguno de esos papeles te va a hacer falta. Así que duerme tranquila. ¿Entendido?

Ella lo mira con cara de sorpresa, tratando de descifrar la sonrisa enigmática que baila en los labios de su amigo.

–No, entendido no; no entiendo nada, ni sé por qué te ríes.

–Pues es bien fácil. Deja de calentarte la cabeza con principios y finales de esa historia. El principio es que os vais a ver, ¿no?, yo creo que eso no tiene vuelta de hoja.

–Sí, bueno, nos vamos a ver, caso de que venga. ¿Y qué?

–Que no le tendrás que contar nada. Créeme. Que bastará con que te vea. Te olvidas de que yo lo conozco.

A la señora se le ilumina el rostro con una sonrisa entre asombrada y voluptuosa.

–Nunca me habías dicho eso. ¿Tanto nos parecemos?

Mauricio, antes de contestar, detalla pausadamente los rasgos faciales de la señora. Su mirada experta se va deteniendo con complacencia de enamorado en los pómulos salientes, en la nariz recta y fina, en el hoyuelo que dulcifica la barbilla enérgica, en el pliegue melancólico de los labios, en el piquito que le hace el pelo al nacer, en el arco de las cejas, en los ojos verdes y misteriosos, encendidos ahora por la curiosidad.

–Como dos gotas de agua, señora –asegura–. Y, dicho esto, no sé lo que harás tú, pero yo ya me subo, porque son cerca de las cuatro y tengo sueño.

IV. EL CRISTALITO DE HIELO

Leonardo Villalba se despertó sobresaltado, una hora antes de que el tren llegara a su destino, y se sentó en la litera, entre periódicos arrugados y ropas revueltas. Dio la luz. La calefacción estaba demasiado alta.

Acababa de soñar que viajaba a gran velocidad en una apisonadora gigantesca con aspecto de portaaviones, que arrasaba a su paso bosques y casas. Desde una especie de cabina alta de mandos, blindada en cristal, contemplaba el estrago que él mismo iba provocando, incapaz de atajarlo ni de salir de allí, a pesar de que buscaba afanosamente al tacto alguna puerta o ranura en aquellas paredes herméticas. Además notaba cada vez más frío. La angustia se redobló al avistar a lo lejos la Quinta Blanca, rematada por el torreón hexagonal, y comprobar enseguida cómo aquellos perfiles inconfundibles se iban acercando vertiginosamente, al tiempo que se empequeñecían, en lugar de agrandarse. ¡Qué fácil de aplastar, qué inevitable! Parecía ya uno de esos frágiles castillos de cartulina primorosamente construidos por la mano de un niño tras paciente labor de tijera y pegamín. Se despertó cuando aquel ingenio infernal, capitaneado por él mismo, estaba llegando a la verja de entrada, pero le dio tiempo a vislumbrar una figura de mujer, también diminuta, agitando los brazos en medio del jardín. El tren se había detenido bruscamente.

Se levantó a buscar una botella de agua mineral en el armarito de espejo sobre el lavabo empotrado, y bebió hasta dejarla casi vacía. Luego alzó la cortina de tela que cubría la ventanilla. No estaban en ninguna estación, sino a la vera de un maizal con casitas diseminadas a lo lejos. Bajó el cristal y asomó la cabeza para respirar a pleno pulmón el aire de la mañana. Acababa de salir el sol. Se notaba bastante frío, pero ni una hilacha de nube ensuciaba el tinte uniforme y pálido del cielo, fenómeno bastante insólito en aquella zona. Leonardo, aunque seguía notando un nudo en el estómago al pensar en la llegada, ya inminente, tuvo por buen presagio esta novedad del cielo despejado. Los días anteriores habían caído intensas nevadas por todo el norte de España, y él se había pasado muchos ratos pendiente del parte meteorológico, de gráficos y cifras inconcretos, en tela de juicio. Ahora, con los ojos fijos en un maizal de tránsito, contundente y veraz, surgía la extrañeza. ¿Quería decir algo que no nevara? Aquellas informaciones sobre el mal tiempo, que habían coincidido, días atrás, con su indecisión ante el proyecto de viaje, llegaron a convertirse en un pretexto tan abstracto como falaz. No voy porque está nevando. En vez de confesarse la verdad: «No acabo de decidirme porque tengo miedo.» ¿Miedo a qué? ¿A salir de dudas, a respirar de otra manera? Hasta que una mañana el quid de la cuestión había quedado súbitamente al descubierto, como tantas veces, mediante el concurso providencial de la literatura. Se acordó de Gerda y fue como quitarse una venda de los ojos. ¿Había tenido ella en cuenta los cambios de temperatura para seguir adelante en el complicado periplo que había de llevarla a resolver sus propios jeroglíficos y a devolverle la memoria a Kay? ¿No se había visto jalonada su aventura por tramos de sombra y de sol, de noche y de día, de viento y de nieve? Dejó de comprar los periódicos y de oír la radio. Encargó por teléfono el billete y puso un telegrama a la Quinta Blanca. «Llego mañana en el exprés de la noche. Saludos afectuosos. Leonardo Villalba.» Ahora, mirando propagarse los primeros resplandores de la mañana sobre un paisaje transido de resonancias familiares, se preguntaba qué tenía que ver en realidad con este cuento suyo el de Gerda galopando a lomos de un reno. Desde luego, algo tenía que ver, pero casi le gustaba más no saberlo con certeza, descansar de pesquisas y de interpretaciones, «te vas a volver loco, niño, de tanto buscar en los libros la piedra filosofal, sal a darte un paseo». Tenía razón la abuela. Pero, por otra parte, era ella quien le proponía acertijos sin parar hasta después de muerta, incluso más aún. Cerró la ventanilla sonriendo. El tren reemprendía lentamente la marcha. Empezó a cepillarse los dientes.

Cuando, una vez aseado y vestido, salió del compartimiento, el pasillo estaba vacío. Se acodó en la ventanilla y miraba cómo iban quedando atrás árboles, casas, caminos, puentes, ríos y palos de telégrafo, mientras maduraba la luz que bajaba a rescatar de la penumbra esas imágenes recién nacidas a la joven mañana de diciembre, regalo para el niño absorto y melancólico que ha decidido abandonar los libros y salir, por consejo de su abuela, a dar un paseo. Pero siempre resuenan las palabras plasmadas en los libros, eso es inevitable; con ellas empedramos el mismo puente que nos saca a ese paisaje vislumbrado desde las almenas de la fortaleza. Se le vino a las mientes el poema de Cavafis que una noche sirvió como viático para un periplo ajeno, y que últimamente se le cruzaba en el recuerdo a modo de estribillo pegadizo cuando menos lo esperaba. Mónica, la muchacha dormida, también surgía de forma igualmente esporádica; y aquella aparición recrudecía en Leonardo la nostalgia por lo no alcanzado. La dejó soñando en el andén de un viaje confuso, ¿qué fin habría tenido su aventura?

Cuando el viaje emprendas hacia Ítaca
haz votos por que sea larga la jornada.
Llegar allí es tu vocación.
No debes, sin embargo, forzar la travesía.

Tras complicadas discusiones consigo mismo, la vocación de Ítaca había acabado prevaleciendo sobre el hechizo de lo no alcanzado. Forzar la travesía era volver a rumiar los altibajos de ese cisma interior, anticipar a ciegas conductas improbables, dejar de pedirle amparo al fulgor del instante, al privilegio de respirar. En una palabra, sumirse en la parálisis que espanta el milagro. Tenía que olvidar el texto de todas las conversaciones que había ensayado y rectificado a solas, de todas las preguntas imaginarias, pensar simplemente que iba de viaje en un tren cómodo y no a bordo de ninguna apisonadora infernal, que había escapado de espacios donde el aire empezaba a oler a muerto, que tenía treinta años y que había amanecido un día sin nubes.

El encargado del *wagon lit* apareció por el fondo del pasillo y empezó a recorrerlo llamando a la puerta de los diferentes compartimientos para que los viajeros se fueran despertando. Leonardo le preguntó que si le daba tiempo a tomarse un café y él le dijo que sí, que quedaba media hora.

Una vez en el bar, mientras desayunaba, por retazos de una conversación que mantenían los camareros al otro lado de la barra, se enteró de que aquella noche era Nochebuena.

* * *

La vio inmediatamente, aun antes de poner el pie en el andén, cuando el tren acababa de detenerse y él, que llevaba diez minutos preparado en la plataforma, agarró su maleta y miró casualmente en aquella dirección desde el estribo. La vio, a pesar de que estaba lejos, de que no la conocía y aún menos la esperaba. No había mirado hacia aquel punto buscándola a ella ni a nadie, ya que del texto de su telegrama no se desprendía –al menos intencionadamente– el requerimiento de ser acompañado hasta la Quinta Blanca. ¿Qué falta le hacía? Si había puntualizado la fecha y el tren elegidos para desplazarse desde Madrid fue porque no quería caer de sopetón en una casa ajena, para dar un margen a los preparativos y concedérselo, de paso, a sí mismo. Claro que él, más que una habitación o una comida, lo que tenía que preparar era su ánimo; pero quién sabe si a su anfitriona no le ocurriría lo mismo ni cómo estaría viviendo el trance de acoger en su casa a quien por tantos años la habitó y que era, por más señas, el hijo de su amor de juventud. Tenía que sentirse alterada por el acontecimiento, incluso no sabiendo que él había leído cartas suyas, y un libro, y un esbozo de novela. A través de sus reflexiones –particularmente sobre el vértigo– no se adivinaba la ecuanimidad de alguien que nunca ha conocido tormentas.

En todo caso, la tregua –al menos para él– era necesaria. Podía llegar allí a la hora de comer o bien, quizá mejor, a media tarde, tomar un taxi o un autobús, incluso hacer autostop, dependía de la temperatura, del humor y del cansancio, pero lo que, desde luego, no necesitaba para nada era cicerone. Precisamente, mientras desayunaba en el bar del tren, y en vista de que seguía sin dibujarse el borrón de ninguna nube, la alternativa de darse un paseo por la ciudad, comer apaciblemente en cualquier tabernita que le saliera al paso y demorar hasta la tarde el viaje a la Quinta Blanca se fue configurando y tomando cuerpo de decisión. A lo que se negaba, en cambio, era a la tentación paralela de componer *in mente* el guión de un posible diálogo telefónico avisando de esa demora, y a marcarse una hora concreta para hacerlo, eso ya se vería, lo dejaba al azar. Mejor no acumular de antemano perturbaciones inútiles; y volver a escuchar la voz de Casilda sin verle el rostro podía conllevarlas, «no conviene, Leonardo, terreno pantanoso, porque además luego las cosas salen completamente al revés de como las planeas, qué manía de poner el carro delante de los bueyes, te pasaba desde pequeño, tú tranquilo, si acaso que sea ella la que se intranquilice». Y la sospecha de haber podido sembrar inquietud con su retraso en la nueva dueña de la Quinta Blanca le resultaba excitante. En eso se tenía que amparar. Y también en el recuerdo de que la invitación había partido de ella; él se limitó a pedir una cita sin precisar lugar ni fecha. Bien es verdad que el propósito inicial de aquella cita –sugerida por el notario– había zozobrado por completo y ya pertenecía al reino submarino. Esto de ahora era otra cosa que no tenía nada que ver. Venía a cuerpo limpio, sin guión preparado, a celebrar las Navidades con una mujer desconocida, bajo su mismo techo. Se trataba de sacarle partido a la aventura, de pasarlo bien. Sonrió al camarero que, al recoger la propina, acababa de felicitarle las Pascuas, fue a buscar su maleta, y cuando ocupó la plataforma se sentía en paz consigo mismo, dispuesto a recibir cualquier sorpresa menos la que le esperaba en cuanto paró el tren.

Viajar hasta la Quinta Blanca en taxi (esta opción había acabado por desplazar definitivamente a las otras) era el capítulo más placentero de todo el argumento, y Leonardo daba por descontado el hecho de protagonizarlo a solas. Aquel trayecto, siguiendo los meandros de la costa o alejándose de ella, estaba impreso a fuego en su memoria. La idea de volver a recorrerlo, al cabo de los años, de tantos episodios opacos y enredosos, se perfilaba a modo de tregua benéfica antes de vislumbrar los contornos de Ítaca, su meta. «Llegar allí es tu vocación», repetía entre dientes mientras desayunaba con los ojos perdidos por un cielo sin nubes. «Pero no debes forzar la travesía.» Eso iba a hacer precisamente, siguiendo los consejos de Cavafis, saborear la travesía sin forzarla ni forzarse, entregado a las imágenes vivas que, durante esa etapa final, se fueran superponiendo al bordado equívoco de una historia gastada, tal vez para rectificarla mediante alguna pista oculta –¿por qué no?– en los repliegues mismos del paisaje, que no deja de ser un texto a descifrar, portador de acertijos. Sobre la marcha saltaría tal vez la clave, sobre el terreno, setenta kilómetros ofrecidos al ojo perspicaz que no prejuzga ni descarta nada, sediento de mirar. Abriría la ventanilla del taxi y se abandonaría a los efluvios salinos, la mejor medicina para barrer el alma de fantasmas, setenta kilómetros con los poros abiertos a la energía vivificadora del mar, a su ausencia cuando se esconde pero sigue oliendo, a su estallido cuando reaparece en la siguiente revuelta para hablar con un lenguaje distinto. «Por favor», diría, «vaya usted despacio.» Ojalá no le tocara un conductor charlatán.

Pero he aquí que de repente las circunstancias y el sentido de esa etapa final habían dado un vuelco, porque no iba a cubrirla en solitario. Lo supo nada más verla a ella al fondo del andén, de pie bajo el letrero donde ponía «salida», a la izquierda del puesto de periódicos. Se hizo inmediatamente a la idea del cambio que venía a desbaratar sus planes, con la misma naturalidad con que aceptaba la evidencia de que ella había venido para acompañarlo a una finca donde le invitaba a pasar las Navidades, como si no supiera ir él solo o no fuera más lógico, en todo caso, haber enviado a Mauricio, aprovechando que ambos se conocían y eso facilitaría el encuentro. Porque Leonardo Villalba no decía en su telegrama desde Madrid: «Soy alto, tengo los ojos verdes y pienso llevar puesta una gabardina negra», sino simplemente: «Saludos afectuosos.»

Y eso era lo más raro de todo, que aquella mujer y él, que no se habían visto nunca, se estuvieran reconociendo, sin embargo, de forma inequívoca. ¿O era más raro todavía caer en la cuenta de ello sin excesivo pasmo? Pensaba vagamente estas cosas –y otras que nacían y revoloteaban en torno a ellas–, según avanzaba hacia aquella mujer en línea recta, con una mezcla de incredulidad y certeza, como cuando la abuela o el padre se le aparecían en sueños, arrastrado por una fuerza misteriosa que no radicaba propiamente en la voluntad, o al menos no en el tipo de voluntad que asoma o se rezaga durante la vigilia. Un sueño en fin (si acaso lo era) del que estaban felizmente ausentes el miedo y la congoja. Resbalar de una percepción a otra no es algo inhabitual para quien ha tenido contactos con la droga, pero ahora no se trataba de remolinos concéntricos que se excluyen y estrangulan al irse estrechando uno dentro del otro, aguas de sumidero. No, era algo totalmente opuesto a la sensación de embudo, una apertura infinita, un desfile armonioso de pensamientos que se habían puesto de acuerdo para tirar tabiques y abrir ventanas, una alucinación al aire libre. «Ojalá dure», se decía Leonardo aminorando el paso, «no quiero despertarme, ojalá dure mucho rato. Tal vez cuando llegue al final del andén ella se desvanezca y quede cancelado el suministro de ilusión. Pasa mucho en los sueños.» Y latía también, como en los sueños, la sospecha de que aquella persona nada más se estuviera haciendo visible a sus ojos. De no ser así, ¿por qué no se paraba nadie?, ¿por qué no la miraban?, ¿cómo era posible cruzar a su lado, rozarla incluso, sin reparar en ella?

A intervalos la perdía de vista, ya fuera desplazado por los empujones de los otros viajeros que caminaban más aprisa, ya entorpecida la contemplación por una serie de cabezas interpuestas que se movían continuamente, o bien por la necesidad de hacerse al lado para dar paso a los carros cargados de equipaje. Y cuando reaparecía al fondo –como asomando entre los pliegues de una cortina descorrida a medias– aquella figura inmóvil, envuelta en abrigo gris perla con las solapas alzadas, respiraba con alivio y controlaba aún más el ritmo de su marcha, diciéndose unas veces: «Ojalá sea Casilda Iriarte esa mujer de gris que veo allí», y otras muchas, en cambio: «Es ella, no cabe duda, no puede ser más que ella.» Un «ella» que se le despertaba dentro del alma, que saltaba de piedra en piedra, y sus salpicaduras removían aquel poso antiguo dejado por los sueños de adolescencia jamás saciados del todo, a despecho de amores y viajes. Era ella, un «ella» de novela; se había descolgado de los libros que guardaba la abuela en el armario del pasillo, de grabados románticos donde su figura se recorta sobre un fondo de mar alborotado (y tal vez hay un barco que naufraga a lo lejos), de los propios folletines, en fin, alimentados a solas y en secreto. Años enteros soñando con ella desde el torreón, desde el acantilado, desde el martirio de los almuerzos familiares, desde la voz de Patsy Cline o Teresa de Noronha, desde madrugadas compartidas con distintas muchachas sin arraigo, desde playas exóticas, desde la celda de una cárcel, siempre para lo mismo, para paliar el yermo de la falta de amor. Surgía ahora de la S de sueño y de secreto, de la S de Sila y de la flor de lis, de una serie de cartas dirigidas al joven Eugenio Villalba y leídas más tarde por su hijo, era ella, la nieta del farero, un personaje de novela que acababa de hacerse presente en carne mortal.

No se movía ni venía a su encuentro, pero cuando Leonardo había cubierto la mitad del tramo que los separaba, se abrió un hueco entre dos personas antes fundidas por estrecho abrazo, y no solamente consiguió enfocarla de cuerpo entero –desde el sombrerito de fieltro calado sobre las cejas hasta los botines de tacón–, sino que además vio que esbozaba una sonrisa y movía lentamente ante su propio rostro la mano derecha, como intentando limpiar un cristal empañado; y ya no cabía duda: era una contraseña dirigida a él. No se atrevió, sin embargo, a contestar con otro a ese raro saludo, ante el temor de verse expulsado ya, sin más contemplaciones, del turbador reducto de la duda. Notó que le subía a las mejillas una oleada brusca de calor, desvió la vista y decidió no volver a mirar a Casilda Iriarte hasta llegar a su lado, y retardar ese encuentro lo más posible. No estaba acostumbrado a emociones tan fuertes.

Pero lo sorprendente es que cuando llegó por fin junto al puesto de periódicos y alzó los ojos, que traía fijos en su propio avanzar a paso de tortuga, Casilda Iriarte ya no estaba allí. Se detuvo desconcertado, dejó la maleta en el suelo, paseó la mirada inquieta en torno suyo y, por primera vez después de muchos años, experimentó un ansia olvidada. No era la angustia de saberse vigilado o perseguido ni la de sentirse atrapado por compañías vampíricas, sino la de haber perdido algo precioso e insustituible que se ha evaporado sin avisar, como la abuela, suero en vena para seguir viviendo. Era notar que le han cerrado a uno la llave de paso. Se quedó un rato allí, resistiéndose a abandonar el sitio donde había visto o creído ver a la mujer aquella, alargando el cuello en todas direcciones con aire de extravío, dejándose zarandear por la gente alborotadora y gesticulante que buscaba la salida, incapaz de tomar ninguna decisión.

Finalmente, notó que la vendedora de periódicos le estaba mirando con curiosidad y se dirigió a ella.

–Perdone, ¿ha visto usted por aquí a una señora de gris?

Era una mujer de unos cuarenta años, metida en carnes, con aire desenvuelto. Y le miró con sorna.

–¿Cómo que de gris?

–Pues sí, de gris, llevaba un abrigo gris, alta ella.

–¡Huy, hijo, por Dios!, el gris es un color que se confunde mucho. ¿No tienes más señas?

–Sí, alta, ya le digo, y con sombrero.

–¿Gris también el sombrero?

–No me fijé.

–¿Cómo que no te fijaste? ¿Pero la has visto, entonces?

Leonardo, abrumado, se encogió de hombros.

–Creo que sí –murmuró, sin dejar de escudriñar los bultos de la gente que pasaba.

De la señora de gris no se veía ni rastro. Fingió prestar atención a los libros expuestos en un soporte de esos que dan vueltas, porque de repente se veía a sí mismo bastante ridículo. No sabía qué hacer.

La vendedora, sin olvidarse de atender a sus clientes, le seguía observando divertida.

—Oye tú —le dijo sonriendo, mientras le devolvía el cambio a un comprador del *Hola*—, caso de que seas extranjero, que tienes pinta de ello, te quiero advertir una cosa: en esta tierra se ven muchos fantasmas.

La miró aturdido, a punto de decirle que nunca se había sentido más extranjero que en aquel momento, desterrado del paraíso, alcanzado de lleno por la sensación de haber perdido pie. Tal vez, únicamente aquella mañana de nieve cuando leyó la carta que Trud, vestida de blanco, le traía de parte de la abuela y donde él esperaba hallar la clave de todos sus jeroglíficos. Pero no dijo nada, como es natural. En su actitud, sin embargo, se leía tal desamparo que la vendedora de periódicos, apiadada, le sugirió dirigirse al jefe de estación para que llamaran a aquella persona por los altavoces.

—Porque supongo que sabrás cómo se llama —concluyó—. ¿O tampoco?

—Sí, pero ya la encontraré. Muchas gracias. Voy a mirar fuera. Deme *El País*.

No iba a quedarse allí toda la mañana. Tenía que tomar alguna determinación. Y lo de llamar a Casilda Iriarte por los altavoces le parecía absurdo. ¿Quién le aseguraba a él que hubiera venido de verdad?

—Como tú veas, chico. Y suerte. ¡Toma, ven, que te dejas el cambio!

Cuando se separó del puesto de periódicos, ya se había descongestionado bastante el andén. A medida que se dejaba ir con paso vacilante hacia la salida, siguiendo a los últimos grupos de viajeros, trataba de darse mentalmente consignas sensatas para conjurar aquel súbito abatimiento que tenía también algo de hechizo. A fin de cuentas, ¿qué había pasado? Pues nada, que una señora vestida de gris, que podía ser o no Casilda Iriarte, se había escabullido entre la gente y él la había dejado escapar. Pero, además, podía no haberse ido sola, sino con la persona receptora del extraño saludo que Leonardo creyera dirigido a él. Les había dado tiempo a encontrarse y a desaparecer juntos, tiempo de sobra, ¡él había tardado tanto tiempo en cubrir el último tramo! Y esa persona habría abrazado y llamado por su nombre a la mujer de gris, un nombre que no tenía por qué ser el de Casilda Iriarte, a pesar de lo mucho que le pegaba llamarse así, y habrían salido al sol de la mañana enlazados por la cintura. Aunque también cabía la posibilidad de que fuera una amiga o un pariente lejano, ¿por qué iba a ser un enamorado? Le entró una curiosidad incendiaria por averiguarlo. Si se daba prisa, podía toparse con ellos en la cafetería o en la parada de taxis. Se reprochaba la torpeza de haberle perdido la pista a aquella historia por pura cobardía, por no haber sido capaz de sostener una mirada, por quedarse deliberadamente atrás, medio escondiéndose, a partir del momento en que ella agitó lentamente la mano. O también pudo ser todo una alucinación. Tenía razón la vendedora de periódicos, en esta tierra se ven muchos fantasmas.

En fin, después de todo, tampoco había ocurrido nada irreparable. «No saques las cosas de quicio, Leonardo, hay que adaptarse a los cambios imprevistos, eso quiere decir no forzar la travesía, y tampoco tienes que dejarte engañar por los espejismos ni por los cantos de sirena», se iba repitiendo sin convicción ninguna. «Sigue haciendo buen tiempo, ¿no?, pues nada, vuelve a tus cábalas del bar, dar un paseo por la ciudad, comer algo y luego a la tarde, tranquilamente, tomar un taxi hasta la Quinta Blanca por la ruta de la costa.» Pero eran planes que habían perdido su fulgor, y los repasaba en su mente como una lección aburrida de matemáticas.

Estaba parado en la antesala de la estación y miraba hacia fuera absorto, sin estímulo. De pronto vio a la izquierda una fila de cabinas telefónicas y comprendió que había variado la prioridad de sus decisiones. Lo más urgente era llamar a la Quinta Blanca para saber si estaba allí o no Casilda Iriarte. Era la única diligencia razonable, ¿cómo no se le había ocurrido antes? Su voz imprimiría un quiebro decisivo al atasco, bastaría con que aquella voz dijera, por ejemplo, «Leonardo, ¿estás ahí?, ¿has hecho buen viaje?», para sacarle de su atolladero mental. Y por supuesto que él ya no se iba a andar con rodeos ni cortedades. «Voy para allá enseguida; si quieres», le diría, «qué susto me has dado, no te puedes imaginar las ganas que tengo de verte, soñé que te perdía. Si no te importa, vístete de gris.» Seguro que le salía de un tirón.

Acababa de meter las monedas y estaba marcando el primer número de aquella cifra que se sabía de memoria, cuando notó que alguien le tocaba en el hombro. Se volvió sobrecogido y era ella, en persona, la señora de gris. Sonreía y traía una maleta. La depositó en el suelo, se quitó el guante de la mano derecha y la alargó al vacío, porque Leonardo se había quedado tan confuso al verla que no era capaz de reaccionar. Por fin dejó colgando el teléfono, que se balanceó como un péndulo casi a ras del suelo, y estrechó la mano que la señora de gris le tendía. La miraba, radiante e incrédulo. Era mucho más interesante todavía vista de cerca. Se le parecía mucho a alguien, tal vez a alguna actriz de cine antiguo. No caía en la cuenta.

–Hay que andar por la vida con un poco más de cabeza, hombre –dijo ella, señalando la maleta que había dejado en el suelo, una maleta de cuero negro–. Es tuya, ¿no?

Leonardo asintió, aunque aquel problema apenas le interesaba, le parecía un añadido tonto en el argumento, algo que se mete para despistar.

–Pues si no es por mí, igual se esfuma.

–Peor sería que te hubieras esfumado tú –dijo Leonardo, ansioso de entender lo principal–. ¿Dónde te habías metido? Precisamente te iba a llamar ahora.

Le salía natural tutearla. En cuanto a darle explicaciones o pedírselas sobre cómo y por qué se habían reconocido, ni se le pasó por la cabeza. Era otra excrecencia del argumento. Y a ella tampoco parecía preocuparle el esclarecimiento de esa cuestión accesoria. Nadie le pide lógica, por ejemplo, al hecho de que Gerda llegue montada en un reno, en el tramo final de *La Reina de las Nieves,* qué más da un reno que un caballo con alas, lo importante es que encuentre a Kay y le dé un beso. Seguían con las manos cogidas.

–¿A la Quinta Blanca me ibas a llamar? –preguntó ella–. Pues me parece absurdo. Alas no tengo.

–¿Estás segura? –aventuró él.

Casilda Iriarte retiró su mano y volvió a ponerse el guante gris de cabritilla. Parecía un poco violenta.

–Algunas veces creo tenerlas –dijo en voz baja, sin mirarle–; eso es lo malo, que luego suele venir el batacazo. Pero cuelga, hombre. Y vamos saliendo, ¿no?

Leonardo colgó el teléfono y recogió del suelo su maleta. Echaron a andar. Ella iba delante a paso vivo. En la puerta se pararon. Hacía frío, pero mucho sol. A Leonardo le daba aprensión aquel silencio que podía empezar a espesarse entre ellos, aún no se le había pasado el susto. Necesitaba cerciorarse de que no era un desconocido para ella, oírle pronunciar su nombre, aún no lo había hecho. La cogió por el codo.

–Pero dime, ¿por qué te habías escondido? Todavía no me has contestado a eso.

Ella no le miró.

–Bueno, tampoco se pueden dar explicaciones de todo. No sé, me apetecía espiarte.

Había hablado en un tono que procuraba ser intrascendente, que sonaba incluso un poco artificial.

–¿Espiarme? –preguntó él, algo intranquilo.

–Sí, un juego como otro cualquiera, espiarte un poco, ¿no?, antes de hablar contigo. ¿A ti no te divierte ver cómo se mueven las personas y lo que hacen cuando creen que nadie las está mirando? Me escondí detrás del puesto de periódicos, y me daba risa que no me vieras, con lo cerca que estábamos, y también tu aire de despiste. Luego, cuando vi que te olvidabas allí la maleta, sin volver la cabeza siquiera, ya pensé: «Este es como yo»; y nada, te he seguido. Oye, vamos a cruzar. Tengo el coche allí enfrente, aquel negro.

Se soltó de su brazo y cruzó ágilmente al otro lado de la plazoleta. A Leonardo le dio un vuelco el corazón. Al principio no sabía por qué, pero enseguida cayó en la cuenta. Se acababa de acordar de la chica pelirroja que le fue a buscar a la salida de la cárcel. «Tengo el coche allí.» Fue la misma tarde en que se enteró de la muerte de sus padres, dentro de aquel coche precisamente, un dos caballos bastante viejo. Calculó mentalmente el tiempo transcurrido entre aquel viaje y este que iba a emprender ahora con la mujer de gris. Escasamente dos meses. Daba vértigo pensarlo. El vértigo tiene mucho que ver con las cuentas del tiempo. Era todo muy raro esta mañana.

Casilda Iriarte había abierto el maletero y acomodaron allí la maleta negra. Pesaba bastante. No había vuelto a acordarse Leonardo desde que hizo el equipaje de que había metido en ella todos sus cuadernos, y ahora comprendía que perderla habría significado perder el rastro de los últimos meses y de todo el tiempo que dormita en el lago helado de la memoria. Aunque también, quizá, soltar lastre.

–¿Qué pasa? ¿No subes?

Lo mismo que la otra, algo parecido le había dicho la otra, Ángela se llamaba, luego supo que había abortado, pobre chica, no parecía muy feliz, y él no se había enterado bien de por qué sufría. Solo de que intentaba llevarle con ella a una casa donde le estaban esperando otros, de buena se había librado. Sacudió la cabeza, eran mamuts, siempre saltan de sus escondrijos, ya lo dijo aquel camarero. Pero hoy era hoy, un día distinto, estaba escapando de otra cárcel y Casilda Iriarte le iba a ayudar. Era maravilloso dejarse llevar por ella. No podía consentir que ningún mamut le hiciera sombra al sol de hoy.

De tan enfrascado como iba en sus pensamientos, no había reparado en que ya llevaban un rato circulando y se encontraban en las afueras de la ciudad. No habían vuelto a dirigirse la palabra. El coche frenó en un semáforo. Al fondo, entre edificios, se veía el mar.

–Supongo que querrás ir por la carretera de la costa –dijo ella–, aquí ya hay que decidirlo.

–Prefiero por la costa, sí.

–¿No quieres desayunar antes o algo?

–Gracias, he desayunado en el tren.

–Pues ponte el cinturón de seguridad. ¿Te encuentras bien?

–Sí, muy bien, es que estaba pensando en lo raro que es el tiempo.

–Rarísimo. No sé de dónde se habrá escapado este día tan hermoso a finales de diciembre. Lo comentaba con Mauricio esta mañana. Hasta hace dos días ha estado nevando.

–Ya, en Madrid también ha nevado un poco. Pero yo me refería al tiempo en general, al paso del tiempo, que nunca sabes si corre o va de puntillas.

–Ah, bueno –dijo ella–, de eso te podía dar yo un seminario. Pero vamos a dejarlo para la tarde, si no te importa. Cuando voy conduciendo necesito mucha concentración.

–No te preocupes, yo también, aunque no vaya conduciendo.

Ya estaban en la carretera de la costa. Era tal la hermosura del paisaje que no hacía falta decir nada, ni daban ganas. Leonardo bajó un poco la ventanilla de su lado, respiró hondo y se dejaba despeinar por el aire frío, mientras se deleitaba en los reflejos de iris que llegaban del mar a sus ojos entrecerrados. Y la señora de gris, que había resultado por fin ser Casilda Iriarte, no se había extraviado, ya pasó el susto, notaba su presencia junto a él, aunque no la mirase más que de refilón para no distraerla. Conducía despacio y sin hablar, atenta a las curvas del camino, cada una de las cuales descubría una nueva maravilla. Era tal como lo había soñado, nadie forzaba la travesía, seguía sin aparecer ninguna nube y no le había tocado un conductor charlatán. Todo lo contrario: quizás incluso demasiado impenetrable. Se limitaba de vez en cuando, y sin volverse hacia él, a alzar el dedo índice para señalarle un promontorio, una isla a lo lejos, un barco, una gaviota, gestos lentos y sonámbulos que más parecían expresión de su insondable mundo interior que contraseña para otro.

Cuando ya llevaban media hora de camino, Leonardo empezó a sentirse intranquilo, y sobre todo intrigado. ¿Qué iría pensando ella? La miraba disimuladamente, y bajo la aparente impasibilidad de su perfil le parecía adivinar huellas de melancolía. O incluso de cierta tensión. La que le habló por teléfono le había cohibido por su desparpajo. Esta parecía otra, más vulnerable, más triste. Y Leonardo se sentía alcanzado por esa tristeza, aun sin conocer los motivos, como cuando se contagia una fiebre rara. La sospecha de tener relación con aquel virus le ponía un nudo en la garganta, daría cualquier cosa por analizarlo al microscopio. Pero él era incapaz de hurgar en el alma de nadie, de preguntar «¿qué síntomas notas?, ¿en qué estás pensando?», aparte de que pocas personas, tal vez nunca ninguna, le habían despertado esta ardiente curiosidad. Era él quien solía despertarla, ahora estaba ocurriendo lo contrario. Y le daba rabia imaginar que pudiera ser otro el protagonista de las ensoñaciones que tanto embellecían aquel rostro triste y ensimismado. ¿De qué se estaría acordando?, ¿de quién?, ¿cuál sería el motivo de su sufrimiento?

A medida que se acercaban a su destino e iban apareciendo recodos de la costa cuyo perfil le era a Leonardo ya muy familiar, el silencio que los envolvía empezó a estar cuajado de chispas: una descarga eléctrica que no venía del pasado ni de otras historias, sino de la misma fricción del silencio entre ellos dos. El pliegue de los labios de Casilda se había acentuado. Y Leonardo comprendió que allí estaba el secreto, en ese gesto, no en ningún recoveco del paisaje ni en las imágenes de infancia que su contemplación pudiera suscitar. Dejó de atender por completo a lo de fuera. Era dentro de ese coche y en ese mismo momento donde estaba ocurriendo o a punto de ocurrir algo extraordinario. Le daba miedo decir nada. Pero también seguir callado. Ambas cosas entrañaban peligro.

–Es curioso –estalló por fin–, la última vez que fui en coche con una chica solo me acuerdo de que estaba deseando que se callara.

Hizo una pausa. Comprendía que estaba muy nervioso, que se iba a embarullar. Pero ella no le ayudó, se mantenía a la expectativa.

–Y se lo dije –continuó–, incluso de malos modos, que no me dejaba pensar, era de esas personas que terminan todas las frases con una pregunta. Y yo necesitaba paz. Ahora también, pero tú no me quitas la paz queriendo, ni porque me hables, es otra cosa completamente distinta, lo comparo solo porque no había vuelto a montarme en un coche con una mujer ni con nadie, me da claustrofobia viajar acompañado, bueno, en realidad aquello no era un viaje, salía de la cárcel... resulta increíble, hace dos meses nada más... y aquella chica, en el fondo, no me despertaba ningún interés... ni sé de qué la conocía.

–Lo explicas todo un poco revuelto –interrumpió ella–, ¿no te parece?

¿La estaría mareando, como a él aquella tarde la muchacha pelirroja? Pero en su voz no había impaciencia ni reproche, sino dulzura. Como si hablara con un niño.

–Sí, me doy cuenta. Es que las cosas salen siempre un poco revueltas cuando las quieres sacar a luz para otro, ¿no te pasa a ti? Al decir algo, ya se vuelve turbio, cambia, y cuanto más has creído entenderlo a solas, cuanto más brillaba como un flash en lo oscuro, peor es luego, más difícil que te entiendan. A mí, te lo confieso, me suele importar poco que me entiendan o no, vivo como en una cueva, sobre todo desde que murió mi abuela, prescindo mucho de los demás. Por eso también lo que me está pasando hoy es francamente raro; me refiero a que pensar yo para mis adentros no me baste. En una palabra, Casilda –resumió tras una breve pausa–, que quiero saber lo que piensas tú, necesito saberlo.

Y se quedó sorprendido de su atrevimiento, de la firmeza de su voz. Por fin había sido él quien había movido ficha.

Ella había aminorado la marcha del coche, hasta que lo detuvo al final de una cuesta. Pero a Leonardo no le importaba saber por qué se habían parado ni dónde estaban. Se había desentendido de lo de fuera, pendiente en exclusiva de la reacción de ella. La miraba implorante, espiando su expresión. Pero Casilda seguía sin volver los ojos hacia él. Se le había acelerado la respiración, e inclinaba la cabeza, fingiendo atender al freno del coche.

–Saber lo que pienso ¿de qué, Leonardo? –preguntó con cierta amargura–. ¿De qué? Porque hay tantas cosas que me dan vueltas todo el día en la cabeza, tantas... No te lo imaginas. Y yo también las veo más claras cuando no las tengo que explicar.

–Pues por ejemplo de mí, de que haya venido. De pronto noto como si te resultara indiferente, y no lo puedo sufrir, no entiendo por qué me has invitado, la verdad, perdona que te lo diga. Pero por favor, Casilda, mírame, ¿por qué no me miras?

Ella, antes de hacerlo, puso una mano sobre sus rodillas. Se le había escapado un suspiro y le temblaban las aletas de la nariz.

–No, Leonardo –dijo al cabo, volviéndose hacia él–, no me resulta nada indiferente que hayas venido, puedes estar seguro. Y además yo sí que te tengo que contar cosas, muchas, lo que pasa es que no es fácil saber por dónde empezar. Pero bueno, ya irán saliendo. Tenemos mucho tiempo por delante. Si te empiezas a poner así ya desde el primer día y me achuchas, no se logra nada, hijo, me tienes que ayudar. Tú tranquilo. ¿De acuerdo?

Hablaba con una voz que parecía brotar de un pozo muy hondo, grave y desvalida. Pero, sobre todo, le estaba mirando al decir aquello, se estaban mirando de plano por primera vez, y Leonardo no podía dar crédito a lo que veía. Porque veía su propio rostro. No se trataba de una alucinación, no, sino de una evidencia: era como estarse mirando al espejo. Le venía buscando el parecido a Casilda desde hacía rato, investigando su misterio, y ahora resulta que la clave del acertijo se escondía donde menos lo pudo jamás sospechar, en los rasgos mismos del rostro tantas veces mirado rutinariamente mientras se afeitaba, en la mirada cómplice que ahora le estaba devolviendo ella, como reflejo de la suya. Un reflejo verdemar. Había perdido el don de la palabra. Se limitó a cubrir con su mano aquella más pequeña que se había posado en sus rodillas. También las manos eran parecidas. Y asintió en silencio, deslumbrado.

Casilda Iriarte cambió de postura, se desabrochó el cinturón de seguridad y abrió la portezuela del coche. Pero no se había desprendido de Leonardo con brusquedad, sino tras una sonrisa amable, aunque fatigada, como si le estuviera pidiendo permiso para liberar su mano.

–Bueno –dijo–, yo creo que a los dos nos puede venir bien salir a desentumecernos y a tomar un poco el aire antes de meternos en casa. No sé si te has dado cuenta de dónde estamos. Yo adoro este paraje. Solía venir con tu padre.

Leonardo levantó los ojos de su propia mano abandonada sobre las rodillas, y vio, a través del cristal delantero, la torre blanca del faro, con los acantilados a la derecha. Por la portezuela, que había quedado abierta, entraba un olor violento a mar sin límites y aquel rumor eterno de las olas alzándose y rompiéndose incansables. Cuando salió del coche, ella ya había empezado a desplazarse cuesta arriba y el aire agitaba en torno de su cuello una bufanda larga que acababa de sacar del gran bolso cruzado en bandolera. Estuvo un rato mirándola avanzar de espaldas, desligada de todo, y luego la siguió lentamente. No tenía prisa por alcanzarla, al contrario. Aquel ritmo indolente de la figura gris que le precedía, su balanceo, era otra pieza del acertijo, y le gustaba mantener la distancia necesaria para entenderlo y disfrutar de su contemplación. Enmarcada por aquel paisaje bravío, sola y ensimismada, parecía un personaje de Friedrich.

La alcanzó ya casi coronado el repecho que lleva al faro. Ella no volvió la cabeza al sentir que le pasaba un brazo por los hombros, pero respondió con un leve acercamiento de su cuerpo. Aunque era bastante alta, le llegaba a él por la barbilla. Leonardo percibía el olor de su pelo, mezclado con el del mar. Jamás se había sentido tan cómodo caminando junto a otra persona, sin prisa ni violencia, sin sentirse obligado a decir nada. Dieron la vuelta al faro y se quedaron de pie abrazados, azotados por el viento, mirando cómo llegaban las olas a golpear contra la isla de las gaviotas y se deshacían en surtidores de espuma bajo la luz resplandeciente de la mañana.

–En una de aquellas rocas de allá abajo –dijo Casilda, señalando hacia el acantilado– hice una vez un pacto con tu padre. Nos prometimos tener siempre un secreto que nos uniera, aunque la vida nos llegara a separar. La idea partió de mí. Era muy joven, casi una niña, y en la aldea decían que tenía dotes de adivina. A tu padre le daba miedo aquel juramento, porque no lo entendía bien, a él le gustaba entenderlo todo, y más miedo todavía sellar con sangre alianzas misteriosas, en el fondo miedo a su madre, dijo «nos va a castigar Dios», pero yo le llamé cobarde y saqué mi navajita. Pasados los años fue él quien vino a pedirme que cumpliera mi promesa. Mejor dicho, aquí no vino, me buscó por otros pagos. Yo aquí no he vuelto hasta hace seis años, cuando te compré la Quinta Blanca. Por persona interpuesta –sonrió–, como tú me dijiste el otro día. Y tan interpuesta, ¿no te parece?

Leonardo se separó de ella para mirarla. Notaba que se iba estrechando el nudo que apretaba su garganta. Reconocía ese aviso inconfundible, a pesar de los años transcurridos, como se reconoce la voz de una persona que en otro tiempo visitaba nuestra casa, y ahora se acerca y llama desde fuera. Pero aún no le había abierto la puerta. Tragó saliva.

–¿Y el secreto? –interrogó en un murmullo.

Ella abrió los brazos en un gesto amplio, señalando a la inmensidad del mar. Parecía un pájaro dispuesto a levantar el vuelo.

–Se dispersó por ahí, no sé, fue a esconderse en palacios submarinos, en tormentas que no estallan, en botellas de náufrago, quién sabe..., hasta puede que en alguna carta de doña Inés Guitián perdida por los rincones del torreón.

–¿Mi abuela lo sabía? –interrumpió Leonardo muy excitado–. ¿Conociste a mi abuela...? Pero perdona, Casilda, ¿qué te pasa? ¿Te encuentras mal?

Ella no contestó. Había retrocedido medio tambaleándose a apoyarse contra la pared del faro. Estaba muy pálida y había cerrado los ojos.

–No es nada –dijo con una voz tan débil que casi no se oía–, solo un poco de vértigo.

Leonardo se quitó la gabardina negra, la puso doblada en el suelo y la ayudó a sentarse. Ella se dejaba hacer dócilmente. Se arrodilló a su lado y percibió los altibajos de aquella respiración entrecortada cuyas ondas se propagaban a alterar la suya propia. Era como un bajón de tensión cuando se ha fumado mucho *hash*. En casos así –él lo sabía muy bien– lo fundamental es no alarmarse.

–Respira hondo y apoya la cabeza hacia atrás –le dijo–. ¿Te pasa muchas veces...? Déjalo, mejor no hables.

Por toda contestación, ella entreabrió los ojos y señaló el bolso, que se le había escurrido al sentarse. Leonardo se lo acercó y se lo abrió encima de la falda. Estaba atiborrado de objetos dispares, que ella revolvió al tacto, sin mirar. Era un tubito de pastillas lo que buscaba. Lo abrió y sacó una que se puso debajo de la lengua. Volvió a cerrar los ojos. Pero ya parecía encontrarse mejor. Lo dio a entender con un movimiento pausado de la mano, como recomendando calma. Leonardo leyó el prospecto que venía dentro del tubo. Luego le tomó el pulso, y era como si a través de aquellos latidos arrítmicos, que se fueron normalizando poco a poco, recibiera el mismo alivio que se esforzaba por transmitirle a ella, un fluido de vasos comunicantes intercambiando pasión y esperanza.

—Ya se pasa —dijo ella al cabo de un rato, abriendo los ojos—. Suele durarme poco. Siento haberte asustado.

—La culpa ha sido mía por achucharte con preguntas. No sabía que padecieras del corazón. Bueno, ¿cómo lo iba a saber? Te quedan tantas cosas por contarme, pero poco a poco. Te tienes que cuidar, eso es lo primero. No debías haber venido a esperarme a la estación.

—Eso mismo decía Mauricio. Ayer nos pasamos la tarde regañando. No me quería dejar venir ni bien ni mal, pero yo soy más testaruda.

Hizo una pausa y sonrió. Toda la luz del mar parecía haber vuelto a sus ojos verdes. Pero ahora hablaba más despacio.

—... Han sido demasiadas emociones, sí —prosiguió—. Últimamente duermo peor y estoy muy excitada; para saltos mortales ya no valgo. Mauricio me va a acompañar al médico en cuanto pasen las Navidades. Discutimos mucho, pero no sé qué sería de mí sin Mauricio. Veinte años ya que nos conocemos, fíjate.

Miraba a lo lejos, seria y absorta. Pero se le iluminó la cara cuando Leonardo, arrodillado aún junto a ella, le cogió las dos manos y se las apretó con fuerza.

—¡Ahora me tienes a mí, Casilda!, yo te acompañaré al médico y a donde sea, seré tu chófer, tu secretario, tu barman, tu mecanógrafo, tu pareja de baile, y haremos viajes y juegos, y nos reiremos, no me iré de tu lado hasta que me eches... ¡Y no me eches, por favor, hace mucho tiempo que no me quiere nadie!...

La emoción ahogaba sus palabras y le brillaban los ojos, como un mar a punto de estallar en espumas. Casilda estiró las piernas y le hizo sitio en el regazo, indicándole que apoyase la cabeza en aquella especie de nido.

—No te preocupes, que ya me encuentro mucho mejor. Y calla un poco, anda, descansa también tú. ¡Vaya folletín que estamos montando en diez minutos! No sé quién está más loco de los dos. ¿Por qué no te relajas? Te vendrá bien.

Y luego, mientras le acariciaba el pelo revuelto, y empezaba a percibir el temblor de su cuerpo, le decía bajito, en tono de salmodia:

–Estás temblando, hijo, a ver si arrancas a llorar. Cuesta mucho, lo sé, a mí también me cuesta, pero sienta bien, sobre todo si tienes quien recoja tus lágrimas. Limpia el alma atascada, y naces a otra vida, sales del fuego al agua. Yo de pequeña, cuando notaba que me quemaba algo por dentro, inventaba cuentos que terminaban mal para poder salir a llorar aquí, mirando las olas. Llorar es romper aguas. Los niños siempre lloran al nacer... ¿Prefieres estar solo?

Él levantó la cabeza de su regazo y negó vivamente. Arrodillado ahora de nuevo junto a ella, la miraba ferviente y alucinado, como a una aparición milagrosa.

–Por fin has venido, Gerda, cuánto has tardado en venir. Dame un beso –suplicó con voz velada por la emoción.

Casilda se incorporó, adelantó el cuerpo y empezó a besarle despacio en la frente, en las mejillas, en los párpados. Luego, cuando vio que llegaba el momento, juntó las manos y las colocó bajo la barbilla de Leonardo, a modo de cuenco, para recoger aquel llanto que, desbordando los ojos incapaces de contenerlo, ya le resbalaba manso por la cara.

Notó que, dentro de la primera lágrima, relucía una especie de aguja de vidrio que vino a pincharse, al caer, en la palma de su mano izquierda. La cogió con dos dedos de la otra y la miró al trasluz. Era el cristalito de hielo.

(Terminé de escribir este libro en Madrid,
el 1 de mayo de 1994, Festividad del Trabajo.)

ÍNDICE